VOZES DO DESERTO

VOZES DO DESERTO

NÉLIDA PIÑON

8ª EDIÇÃO

EDITORA RECORD
RIO DE JANEIRO • SÃO PAULO
2021

CIP-BRASIL. CATALOGAÇÃO NA PUBLICAÇÃO
SINDICATO NACIONAL DOS EDITORES DE LIVROS, RJ

Piñon, Nélida, 1937-
P725v Vozes do deserto / Nélida Piñon. - 8. ed. - Rio de Janeiro :
8. ed. Record, 2021.

ISBN: 978-65-5587-297-2

1. Romance brasileiro. I. Título.

21-71983

CDD: 869.3
CDU: 82-31(81)

Meri Gleice Rodrigues de Souza - Bibliotecária - CRB-7/6439

Texto revisado segundo o novo Acordo Ortográfico da Língua Portuguesa.

Direitos exclusivos desta edição reservados pela
EDITORA RECORD LTDA.
Rua Argentina, 171 – Rio de Janeiro, RJ – 20921-380 – Tel.: (21) 2585-2000.

Impresso no Brasil

ISBN 978-65-5587-297-2

IN MEMORIAM DE
CARMEN PIÑON,
MINHA MÃE

1

Scherezade não teme a morte. Não acredita que o poder do mundo, representado pelo Califa, a quem o pai serve, decrete por meio de sua morte o extermínio da sua imaginação.

Tenta convencer o pai de ser a única capaz de interromper a sequência das mortes dadas às donzelas do reino. Não suporta ver o triunfo do mal que se estampa no rosto do Califa. Quer opor-se à desdita que atinge os lares de Bagdá e arredores, oferecendo-se ao soberano em sedicioso holocausto.

O pai reage ao ouvir sua proposta. Suplica que desista, sem alterar a decisão da filha. Volta a insistir, desta vez, golpeando a pureza da língua árabe, pede emprestadas as imprecações, as palavras espúrias, bastardas, escatológicas, que os beduínos usavam indistintamente em meio à ira e aos folguedos. Sem envergonhar-se, lança mão de todos os recursos para convencê-la. Afinal a filha lhe devia, além da vida, o luxo, a nobreza, a educação refinada. Pusera-lhe à disposição mestres em medicina, filosofia, história, arte e religião, que despertaram a atenção de Scherezade para aspectos sagrados e profanos do cotidiano que jamais teria aprendido, não fora a ingerência do pai. Oferecera-lhe ainda Fátima, a ama que, após a morte prematura da mãe, ensinara-lhe a contar histórias.

Apesar dos protestos do Vizir, sob ameaça de perder a filha amada, Scherezade insistira em uma decisão que envolvia os familiares no drama. Cada membro do clã do Vizir avaliando, em silêncio, o significado deste castigo, os efeitos daquela morte em suas vidas.

Também Dinazarda, a irmã mais velha, tentara dissuadi-la. Previa-a incapaz de dobrar a vontade do soberano. Sendo assim, por que acompanhá-la ao palácio imperial, como lhe havia pedido, e participar de um ato que ora lhe extraía lágrimas, manifestações de luto prévio?

O debate deixara os limites dos aposentos, das dependências dos serviçais, para circular pelo submundo de Bagdá, constituído de mendigos, encantadores de serpente, charlatães, mentirosos, que no bazar adotavam formas obscenas e jocosas enquanto propagavam a notícia da filha do Vizir, a mais brilhante princesa da corte, que, tendo em mira salvar as jovens das garras do Califa, decidira casar-se com ele.

A notícia do sacrifício, frente ao qual ninguém se mantinha indiferente, alastrara-se pelo califado.

Já não havendo como sufocar a rede de intrigas que a informação gerara, comentava-se que o Vizir, após ameaçar a filha caçula com o exílio no Egito, para ela viver, onde um príncipe daquele reino a tomaria como esposa, viu-se de novo contrariado em seus planos. Desrespeitado por Scherezade, atentara contra a própria vida, cortando os pulsos. Só não se esvaiu em sangue graças à providencial aparição de ambas as filhas, que, tomando da cimitarra com a qual ele cometera tal desatino, ameaçaram roubar suas próprias vidas com a mesma lâmina, caso o pai insistisse em imolar-se. Não suportavam de forma alguma o desgosto de enterrá-lo. Temendo o tresloucado gesto das filhas, expressão, contudo, de amor filial, o Vizir recolheu-se aos aposentos, conformado com a sorte.

Com a propagação de fato assim, a sina de Scherezade ganhara notoriedade. Comovia a velha medina que, de hábito, lidava com o engodo e a burla. Os sentimentos que a jovem inspirava faziam com que teólogos, filósofos, ilustres tradutores, aí incluindo seus mestres, se reunissem pesarosos diante das portas do palácio do Vizir, e ajoelhados, com os olhos postos em direção a Meca, escandissem versículos inteiros do Corão com o propósito de fazê-la desistir de semelhante ato. Na mesquita, não longe do palácio do Vizir, a turba de mercadores e mendigos, descrentes talvez da eficácia de tal holocausto, rezava também pelo sucesso da jovem que sonhava libertar o reino do maldito decreto.

No belo pátio da casa, Scherezade refletia sobre a própria desdita. Próximo ao chafariz, a água a respingar em sua túnica molhava-lhe os cabelos longos. Tinha ao seu lado Dinazarda, que lhe fazia frequente companhia após Fátima despedir-se de Bagdá para sempre. Presa no jardim, convertido naqueles dias em palco do drama familiar, para ali convergia a atenção dos escravos e de discretos cortesãos, solidários com a dor do Vizir. Em torno da jovem floresciam sentimentos na iminência de desembocar em um desfecho trágico.

No dia previsto, Scherezade aprontou-se, indiferente ao sofrimento do pai. Por sua vez, ele recusara-se a levá-la à porta, ao menos para despedir-se. A filha deixou a casa do Vizir sem olhar para trás, arrastando Dinazarda, que fazia parte do seu projeto de salvação. Ao apresentar-se ao Califa, a quem fora previamente anunciada, ele a ausculta sem lhe dirigir a palavra. É rapidamente conduzida aos aposentos reais, sem uma só contração facial. Embora acostumada ao deslizar contínuo dos escravos sobre o mármore translúcido, levando e trazendo iguarias, o confinamento com que se defronta naquele cenário de luxo a intimida. Pela primeira vez saída do lar, vê-se ocupando por tempo indeterminado o centro de uma trama que poderia facilmente escapar ao seu controle.

Observados de passagem, os cortesãos murmuram vendo-a a caminho dos aposentos, na expectativa de ser a próxima vítima do Califa. Suas faces pálidas evocam máscaras provindas da cinzenta luminosidade de Babilônia no mês de janeiro.

Entre aquelas paredes, as filhas do Vizir alimentam-se frugalmente. Testemunhas da realidade faustosa, abraçam-se contristadas, evitando mencionar entre elas a palavra fatídica que ao amanhecer transportaria Scherezade ao cadafalso. Próxima vítima da tirania do Califa, ela abstrai-se de tão grave ameaça. Ajudada por Dinazarda, ameniza o convívio de duração efêmera, mal excedendo quem sabe uma noite, com histórias graciosas. E quando o Califa finalmente lhes é anunciado, os trajes das jovens, de tom pastel, sem qualquer enfeite, empalidecem em acentuado contraste com os suntuosos adereços do Califa, em meio aos quais se destaca seu turbante branco. Assim como as joias que integram o tesouro abássida, exibidas por ele sem constrangimento, e que reverberam à luz do sol.

Como parte do cortejo da irmã, Dinazarda afina-se ao cerimonial que precede cada movimento. Próxima a Scherezade e ao Califa, formam um trio que age com gestos quase mecânicos. Cada qual segue as notas de uma balada em surdina, na expectativa de o triângulo carnal desfazer-se quando Scherezade for levada a copular com o soberano.

A ausência do Vizir é sentida pelas filhas. Fiel servidor do Califa, ele mantém-se afastado da vizinhança dos aposentos, padecendo de longe a perda de Scherezade. Desde o instante em que vira as filhas partirem, sem direito de expressar dor e revolta, abatera-se sobre este pai amargurado o espírito da tragédia. A qualquer instante, sujeitas ao arbítrio do soberano, as filhas seriam levadas ao ara do sacrifício sem tempo de expressar ele a sua revolta. Mas em nome de que ambição eximira-se de defender as próprias filhas, de imolar-se em seu lugar?

O cadafalso, de construção esmerada, fora erguido com a finalidade única de servir às jovens esposas do Califa, condenadas ao amanhecer. Por ordem do soberano, nenhum sangue vil, criminoso e traidor, além das jovens, mancharia o piso de mármore diariamente preparado para a cerimônia de execução das esposas. Uma função para a qual os carrascos, designados para este fim, mantinham-se em permanente vigília.

Distante das janelas, Scherezade cerra os olhos, não quer ver a silhueta da cidade que se espelha nos jardins. Ou descobrir a sombra da câmara da morte que se projeta contra a parede próxima aos aposentos. Dinazarda, porém, mesmo volteando a cabeça, não percebe o cadafalso vizinho. Enamorada dos jardins imperiais, ela esmiúça das janelas em arco as aleias que, se perdendo no horizonte, formam um labirinto que a ameaça tragar. Apesar do feitiço das flores cujo aroma chega-lhe às narinas, distrai-se com os pássaros que, em voo rasante, pousam no pombal de arquitetura extravagante.

Dinazarda anda a esmo pelos aposentos, local do seu desgosto. Procura na memória um recitativo que expresse a agonia de ver a irmã tão perto da morte. Lamenta, ao mesmo tempo, estar acorrentada a alguém que se ilude contando histórias que redimam os homens. E que a faz rir e chorar, encantada por um talento com o dom de transportá-la para tão longe que tem às vezes dificuldade de retornar ao ponto de partida.

Encerrada nos aposentos, cercada de escravas aflitas, arrepende-se de ter cedido a Scherezade. Sobretudo por sentir-se mera passageira do sonho alheio, prestes a ocupar no cotidiano da corte papel irrelevante, caso o Califa poupe a vida da irmã. Imersa em um conflito que lhe afeta o humor, ela termina rendendo-se ao saber de Scherezade que, entre enternecida e displicente, obriga-a a seguir suas pegadas fascinantes.

Scherezade não parecia registrar o estado de espírito da irmã. Concentrada na própria salvação, que dependeria, naquela primeira noite, da atuação de Dinazarda, ignorava que nem as delegações estrangeiras de visita à corte eram poupadas do espetáculo macabro. Cruzando os jardins a caminho da suntuosa entrada do palácio, deviam necessariamente passar pelo cadafalso. A fantasmagórica presença, projetada parede acima, avançando em diferentes horas do dia em direção às janelas do salão do trono, servia de aviso aos transgressores do reino.

Enlaçadas pelo mesmo destino, ambas as irmãs esperam a noite cair. Reunidas nos aposentos, Schezade mal dissimula a náusea. O medo que sente lhe acentua o desconforto provindo do convívio forçado com as escravas em torno. Em breve o Califa viria cobrar seu corpo.

2

No início da noite, Dinazarda anima a irmã a resistir ao Califa, que logo virá dar posse ao seu corpo. Ocupando o mesmo aposento, Dinazarda não sabe como proceder à chegada do soberano. Se deve, por iniciativa própria, abandonar o quarto antes dos prelúdios amorosos entre a irmã e o soberano ou aguardar que ele a expulse.

Prevê a dor da despedida. Não sabe se terá tempo de abraçá-la caso o Califa, recusando-se a ouvir sua primeira história, condene a irmã à morte. Quer esquivar-se dos gestos preliminares à cópula. A despeito da curiosidade pela junção das carnes nuas, uma penetrando a outra sem pejo, enlaçadas como bichos intumescidos, Dinazarda não suporta que a irmã se vergue à concupiscência do Califa. Prefere não ver o desfecho daquela união.

A serenidade de Scherezade impressiona-a. Acomodada no leito, o rosto, impenetrável, não traduz o que pensa e nem transfere apreensão. Confrontada com aquele corpo que se esvaziara para o cumprimento do seu dever, Dinazarda rejeita a visão do Califa a brandir o membro como instrumento de conquista. Para aliviar-se, atribui naturalidade ao que está por ocorrer, quando os avanços do Califa, deitado ao lado de Scherezade, tenham em mira a consumação final. E cada cena que ela vai antecipando integra-se às muitas a que sua imaginação perturbada dá sequência.

O leito, ornado com almofadas e tecidos bordados, aguarda os amantes. Entre estes magníficos brocados, Scherezade revive o cenário das histórias amorosas e concupiscentes que se habituara a contar à ama Fátima, com a diferença de ser ela agora quem fornica, substituindo seus personagens.

Começara a escurecer. Dinazarda faz menção de afagá-la antes do duelo amoroso, mas refreia o gesto. É tarde para acrescentar ou subtrair detalhes ao drama prestes a desenrolar-se à sua frente. Os lampiões mortiços repartem sombras por onde o Califa caminha, após surgir nos aposentos precedido de fanfarras. A cada passo ele agiganta-se, prenunciando a intenção de reclamar o corpo da jovem, sem lhe reivindicar a alma. Fique claro aos súditos, aí incluindo as favoritas, que prescinde do fardo da intimidade. Ele cumpre a rotina do sexo certo de não lhe causar danos ou deixar nele sequelas indeléveis.

Pela primeira vez Dinazarda o vê de perto. Avançado em anos, de barba espessa, corpulento, o Califa esconde a mirada opaca estreitando os olhos. Embora ele encarne o califado de Bagdá, ela não controla sua repulsa pelo homem na iminência de invadir a vulva da irmã com ar de dono. Acautela-se, porém, exime-se de expor cumplicidade com a irmã na presença do invasor, de revelar-lhe os planos, que as imagine prestes a desferir-lhe golpe mortal. Não seria de bom alvitre hostilizar o regente de uma realidade que prevalecia acima da justiça comum.

Amedrontada, quer regressar ao palácio do pai. Arrepende-se da promessa feita à irmã, mas não pode falhar em cumprir a missão de despertar a sonolenta Scherezade após a cópula e convencer o soberano da necessidade de ouvir a história da irmã antes de ordenar sua decapitação.

Sabidamente indolente, o Califa move-se sem despender energia. Esparge em torno uma rara fragrância cítrica. Seu traje, imponente, traz na parte frontal um bordado de inspiração estrangeira, cujos detalhes meticulosos registram a evolução da caça ao cervo. Evita cruzar a mirada com a intrusa, que é Dinazarda. Ao chegar perto de Scherezade, que se encosta nas almofadas do leito, ele não transparece emoção, estende-se ao seu lado dispensando volteios. E, sem mais aviso, começa as lides sexuais.

Disciplinado em assunto carnal, o Califa não altera a conduta no leito. Há muito suas concubinas, afeitas às suas convenções, abandonam os aposentos em seguida ao coito. Pois não aprova ele qualquer manifestação ostensiva de apreço, tais como enviar-lhe sinais amorosos sob forma de recados, lenços bordados, flores secas. Os caprichos femininos não o sensibilizam.

A dispensa de carícias por parte do Califa impulsiona Dinazarda a recuar, à procura de uma toca onde esconder-se. Apressada, vence os módulos que formam os aposentos reais até encontrar um recanto para passar a noite. O biombo, que separa a extremidade afunilada do restante dos aposentos, serve-lhe de tapume contra a realidade ameaçadora. De laca, composto com inúmeras folhas, os desenhos, que enaltecem a dinastia abássida, a distraem, assim como as paredes decoradas com motivos florais e expressivos traços caligráficos.

No percurso até o outro lado dos aposentos, sobressai na sua retina a imagem dos amantes, que se esforça por apagar. Uma angústia que combate, no entanto, com raciocínio simplista. O que poderia ocorrer entre o Califa e a irmã que Scherezade não previra? Antes de abandonar o palácio do pai, ela extraíra de um auxiliar do Vizir a afirmação de não haver na vida do soberano registro de conduta que ferisse a lei islâmica. Seu comportamento previa as práticas comuns à sua estirpe, salvo o decreto recente que ordenara a execução das jovens esposas após a noite de núpcias.

Ainda assim, como aliviar-se, se tinha razões para crer que Scherezade, à chegada do Califa, despedira-se dela para sempre? E que, ao advento da alvorada, a irmã teria a mesma sorte de suas predecessoras, de nada valendo, portanto, seu sacrifício?

Não lhe chega qualquer ruído. Sob a guarda do biombo, Dinazarda esforça-se por não olhar em direção ao leito. Mas a imaginação, fugindo ao seu controle, engendra por toda parte falos disformes, miúdos, alguns com asas, outros com aletas. Todos em igual posição erétil, dispostos a arrombar o hímen das noivas com a mensagem do descabido desejo. Como reação ao membro que a persegue, sua vulva lateja na iminência de uma penetração dolorida. Atribui ao macho invisível atitudes que precedem a cópula, irritando-a que se descuide da anatomia feminina, dos pequenos lábios ora túrgidos. Ao mesmo tempo que, subjugado pela fantasia, parece-lhe ver, do outro lado dos aposentos, o Califa arrancando os trajes da irmã, a sussurrar-lhe palavras torpes, que o excitam. Para tanto havendo os amantes perdido o recato, a ponto de desfrutarem a céu aberto do mesmo sexo praticado pelos miseráveis de Bagdá.

Dinazarda lastima o destino de Scherezade. Duvida que o Califa, ao abrir-lhe as portas do amor, transporte-a para o gozo, faça-a perdoar suas ações cruéis. Espera ao menos que ele seja paciente com Scherezade, pois não deveria supor que a irmã se adestrara na arte erótica.

Em meio aos devaneios febris, sem enxergar o que se passa no leito do casal imperial, Dinazarda cogita sobre a reação da irmã ao membro empedrado do Califa forçando-lhe a entrada do sexo, sem levar em consideração que ainda tinha as paredes secas. Com tal precipitação infringindo ele o preceito religioso que só libera visita ao órgão feminino após o mesmo manifestar-se pronto para o coito, lubrificado com o benfazejo óleo do desejo.

Talvez o Califa, motivado por este temporário dissabor, abstenha-se de entrar no sexo de Scherezade, consolando-se em levar a mão da jovem ao peito, com ordens de roçar-lhe os pelos desregrados, deslizando-a em seguida ao falo, suscetível nos últimos tempos de falhar, até enrijecê-lo e fazê-lo feliz.

3

Ainda na casa do pai, na véspera de partir, Scherezade imaginara-se nua na cama, com o soberano a cavalgar arfante sobre seu corpo. Antecipando o horror que a cena lhe inspirava, fechara os olhos para impedir o desfecho daquela cópula que prosseguia no sonho, a despeito de seus planos de combater o sexo desregrado daquele ditador a cuja presença seria conduzida na manhã seguinte. E a quem cabia saber que, mesmo vivendo no palácio imperial, não assumiria o papel de alguma célebre meretriz de Bagdá, preparada para consertar o corpo gasto do amante com receitas mágicas, poções milenares. Mesmo que em sua bagagem de saberes houvesse fórmulas e rituais capazes de prodigalizar um sexo com desempenho excepcional. Como bálsamos, linimentos, a ingestão, na penumbra da noite, de alimentos raros. Ou a receita que esfregava nas dobras do falo à deriva pelos da cauda e pedaços do cérebro de animais portentosos, tais como o tigre, o urso, o próprio asno.

Sua sina não era vencê-lo na cama, mas superá-lo ao iniciar a primeira história. Presa a este recordatório, Scherezade acompanhou o gesto do Califa a desnudá-la da cintura para baixo, com visível desapreço pelos seios. Uma cena cuja evolução, mantendo-a fria a despeito do Califa lhe arranhar o ventre com as unhas, levou-a a pensar em Dinazarda, do outro lado dos aposentos, na tentativa de adivinhar como seu temperamento, atrevido em assunto sexual, reagiria aos apelos que ora emanavam do leito do Califa. Pois ainda que a irmã tivesse tapado os ouvidos com cera de mel trazida do mercado para não participar daquele interlúdio sexual, tanta cautela não lhe protegia o corpo, que ora ardia de desejo. Nestas circunstâncias, então, seria natural que as coxas de Dinazarda se molhassem com o líquido a escorrer-lhe da vulva, fonte inesgotável de prazer, e que, no curso de tal empreitada, friccionasse o sexo na expectativa de lhe aflorarem estremecimentos, descargas elétricas. E que, transida de ansiedade, receando frustrar-se, clamasse por quem lhe esfregasse o sexo, raspasse a região delicada, lhe arrancasse pelos, mastigasse a carne, a fim de precipitar o gozo.

Conquanto o êxtase atribuído a Dinazarda lhe interessasse, Scherezade retornou ao Califa justo no instante em que ele, arrancando-lhe a peça íntima, expunha, à luz da lamparina, seu púbis escuro, em cuja fenda cerrada introduziu, de um só golpe, o membro autoritário.

O Califa teme sucumbir ao esforço de agitar-se para cima e para baixo, prestes a dar fim a uma encenação acompanhada a distância pelas mulheres que dormiam na extremidade dos aposentos. E cuja presença não lhe pesa, pois há muito perdera o sentido da intimidade, a noção do corpo pertencer a ele e a ninguém mais. Assim, desde a adolescência, ao apossar-se a corte de cada ato seu, tornara-se, como consequência, sujeito principal da maledicência de Bagdá. Qualquer iniciativa sua imediatamente divulgava-se pelos salões, ganhando versões contraditórias.

Menino ainda, bastava-lhe requisitar uma favorita a vir ao leito, para divulgar-se quantas vezes entrara ele, sôfrego, no ventre da fêmea. Até mesmo o instante em que, após alcançar o orgasmo, tombara desfeito ao lado da parceira.

O acirrado controle dos cortesãos acionara-lhe o instinto de defesa, dando-lhe pretexto de jamais revelar, a quem fosse, a natureza das suas emoções. E era com esta decisão em mente que montava o corpo da concubina, apressado por gozar, por livrar-se de sua companhia. Logo devolvendo a mulher ao harém sem uma só prova de carinho. Nestas suas travessuras sexuais desconsiderando se tinha ela dono. A ponto de, certa feita, usurpar a favorita do tio sem ao menos lhe pedir licença ou desculpar-se posteriormente. Um furto que não lhe ocasionara problemas, por não desejar o tio criticar o herdeiro abássida, cujos atos predatórios vinham-lhe visivelmente enrijecendo a sensibilidade, ofendendo as cordas suscetíveis do amor.

Ao longo dos anos, estas práticas acarretaram mudanças em seu comportamento. Sob o jugo desta espécie de desilusão, foi-lhe lentamente esmorecendo a espontaneidade no sexo, sem tal sentimento, em contrapartida, aplacar a tristeza que o vinha envenenando, e para a qual não havia antídoto. O processo de envelhecimento, contudo, assustara-o. Deu por esconder o declínio do corpo até o dia em que, vencido por certas evidências, descuidou-se dos detalhes, talvez por saber que, a despeito de suas fraquezas, tinha a seu favor o poder de ordenar a morte dos inimigos.

Já não lhe fazia diferença que as mulheres estranhassem seus tropeços viris, o retraimento contínuo. Com elas nos braços, porfiava pelo prazer instantâneo, ainda que lhe passasse agora pela cabeça o desejo de soprar ao ouvido de Scherezade, nua e paralisada, à guisa de orientação, que lhe revitalizasse a zona da genitália, sensibilizando sua pele com as unhas, preparando-o para travar a batalha do amor, antes de sua vara perder o vigor.

Atrás do biombo, Dinazarda não tem sono. O corpo lhe formiga pensando em Scherezade engolfada em poderosa experiência. Também ela, atravessada por ferroadas, sente estranha boca arrancando-lhe pedaços e delícias, enquanto a carne, ferida, parece-lhe gotejar secreções, esperma, em meio a lamúrias suas e do amante imaginário, que se entrecruzam, caóticas. Sobressaltos que a amolecem, dobram-lhe a vontade. O gosto do sangue, provindo da vulva dilatada, vem-lhe em golfadas. Em meio ao delírio, lança esta placenta à caldeira da bruxa, aquecida a lenha, a carvão, sob o fogo da imaginação. De repente, julga-se a mulher que o Califa escolheu para crucificar com seu membro inimigo.

Nada ouve de Scherezade. Se continua viva ou desfaleceu. Os ruídos que distingue correspondem ao arfar descompassado do Califa. Scherezade mesmo não emite som ou lamúrias. Ela age na certeza de que é mister sobreviver. No entanto, o corpo lhe arde. Discreta, apalpa o sexo, a brecha promovida pela passagem do Califa, caído ao seu lado, ambas as genitálias em frangalhos. Cientes, no entanto, de que a arma mortífera da paixão não os enlaçara e nem os comprometera qualquer volúpia.

Scherezade reza para a irmã não se atrasar, temerosa de o soberano repudiar a proposta de Dinazarda, que se aproxima agora sem fazer barulho. O Califa divisa-lhe primeiro a sombra, depois a presença, mas quem poderia perturbá-lo àquela hora, trazendo-lhe notícias do reino? Observado pela jovem, cujo rosto mal identifica, o Califa se cobre, senta-se no coxim.

No esforço de salvar a irmã, Dinazarda arrisca a própria vida. Sobre pantufas douradas desliza, amedrontada, até o leito real. Avalia os riscos, a cabeça posta a prêmio. Não tem, porém, a quem apelar, à mercê de um soberano que despreza o lírico arbítrio do amor. Receia distorcer as instruções recebidas, falhar na argumentação que Scherezade cuidadosamente lhe preparara, mostrando-se incapaz de provar ao Califa o talento da irmã em contar histórias. Neste caso, em vez de salvá-la, precipitando-lhe a morte.

Cresce o silêncio no meio da noite. Apesar da penumbra, Dinazarda enxerga a irmã prostrada na cama, rendida. Em gesto impensado, debruça-se sobre as coxas da irmã, segue o impulso piedoso de lamber o sangue coagulado entre suas coxas. Reergue-se logo, arrependida, tentando emendar uma situação conflituosa. Disposta a lutar, não se abate, inclina-se em profunda reverência. Murmura sons que o Califa mal registra, mas cujas palavras, corajosas, despertam-lhe a vontade de ouvi-la. Dinazarda aumenta o tom da voz, para só emudecer depois de arrancar do Califa a promessa de ouvir Scherezade. Só então ajuda a irmã a contar sua primeira história.

4

Contrafeito com a invasão inoportuna de Dinazarda, o soberano, ainda sonolento, decide ouvir Scherezade antes de entregá-la ao verdugo. Desconhece as intenções da esposa de usar Dinazarda como parte de um estratagema que a pode salvar. Acatara, contudo, a súplica recatada, sem ele mesmo explicar a razão de haver cedido. Talvez porque ela lhe garantira que a palavra da irmã era uma espécie de casulo, de onde sairia um dia, na hora certa, o bicho-da-seda.

Sem esconder a impaciência, acomoda-se no coxim. Surpreende-se, no entanto, com a jovem tímida, com quem há pouco unira-se carnalmente, a mudar várias vezes de posição enquanto lhe fala, cada movimento seguindo uma instrução secreta, ditada pelo teor do enredo.

Scherezade tem o verbo fácil. As palavras, formando um amálgama inquebrantável, vão servindo como que de escudo para os personagens a desfilarem diante do soberano. E embora amigáveis alguns entre si, nem sempre originam-se estas criaturas da mesma família. Mais pareciam unidas pela ambição do ouro e da aventura, em vez do sangue. Suas histórias, pois, iam progredindo em torno de aventureiros que lançavam a vida sobre a mesa com a esperança de ludibriar os dias e a miséria.

À medida que Scherezade descrevia como eles galgaram as muralhas de Bagdá a oeste, pretendendo alcançar as margens do Tigre, o Califa cofiava a barba, descrente do que ouvia. Mas ao lhe parecerem eles tão reais, duvidava que houvessem nascido de jovem tão inexperiente. De como soubera Scherezade descrever foragidos, vagabundos, amantes, gente que desembainhava a espada só pelo privilégio de pousar a vista nos seios da mulher do mercador a banhar-se no pátio da casa, aproveitando o calor do sol matutino. Disposta a fêmea a ceder-lhes o que estariam eles prontos a pagar com o braço cortado pelo marido ciumento.

Às vezes jocosa, Scherezade sorri em defesa destes seres. Livra-os de inesperados dissabores, sabendo que voltaria, com alguns deles, a empreender outra aventura. Mas enquanto a noite avança, e injeta no Califa uma paixão que há muito o abandonara, ele não lhe nota fadiga ou esforço desmesurado. A cada enunciação ela como que sorve o sangue do soberano a pretexto de aliviá-lo.

De repente, ele reage à possibilidade de a jovem abusar indefinidamente de sua hospitalidade. A solução seria entregá-la ao verdugo, cortando na raiz suas pretensões de artista, membro de uma arte praticada pelas classes populares. Ao iniciar o gesto que teria significado a imediata condenação de Scherezade, ele quis ouvi-la um pouco mais. Ansioso por conhecer o destino do jovem Hassaum, que ousara roubar a coroa de um rei que, após perder a fortuna, imerso hoje na miséria, só dispunha deste adorno como patrimônio.

Antes de entregá-la ao algoz, precisava tomar conhecimento também daquele outro bando de malfeitores, chefiados por uma moça altiva, vestida de homem. Assim como dos remanescentes de uma tribo que interceptara a caravana a caminho do palácio de verão de um potentado estrangeiro pensando encontrar joias nos baús e nos cestos de vime. Quando se assustaram à vista de mulheres, algumas de idade avançada, integrantes do harém de um potentado, a viajar pelo deserto sem escolta devida.

O soberano julgou atrevido um tema que permitia a malfeitores disporem de mulheres pertencentes a certo monarca, ainda que não fossem suas. Embora criticasse Scherezade pelo mau exemplo, não interrompeu o curso da história, que já ia bem avançada. Ou sugeriu-lhe que repousasse, afinal falava-lhes havia muitas horas.

Não se notava em Scherezade o esforço despendido por dotar o enredo com recursos que impedissem o Califa de decretar-lhe a morte, se quisesse de fato acompanhar o desenvolvimento do amor do bandoleiro e da princesa. Sem ele perceber que a meta da jovem era jamais deixar os fios soltos do relato no ar, de modo a poder atá-los na noite seguinte. Pois sua função, a fim de salvar-se, previa considerar o peso de cada palavra na frase, sem esquecer, para isto, de acrescentar ossos, gorduras, paixões aos personagens, frutos de sua invenção. A eles confiando o encargo de abrandar o coração empedernido daquele homem.

Amanhecera, e o Califa devia dirigir-se ao salão de audiências, onde o aguardavam. Mas como Scherezade não terminara a história de cujo desfecho está pendente, ele decide garantir-lhe a vida por mais um dia. Ao retornar à noite aos aposentos, Dinazarda insiste com ele que uma das virtudes da irmã era fazer latejar o peito alheio. Assim, após fornicar com Scherezade, ele atende à graça requerida, da jovem avançar pela história inconclusa. Sem suspeitar de que mediante tal concessão privava-o da atenção de seus súditos. Cedia-lhe, involuntariamente, a máquina de fabricar sonhos, admitia de público que qualquer história, pronunciada com liturgia solene, salva a quem seja da visão do cadafalso. E, pior ainda, corria o risco de passar às mãos da jovem um poder em franca disputa com o seu.

De pele clara, Scherezade saíra à mãe, a quem o Califa não conhecera. Apesar do corpo miúdo, havia em seus relatos figuras ciclópicas com a missão de estremecer o equilíbrio do califado. Para isto ela prometendo aos ambiciosos e desvalidos certa pérola cuja coloração negra tinha a propriedade de sarar os moribundos e alastrar entre seus proprietários benefícios prodigiosos. Estes fatos ocorrendo de forma que o Califa não interrompa o seu fluxo narrativo. E isto porque, atento a esta espécie de baile de máscaras, ele confia no olhar de Dinazarda a afirmar-lhe que desfrute da arte com que a irmã, às suas expensas, esquiva-se da sentença noturna.

Após cada cópula, Scherezade apruma-se, demonstra-lhe o encanto que os miseráveis exercem sobre a imaginação. O que podem fazer seus cortesãos que os vagabundos de Bagdá já não tenham praticado nas vielas ou em perambulações pelo deserto. Com voz de flauta e de alaúde, ela cultua volutas verbais que desestabilizam a realidade sobre a qual o Califa governa.

Durante as noites, embora sofrendo do mesmo medo que acomete as jovens anônimas do reino, ela é feroz em defesa da fome arcaica que lhe suscita cada história. É, aliás, em nome de tudo que a devora por dentro que sai a catar frases, motes, os artifícios narrativos que lhe conservem a vida até a manhã seguinte.

5

Sob o ardil de véus diáfanos, o olhar de Scherezade vaga, ultrapassa o rosto do Califa, consulta as estrelas. Através das janelas em arco, a via estelar constitui uma cartografia onde lê histórias que adiciona ao seu repertório.

Entregue aos cuidados de Dinazarda, que delega à escrava Jasmine a tarefa de embelezar-lhe o corpo, Scherezade resiste a perder-se na superfície indecifrável do Califa, que lhe prepara pequenas emboscadas com o intuito de percorrer os labirintos da jovem.

Sua presença a constrange. Não ama aquele homem. Luta apenas pela vida, obedecendo ao instinto da aventura narrativa e à paixão pela justiça. Desde que o terror se difundira pelo reino, com o sacrifício das jovens entregues inicialmente à luxúria do Califa e mais tarde ao cadafalso, Scherezade decidira opor-se a tal crueldade. Para tanto, confrontara-se com o pai, o poderoso Vizir, disposta a embarcar em uma viagem sem retorno.

Sob a luz das lamparinas de azeite, examina o Califa, tentando desvendar os atos daquele homem, que afetam inclusive os preceitos do Corão. Sob que pretexto fosse, não havia justificativa para a matança das jovens. Com que direito arbitra sobre a vida dos súditos, enlutando as famílias em nome da honra ferida?

Decidida a salvar-se, Scherezade capricha nos detalhes, que utiliza como arma. Para dar credibilidade à sua palavra, pensa, organiza-se, vislumbra o mundo. Aceita que lhe selecionem comida e trajes. Só faltando a Dinazarda acrescentar ingredientes do próprio punho aos relatos que Scherezade lhes vem contando. É a própria irmã, por sinal, que nas últimas semanas, a pretexto de derramar mel sobre os figos, já por si adocicados, insinua-lhe que o artista não prescinde dos toques originais de um observador anônimo, com o intuito de colaboração. Graças a quem lhe chegam fragmentos que, conquanto desconexos, podem no futuro fundir-se a uma história.

Com dissimulada desatenção, Dinazarda, ladeada pela escrava Jasmine, entretém-se com a arte de envolver Scherezade com véus e panos procedentes de várias partes do mundo. Ambas as mulheres divertem-se em experimentar maneiras de ajustar os referidos tecidos ao corpo de Scherezade. Aprimoram-se, sobretudo, no uso de véus que vedem aos demais a visão do seu rosto.

Como qualquer muçulmana, as filhas do Vizir não fogem à imposição dos véus, adotados inicialmente por Fátima, mulher do Profeta, após a revelação que Alah concedera ao marido. Manifestara-se ela tão grata pela magnitude da notícia trazida por Maomé que, em consonância com a sua crença, cortara com rápidos golpes de faca pedaços de panos existentes na casa, em seguida cobrindo-se com eles. A partir daquela data, nenhum estranho lhe devia ver partes do corpo, observar o grau da fé que a cercava como uma auréola.

Muito cedo, ambas as filhas do Vizir tiveram acesso à leitura do Corão, impressionando-as os versículos relativos ao episódio que, ao pregar o recato, impedia que a emoção feminina, aflorando às faces, fosse observada por alguém de fora da família.

Transparentes e delicados, os véus, para as irmãs, integraram-se imediatamente à esfera da imaginação. Persuasivos por natureza, eles guardavam e exibiam o que estivesse sob o foco da atenção masculina. E, enquanto cumpriam esta função, preservavam as incertezas dos sentimentos femininos, o inesperado desequilíbrio da razão, os momentos em que a alma, tentada pela melancolia, não se contém. Mas, ao mesmo tempo que estes véus escondiam, permitiam igualmente que qualquer das irmãs, ao resguardo deles, se refugiasse, mesmo em pensamento, na gruta do pecado, a fim de regozijar-se com prazeres sigilosos. Na caverna onde o desejo brilha e umedece os sonhos.

Elas haviam herdado da mãe e das amas o significado dos véus. O tecido inconsútil, como o tule, o cetim, a seda, que, colado ao corpo, serve de estímulo ao jogo erótico. A linguagem dos gestos que daí decorre, propalando ambiguidades, luxúria, discórdia, desenganos, acertos. Com eles nos rostos, certas de não serem reconhecidas, fogem à tirania do pai e do Califa. Como se, ancoradas em terras exóticas, cessasse o perigo de serem trazidas de volta ao serralho, enquanto confiam que os olhos, apesar de tão expressivos, confundam o observador, dizendo o contrário do que sentem.

Como serva, Jasmine não se adorna com véus. Sem a proteção deste escudo, sujeita-se à claridade, expõe os sentimentos, fica à mercê da cobiça masculina. Habituada, porém, a acolher o instinto de quem a vê e a quer levar para casa, ela anda solta pelas adjacências dos aposentos, indo até a cozinha, trazendo e levando recados e merendas. Observa o apreço do Califa pelos véus. Como parte de uma cultura que os consagrara, ele aplaude com entusiasmo o que vem no rastro do seu fascinante código, e que amplia, sobremaneira, a faixa do gozo sexual. Igual ao Profeta que desvelara com as pontas dos dedos o rosto da esposa, também ele almeja, ainda hoje, uma graça que, originária de tal mistério, o faça transbordar de si mesmo.

Antes de Scherezade instalar-se no palácio, o Califa, imerso nos últimos anos em prolongada melancolia, ia de visita ao harém, de preferência ao cair da tarde. Carente de apelo erótico, ele cruzava os umbrais em silêncio, indo sempre a ocupar a mesma cadeira. Cercado pelas concubinas, que celebravam sua presença com alaridos confusos, ele jamais retribuía a falsa alegria. Nada tinha a acrescentar ao que lhes dissera. Mesmo porque o júbilo das mulheres recordava-lhe a advertência do Profeta, quando se referia aos indícios da malícia feminina. Após deter-se longamente à porta do inferno, Maomé constatara que a maioria dos que ali ingressavam era constituída de mulheres. Insinuando, assim, ser a fêmea mais propícia ao pecado. O Califa lembrava-se igualmente, confrontado com o tumulto à sua volta, de certa voz que, a pretexto da natureza ardilosa da mulher, proclamara rancorosa: "Oh, vulva, com quantas mortes de homens arcas?" E evocava ainda a metáfora criada por poetas árabes que, no afã de descrever o órgão sexual da mulher, associaram seu formato à cabeça de um leão faminto e insaciável.

Nos últimos tempos, o Califa permanecia no serralho sem cobrar sexo das favoritas. Aceitando que dançassem à espera de despertar-lhe cupidez, seguia atento a dança do ventre, que ensejava à mulher um malabarismo sinuoso enquanto movia os quadris. Prendia-lhe a atenção que a mulher, desprendendo-se de cada véu da cintura, despojava-se lentamente de tal proteção. Soltos no ar, estes véus, em oposição à gravidade, por segundos permaneciam na região rarefeita, até roçarem, a caminho da queda, partes da silhueta feminina.

Ao se oferecerem lascivas, o Califa sentia-se tragado pela violência de uma vulva que o queria arrastar para dentro de suas funduras sem deixar vestígio de seu paradeiro. Quando intuía, regido pelo demônio, não haver salvação para o falo, apesar de nutrir, ainda que momentaneamente, a ilusão de captar a poesia do mal e da carne. De aproximar-se de um mistério encerrado por trás daqueles véus esvoaçantes, prestes a condená-lo para sempre.

6

A cada noite Scherezade envolve o Califa em teia sutil. Apazigua-lhe os nervos, enquanto seus ritmos narrativos expressam a dança dos sentimentos. Suas histórias, semeadas de atitudes heroicas e imprudentes, saciam os ouvintes famintos, mantendo o interesse do Califa até o amanhecer. Qualquer fracasso significa a pena de morte.

Seu coração nem sempre se prende aos relatos que vai contar. Sua expectativa é retomar um dia o curso do cotidiano do lado oposto dos muros do palácio imperial, livrar-se do fardo de narrar. Às vezes ausenta-se dos aposentos, deixando o corpo para trás. Retorna, então, à casa do pai e rejubila-se ao ser recebida à porta pelos serviçais que se inclinam à sua passagem. A mesa, coberta de iguarias da infância, é prova de estar ainda presente na casa do Vizir. Sob a guarda de tantas memórias, reconstituídas entre as paredes da morada, tudo a protege, não se sente autorizada a morrer. Como, aliás, despedir-se, se cabe ao pai morrer em seu lugar?

A ilusão de haver partido de volta à casa logo se desfaz. Já não tem para onde ir, senão ficar no palácio do Califa, onde as criaturas da sua imaginação vão prosperando sob o impacto de suas personalidades cinzeladas. Premida, porém, por uma melancolia consonante com dias cinzentos originários das regiões longínquas, nada tendo a ver com o deserto que lhe ocupa o coração, ela acelera o verbo, traz para perto do leito o povo de Bagdá.

A nostalgia aperta-lhe o peito. Asfixia-a constatar que sua existência se prolongará enquanto mantiver o soberano vítima de sua arma verbal. Respira fundo, comprime os lábios estranhamente carnudos, tendo como moldura o rosto fino, quase ascético. Reabre-os, libera frases e suspiros encerrados na garganta.

Na face, o véu intensifica-lhe o enigma. Praticamente grudado à pele, faz parte do rosto. Ressente-se quando Dinazarda, em gesto abrupto, arranca-o a pretexto de averiguar se a irmã encontra-se ainda entre os mortais. Quem sabe capitaneando suas aventuras, embarcara em nau estrangeira e não regresse mais a Bagdá.

Ainda quando tem o rosto exposto, nela perdura uma delicada película que veda aos demais ingressar em seu interior. Uma matéria que a protege do Califa, em especial à hora em que seu falo singra inoportuno pela sua vulva. Mas, observada por Dinazarda, ela é altaneira, quase translúcida. Sobre ela paira a auréola provinda da arte de contadora. Razão talvez de fatiar as histórias com prudência, guardando as migalhas da broa caídas sobre a mesa para a fome daquele dia. Às vezes, tem ciência de acertar, de atingir por momentos o ápice da narrativa. O raro instante em que, ao atingir a corda sensível do enredo, não lhe cabe recuar ou abdicar dos ingredientes que, apaixonadamente enlaçados, determinam seu desfecho.

A própria Fátima, que a segurara nos braços desde o nascimento, dizia, em destemida defesa, o que Jasmine repetiria mais tarde, de Scherezade tecer com as palavras. Com o tear e o algodão entre os dedos, ela ia afinando os fios para fazer com eles, ao final, um tipo de manta capaz de proteger os ouvintes do frio das noites no deserto.

Scherezade, porém, afligia-se sob a pressão dos méritos que lhe eram atribuídos. Pouco afeita às homenagens, recusava ser a tecelã que Fátima lhe atribuía. O que não a impediu, em certas ocasiões, de estufar o peito, para logo arrepender-se da arrogância que a podia envenenar. Em um sombrio domingo, autoflagelou-se correndo pelos salões, passagens secretas, porões do palácio do pai, até sucumbir, ofegante, no pátio, entre mil flores, exortando os duendes a puni-la. Ao final do esforço, apaziguara-se repetindo a prática antiga de esconder bilhetes ligeiramente perfumados debaixo de almofadas coloridas espalhadas pela casa. Mensagens que, de inconfundível caligrafia, frustravam quem se alvoroçasse em desvendá-las. Estes pequenos papiros, simples anotações esparsas, não ofereciam ao desavisado leitor uma única frase conclusiva. Pois as palavras, salpicadas ali e acolá, comprimidas entre desenhos dispersos, obstruíam o acesso ao que se viera buscar.

Montada em imaginário corcel, Scherezade galopava pela casa, perseguida por adversários intrigantes. Fugindo de Dinazarda que, à caça dos seus bilhetes, pretendia descobrir a razão de a caligrafia da irmã, vista de longe, confundir-se com o perfil do camelo, um animal que Scherezade homenageava a qualquer pretexto.

Em conjunto, os bilhetes, por seu caráter críptico, de nada valiam. Não passavam de um papiro que serviriam unicamente de alavanca para Scherezade elaborar alguma história prestes a desabrochar sob o impulso do seu engenho.

Esta vocação para engendrar episódios, que confundiam a família, viera-lhe do berço, por parte da mãe, de fértil imaginação. Dinazarda, dois anos mais velha, soubera pelo pai que a mãe, pouco antes de falecer, registrara junto ao marido a obstinação com que Scherezade, tão pequena ainda, assegurava vida ao que parecia perecível. Sua precoce devoção de propagar o cotidiano dos humildes que faziam de Bagdá centro irradiador da civilização árabe.

Mediante tais recursos, a menina exigia que os membros da família a questionassem sobre qualquer assunto. Postada no meio da sala, como uma esfinge, aguardava o encaminhamento de questões disparatadas, que lhe testassem o conhecimento. Mesmo se falhasse, de modo algum deviam prescindir de suas respostas. Pois tudo que lhes dissesse tinha respaldado pela memória do Islã. Caso quisessem de verdade escrutinar o passado da grei familiar, ou rastrear a trajetória do Profeta que forjara a grande nação espiritual, confiassem a ela, apesar da idade, a tarefa de aglutinar lendas e registros soltos, espalhados pelo califado.

A mãe, prestes a exalar o último suspiro, tendo Fátima ao lado, esforçara-se por sorrir. Comovia-a que os relatos iniciais daquela filha abarcassem figuras lendárias do deserto, das mesquitas, dos mercados islâmicos. Como se não lhe bastando contar com os membros da casa para a formação de seus enredos, precocemente preparava-se para lidar com a carne alheia que sofria, sonhava, forjava mentiras, e não tinha nomes.

Mal aprendera a andar, e despontaram nela a memória incorruptível e a atração pelo inefável, já ao seu alcance. Sob os cuidados de Fátima, ela desenterrava, desenvolta, mortos e figuras emblemáticas, acasalava adversários e amantes, traduzia o âmago do amor. Mesmo faltando-lhe experiência, com o farol dos olhos resgatava os barcos da tormenta, trazendo à praia, por meio da empreitada verbal, as mercadorias do porão e o que jazia no fundo do mar, originário de naufrágios anteriores.

As raras admoestações que o soberano lhe faz, ainda que alheias às suas histórias, servem-lhe de aviso. Imediatamente recalcula o tempo da história e testa sua densidade, se de fato serviria para entreter o Califa até a alvorada. As veladas manifestações do Califa a induzem a lançar mão de inesperados recursos, como semear pegadas falsas, simular que perdera o prumo de tanto exorbitar na invenção.

Assim, como resultado destes artifícios da arte de contar, ela faz surgir personalidades que, embora sem função aparente, aliciam a curiosidade do soberano. Para que ele, submetido ao caos astucioso da jovem, conceda-lhe o direito de viver, desde que prossiga. Sem que tal gesto, repetido a cada amanhecer, incline o Califa a espargir em torno atos generosos e a exima da culpa de ser mulher.

Com o rosto ensombreado, ela enfrenta a tensa pugna, luta por restaurar os tecidos da vida tomando seus personagens como exemplo. Sofre em pensar que seu valor consiste em servi-lo como uma escrava na masmorra, que só existe legitimada pelo soberano.

Dinazarda quer ajudá-la, deter o fluxo diário das suas histórias. Suspender, quem sabe, a visita do Califa para que a irmã, afinal, passeie pelos jardins do palácio. Para tanto ameaçando o soberano com a vinda de um escriba do norte para substituir Scherezade. Velada ameaça obrigando o soberano confessar que, graças ao talento de Scherezade, frequentara as caravanas que cruzam o deserto, convivera com marinheiros afeitos ao Índico, compartilhara da intimidade dos ladrões especialistas em roubar tesouros. Por conta desta arte, tão antiga e desleixada, de falar sem parar, entrara-lhe o mundo porta adentro, sem para isto abandonar os limites do palácio.

O esforço de Dinazarda de salvar-lhe a vida estimula Scherezade a recompensar a devoção fraterna praticando pequenas loucuras. A expor à luz do dia histórias guardadas no baú da memória. Sob o risco de exceder-se, confia ser capaz de aparar a tempo uma que outra incongruência. Por isso, em ritmo frenético, apresenta casualidades assimétricas que façam o Califa, Dinazarda e Jasmine sorrirem de puro gosto. E, ainda para manter este efeito, obedece ao princípio de que cada enredo, ambíguo por natureza, origina-se de um tronco único, perdido na noite dos tempos. Uma matriz à qual acrescentam-se adornos, enfeites, variantes, tudo que confira dimensão coral ao que conta.

Se o Califa lhe perguntasse de repente se havia perigo de destruir os fundamentos do relato só por acrescentar temas novos a um hipotético núcleo central, ela diria que não. Afinal, tudo que vinha fazendo, desde a chegada ao palácio, era ceder à arte de fabular o germe existente no bojo de qualquer intriga. Só a partir dos nodos entrelaçados, mediante pungente carga narrativa, cumpriria os princípios básicos de qualquer história.

7

Dinazarda não ouve o que os amantes dizem. Os suspiros que ela reproduz para si mesma, ao passear pelos jardins, são invenção da sua fantasia.

Não lhe permite a educação familiar indagar à irmã se murmura e grita quando o Califa a penetra. Se goza, seguindo as instruções do Califa, que carece de imprecações e meneios voluptuosos para manter o sexo ereto.

Por trás do biombo, com Jasmine ao lado, não capta ruído que a enrubesça. Tem presente a informação de que o Califa reprova manifestações ruidosas no leito a pretexto de agradar-lhe. Os brados lancinantes e as contorções exageradas recordam-lhe a Sultana a copular com o escravo africano. Uma luxúria que, segundo o Califa, fazia parte do rol de mentiras e malogros que refletem o caráter dissimulador da mulher.

Dinazarda ignora se Scherezade, por conta das manhas provenientes de um ofício que a leva a disfarçar o tempo todo, aparenta para o Califa uma paixão que não sente. Pois, mesmo com ela, a irmã mais velha, é reservada, não aprova confidências. Forçada, porém, a ceder ao jogo sexual do soberano, Scherezade aproveita-se da alcova para imprimir erotismo às suas tramas. Experiências que tornam suas histórias intensamente carnais, capazes de abalar os sentidos, de incomodar o corpo das jovens que a ouvem. Desta forma, ao intensificar a fantasia de Dinazarda e Jasmine, facilita-lhes que visitem a genitália dos personagens.

Scherezade aprendera com Fátima que se a imaginação edifica enredos de amor, o corpo fatalmente sofre seus efeitos. Sentia-se atraída pelo realismo proveniente da matéria corpórea. Contudo, rechaçando ser heroína de si mesma ou de suas histórias, prefere emprestar a príncipes e plebeus, escolhidos a esmo, as palavras apaixonadas que intensificam a vulva de Zoneida e o falo de Simbad.

O certo é que não pretende fomentar o ardor narrativo com sentimentos amargos. Ou fazer de seus personagens réplicas de si mesma. Não se lamuria usando o próprio nome, para isto domestica sua dor, torna-a inexpressiva. Igualmente julgaria perverso enxertar o Califa em seus relatos, quer como herói ou algoz. Poupa-o de fazê-lo vil. E, para dar credibilidade à sua tarefa, aspira a desfazer-se das marcas da sua individualidade. O seu ser profundo não está em pauta. Sobretudo tem em vista as palavras do mordomo real à sua chegada ao palácio, ao transmitir-lhe os hábitos do Califa, esperando que se adaptasse às normas, conquanto fosse fugaz sua permanência nos aposentos reais. Para ter em mira que suas antecessoras, noivas como ela, confiantes na própria beleza, esperaram do monarca consideração. Como consequência mal suportando a desilusão de ouvirem da voz pétrea do arauto, desde cedo aguardando à porta, após o Califa discretamente desaparecer dos aposentos, o anúncio da morte iminente.

Com palavras que pareciam sinceras, o funcionário simulava prantear o sacrifício daquelas belas princesas da linhagem do Vizir. Sem deixar de realçar, porém, que nenhuma das jovens vindas ao palácio fizera qualquer cena. Todas limitaram-se ao pranto contido e a rezar por Alah e seu Profeta, ainda que lastimassem o fim prematuro.

A crueldade do Califa resplandecia aos olhos de Scherezade. Ainda assim não atendia ao conselho de Dinazarda, que lhe pregava agir de forma a que ele se enamorasse dela. Sua meta consistia em extrair-lhe o sossego mediante emoções contraditórias, em deslocá-lo do sexo para as palavras, em impingir-lhe a lenta agonia advinda da sua manha narrativa.

Também o Califa detém-se a pensar nos sacrifícios que o ofício de Scherezade lhe impõe. Mas nem por isso a alivia dos tributos que deve pagar para mantê-lo atento. Julgava ser prêmio suficiente agradá-lo, ver no rosto da irmã e de Jasmine a exaltação que as motivaria a segui-la, caso ele as condenasse a viver longe da corte.

Observa-a, no entanto, ofuscada por uma diáfana luz interior, justo no instante em que batiza seus personagens, exibe-lhes as vidas, leva-os por Bagdá, Karbala, Najaf, à nascente do Eufrates e do Tigre. Emoção assim ele não experimentara com seus súditos. Talvez por abster-se de olhá-los, de ouvir-lhes as penas e os encantos. Fora sempre indiferente à sorte coletiva, não lhes erguera o rosto por curiosidade enquanto se curvavam à sua passagem. Ao menos para ler-lhes a sorte na expressão condoída. Mas o que lhes teria dito, se os inquirisse sobre seus devaneios? Confessariam ao soberano o temor que tinham da miséria e do ocaso?

Ao dar-se conta de que invertia os papéis, por instante deixando de ser o senhor do califado, ele reagiu. Por que iria culpar-se se lhe deviam todos a vida, se era quem, podendo erguer a cimitarra contra eles, diariamente adiava a sentença mortal? No entanto, ele confia na inteireza moral de Scherezade ao contar-lhe uma história. O cuidado com que a jovem arma o relato e preserva aqueles com os quais, havendo criado vínculos familiares, não pensa sacrificar em nome de uma aventura banal. Claro que ela é também traiçoeira, lança mão de recursos espúrios a fim de propiciar a seus personagens sonhos, amores, desgraças e esperanças impossíveis. Tudo que não pode cumprir, mas que lhe convém dissimular.

O soberano medita sobre o fado da jovem. O que pretende ela que já não lhe tenha dado? Acaso, ao poupar ele a vida de Scherezade ao amanhecer, quer ela em troca sacrificá-lo propondo-lhe nova história, que ele não se furta a ouvir, e cujo desfecho, no meio da noite, dá curso imediato a outra, em nervosa sucessão que o mergulha na desgraça?

Indigna-se com tal comportamento. Com estas mulheres que, iguais a Scherezade e a Sultana, haurindo-lhe energia e vontade, não merecem piedade. Ergue as mãos para convocar o verdugo, mas, olhando as três jovens, suspende o gesto. Inconformado, porém, com a própria debilidade, como que arrependido, afasta-se dos aposentos.

No salão do trono onde o avô e o pai, abássidas de têmpera, haviam exercido o poder imersos em profunda solidão, o Califa dispensa os cortesãos com a sensação de estar igualmente fadado a morrer. Aceita, resignado, o damasco que lhe vem em bandeja de cobre. Mastiga a carne devagar, concentra-se na sua doçura.

8

A dor do Califa, que lhe vem aguda em torno das doze horas, quando o sol queima Bagdá, não provém de um amor ofendido. Há muito deixara de querer a esposa que o traíra miseravelmente no passado. De verdade, nunca a amou. Repartido entre tantas mulheres, habituara-se ao fulgor do desejo que não excedia a uma semana. O tempo apenas de alvoroçar-se, de tecer fantasia que desembocava no leito e ali mesmo esmorecia. Mas enquanto perduravam sobras da atração por qualquer das concubinas, praticava modalidades sexuais com a pretensão de atingir a cópula perfeita. Sempre em busca de um arrebato que tivesse como prêmio alcançar o paraíso, onde agradecer a Alah a fortuna da carne.

No início, apesar de jovem, esboçara reação a esta espécie de canibalismo. O fato de devorar as favoritas sem considerar suas aflições ou prestar-lhes gentilezas sob forma de uma mirada longa, ou uma carícia que as abastecesse de ilusões. Não havendo, no entanto, ao longo dos anos, amado qualquer destas mulheres, não fizera de nenhuma delas um unicórnio invisível aos impuros, uma fonte de consolo, um regalo mítico para quem levava às costas o peso do califado.

Em geral, observava apreensivo o corpo feminino. Ao aventurar-se pelo mistério que exalava continuamente da vulva, conquanto se perturbasse, não lhe inspirava amor ou uma emoção inusitada. E ainda que aguardasse surgir do sexo alguma forma de esperança que o convencesse de estar amando, tal incêndio, provindo do corpo seu, e da mulher, não lhe subia ao coração, que se mantinha frio.

Sentia, afinal, estar praticando um ato demoníaco, sem ao menos a recompensa de vir a conhecer um sentimento restaurador, capaz de estabelecer novas formas de convívio. O que o levou a concluir, por sua vez, que não estava nele modificar uma situação com a qual o coração empedernido não queria colaborar.

De certa feita, regressando do deserto de horizonte infinito, notou, ao fornicar com bela mulher, que seus atos na cama, embora convulsos e fugazes, pareceram-lhe de repente automáticos, como praticados por um estranho a quem, a despeito de haver-lhe emprestado o falo, não participara do festim. Alguém que se fundia à carne feminina para em seguida desprender-se dela apático, sem forças. Tal indiferença forçando-o a indagar a razão de o sexo, celebrado por vendedores e artistas, levar os homens à loucura, cegá-los, cindindo-os em dois. Até constatar que, ao jamais sucumbir ao amor, corolário natural do sexo, a vida poupara-o da insanidade, mas, em contrapartida esvaziara-o de expectativa, de emoção, de perplexidade, e de tudo mais que ignorava.

Por conseguinte, as variações eróticas praticadas em anos anteriores, ao tentar revivê-las de novo, já não lhe injetavam ânimo. O desinteresse por estas iniciativas coincidindo com um cotidiano repleto de cenas gastas, por demais conhecidas. Nada havendo assim por descobrir em seu reino que o levasse a um gozo responsável pela respiração falhar, a boca espumar de prazer. A ponto de esquecer por momentos as manifestações de um envelhecimento que ocupava os seus dias.

Antes da chegada de Scherezade, ao convocar uma favorita, logo arrependia-se. Via-se obrigado a praticar um ato demoníaco, que o arrastava às funduras do corpo feminino, a perguntar-se por que ceder a um desejo que não lhe dava em troca a esperada epifania? Muito pelo contrário, frequentemente chegava ao epílogo com a sensação de levar dentro de si o cadáver de um homem semelhante a ele quando jovem.

Absorto em si mesmo, não havia como modificar um drama que tinha por fim atender à necessidade de o seu corpo alcançar um espasmo parecido à morte. Na ocasião, dissolvia suas amargas considerações sobre o amor desenvolvendo prognósticos em torno do tema. Como se o amor humano, arredio a ele, mas presente entre seus súditos, igualasse a todos mediante a repetição do desejo que lhes impunha qualquer donzela.

A solidão do Califa persistia a despeito do séquito das virgens que se sucediam em seu leito e que ia sacrificando a cada dia. E nunca tendo com quem dividir suas desventuras, ia guardando em segredo suas desilusões. Diferente dos demais mortais, protegia-se das intempéries enviando os súditos ao cadafalso.

Após a decisão de imolar as jovens do reino, com a finalidade de satisfazer seu ódio à Sultana, o Califa sentira-se a salvo. Encontrara assim um modo de garantir à corte que estava imune à mulher, àquele ser de formas tão sinuosas como as linhas do Tigre e do Eufrates, em cujas veias encontrara leite, mel, veneno. Mas, apesar de proteger-se, fraquejava diante da fêmea, seguia tendo-as no leito, como um mal necessário. Aquele ser cujo arcabouço, povoado de sentidos e ambivalências, formoso e miserável ao mesmo tempo, continuava a ser para ele um mistério indecifrável, ao qual só tinha acesso na penumbra da noite, quando, aturdido, apalpava às escuras a pele lisa que lhe provocava exsudações no corpo.

Entregue aos escravos para as abluções matinais, a pele acusava a presença feminina, apesar de lhe espargirem essências. Não resistira ao sexo. De nada valendo, portanto, forjar como defesa subterfúgios que o desvencilhassem do jugo da mulher.

De volta ao trono, sorvia o chá de menta. A melancolia advinda do poder protegia-o das investidas alheias. As águas do banho recém-tomado, que o aqueciam ainda, ajudavam-no a enfrentar as tarefas do reino. E para alívio seu, cercado do Vizir e dos demais conselheiros, só iria rever Scherezade e Dinazarda ao cair da noite.

9

As escravas agrupam-se em torno das irmãs. Um voo de besouros que murmuram em tom monocórdico mensagens opacas. Ninguém lhes dá atenção, entende as imprecações que fazem em surdina. Originárias algumas da Núbia, a geografia onde o ouro das minas faz os olhos luzirem, elas sonham com o metal que um dia as liberte do palácio do Califa. Aguardam, sôfregas, as ordens a lhes serem dadas.

Ao conceder a Scherezade um outro dia, o Califa retira-se. Após o gesto magnânimo, Dinazarda reorganiza o cotidiano, como se a irmã fora eterna. Cobra votos de obediência das escravas, que preparem o banho de Scherezade antes do seu repouso. Jasmine diligencia-se, balbuciando palavras à guisa de preces a um deus com quem aparenta intimidade.

Amparada por Jasmine, Scherezade mergulha na piscina. Após a penosa jornada noturna, praticamente desfalece de tensão. Esforça-se por recolher os pedaços de vida que lhe sobram, em guardar intactos os sentimentos ocultos na noite vencida.

O cravo e o limão, envoltos em tule, impregnam a habitação, levam a jovem para longe. A água tíbia, enquanto conforta seu corpo, dá-lhe ânimo. Ela bate as mãos contra a superfície, provoca marolas, como se velejasse no Mediterrâneo, quem sabe no Índico, acompanhada de Simbad, que a veio buscar. O marinheiro e ela enlaçam-se enternecidos, o prolongado abraço servindo de vela que se enfuna arrastando o veleiro. Por efeito das ondas encrespadas, os dois são arrastados para longe. A violência das correntes marítimas é um ardil do gênio do mal recém-saído da garrafa encontrada na embocadura do Tigre e do Eufrates. É este liberto que intenta atrair Scherezade e Simbad para o fundo das águas, cujo sal eterniza as caravelas afundadas.

A mirada da princesa insinua intermináveis peripécias. Jasmine prevê que tão cedo ela não interromperá a viagem. Também ela aspira a integrar-se a uma fantasia que a leve a conhecer o curso da história. Scherezade, porém, desconhecendo os sonhos da escrava, espadana as águas do banho, avançando mar adentro, sob a proteção de Simbad. O rumo de tal aventura inquieta a escrava. Para onde irá a jovem após deixar o ancoradouro? O jogo da ilusão, que seduz a princesa, poderá, no entanto, induzir Jasmine e Simbad ao naufrágio. Frente o perigo, Jasmine teme afundar antes de alcançar a praia. Aflita com o sinistro prognóstico, ela golpeia as águas da piscina em que ensaboa Scherezade, obriga-a a regressar à superfície.

De retorno à terra, com a pele lanhada pelos mariscos, e havendo perdido Simbad de vista, Scherezade entristece-se vendo-se de novo nos aposentos. Ao seu lado, Jasmine brinca com a espuma que transborda da piscina, banha a jovem com os óleos santos reservados aos profetas e sacerdotes. De aplicação proibida aos profanos como ela, por atiçar neles a luxúria, a cobiça.

Agora, com gomos de limão na palma da mão, alisa os membros da princesa. E enquanto imprime-lhe ritmo à superfície do corpo, assegura a Scherezade leveza quase alada. A água tépida, outra vez renovada, intensifica o prazer difundido pelo corpo, ajuda Scherezade a elaborar a história daquela noite. Quer dar sequência a um enredo que apela a recursos inverossímeis, mas do agrado do Califa.

São muitos os personagens que navegam pelo interior de sua nau. Sem dúvida Simbad, agora de volta, é dos mais persistentes. Não se cansa de pedir-lhe oportunidade de aparecer em suas histórias e ser aplaudido pelo soberano. Outras criaturas, porém, menos afeitas à vida do mar, levam no mastro da alma a bandeira da esperança. Nostálgicos da imensidão do mar, esperam que Scherezade, por conta de seu poder de narrar, conduza-os um dia à célebre ilha dos amores, onde esperam ganhar, rodeados por voluptuosos abraços, a promessa da imortalidade.

Scherezade se compadece destes personagens ambiciosos. Atracando o barco no cais, recepciona-os com vitualhas e licorosos. De tanto operar com sentimentos dispersos, ressuscita suas ilusões com promessas. Em troca exige que a salvem das garras do Califa, com tal vitória podendo finalmente retornar à casa do pai, ou ir ao encontro de Fátima, que vive próximo a Karbala, não longe do Eufrates.

O som da balada que lhe chega interrompe estes devaneios. Atenta ao alaúde, Scherezade vai à caça de outras peripécias com as quais sobreviver. Cada jornada que empreende dentro dos aposentos a conduz a erros. Até a vinda para o palácio, fora uma contadora empenhada em lançar as bases preliminares de uma história e conduzi-la a bom termo, tendo em vista o mercado de Bagdá. Sua missão requeria, então, arrebato, certo preciosismo. A partir, porém, da decisão de salvar as jovens do reino, devia acautelar-se, coordenar cada pormenor, na aparência irreconciliáveis entre si. Já não podia, como antes, quando vivia na casa do pai, esquecer de juntar partes da alma popular, que jamais estiveram unidas, e formar com elas um personagem de rara solidez, a ser apresentado ao Califa.

No percurso da espinhosa batalha, em que a mínima falha punha sua vida em risco, Scherezade goza da aprovação de Dinazarda, que lhe reconhece os méritos, e do Califa, que, a despeito de avaro nos elogios, a mira com admiração. Contudo, ela palmilha uma senda perigosa, facilmente resvala, sucumbe aos desacertos que rondam os contadores como ela. Apesar da sapiência que demonstra ter, quantas vezes ignora que direção tomar. Pois quando domina aspectos da história, escapa-lhe o sentido de duração. A própria imaginação, de que tanto se gaba, em muitos instantes carece de visão minuciosa. Tem dificuldade de cuidar da matéria que guarda em suas mãos. Como, por exemplo, podar aqueles excessos que apenas servem para desviar a atenção do Califa do fulcro essencial do relato.

Jasmine contorna a piscina de mármore, em busca do corpo de Scherezade que se distanciara. Acaricia-lhe o dorso, vai deslocando-se em busca de outros flancos igualmente sensíveis, sem negligenciar as linhas suaves que a aproximam da proibida geografia do púbis. Enquanto perfuma o corpo de Scherezade ancorado nas águas do Mar Cáspio, ou do Golfo Pérsico, disposta a singrar em direção do mare nostrum, Jasmine nota-lhe as contrações, quem sabe, de prazer. Condói-se instantaneamente da solidão da jovem. Na condição de escrava, conhece a compaixão como ninguém. Solidariza-se com o talento errante e suscetível de Scherezade, que, havendo iniciado sua peregrinação verbal, já não se detém.

Imersa na banheira, Scherezade alivia-se, a história que ora concebe soa-lhe eficaz, ainda que leve no bojo afluentes caudalosos. O que a motiva a perguntar-se que sina a sua, de saber mais que os comuns dos mortais! De afligir-se com segredos, códigos, entraves, que os humanos foram engendrando como forma de criar uma civilização que coubesse integral dentro dos muros de Bagdá.

De novo ela naufraga. Quase perdida, agarra-se às metáforas que lhe vêm ao encalço. São teimosas e belas. Este veio poético, com boca de dragão, exige como pagamento multiplicar-se entre os homens. Mas, neste caso, por que, filha do Vizir, se encarregara de absorver o delírio da poesia nascida em Bagdá?

Apieda-se do peso do mundo. Nada sabe de Jasmine. Só lhe reconhece a condição de desterrada, à deriva. Ignora se nasceu em Esmirna ou, simples criatura do deserto, engoliu tempestades de areia, cobras brancas, fios de tapetes soltos. Se acaso poderia apresentar-se como descendente do Profeta, embora sem direito de assentar-se à beira do trono do califado, pois sua tribo, quem sabe anteriormente filiada aos fatímidas, opusera-se a uma teologia severa que os privava de certos gozos carnais. O nome Jasmine lhe tendo sido ofertado pelos pais em amoroso arrebato, sem preverem que, no futuro, surgiria entre a escrava e as filhas do Vizir um vínculo devido ao langor do deserto que as irmanava?

Ouvindo as histórias de Scherezade, Jasmine apaga suas agruras, reconcilia-se com a vida. Admira a altivez de como a contadora, sustentando o jogo da morte, desafia as noções de propriedade do Califa, habituado a guardar para si todos os bens.

Dinazarda, como de hábito, indica a Jasmine que traje a irmã usará àquela noite. Um sári vindo da Índia, drapejado de safiras. Jasmine envolve Scherezade com o panejamento que no corpo da jovem se multiplica em dobras, mais parecendo uma mortalha, como se a tragasse. Jasmine alvoroça-se com aqueles panos que a enredam junto com a princesa, formando as duas um único corpo. Sente tudo nela latejar, como se lhe tivessem decretado a alforria. A vida, em um átimo, era fonte de gozo perpétuo.

Alheia aos conflitos da escrava, Scherezade já não se encontra entre elas, simplesmente imergira em uma zona proibida, que há muito frequenta. Distante dos atos comuns, ela rega palavras, ativa a imaginação.

10

Chegara ao palácio desprovida de bens, sem as pompas devidas à filha do Vizir. Como uma jovem oriunda do deserto que, após perder a língua, a tenda, os camelos, as canções, o rastro da grei, passara a depender da misericórdia do Califa.

A modéstia de Scherezade, sem trazer nada de seu, vinda com a escolta do Vizir, surpreendera o soberano. Não podendo ele imaginar que, por baixo do caftã austero, com Dinazarda ao lado, a jovem disfarçava a esperança de vencer o cruel soberano. Confiante desde o início em que sua bagagem se constituía de uma persuasiva história.

Forçada por estas considerações, ela sacrificara objetos de família, herdados da mãe. Em especial, maravilhas como o cofre de marfim, a tigela de ouro, o tambor africano, o asno revestido de brilhantes, peças que lhe conformaram a sensibilidade, e prontamente a mergulhavam em uma memória tão real que quase a podia tocar com os dedos e vê-la contrair-se, mostrar sinais de dor.

Na manhã em que seguiria para o palácio do Califa, despertara cedo, iniciando as despedidas. Os escravos, em prantos, traziam-lhe os animais, iguarias do seu agrado, as peças caras ao seu coração, para jamais se esquecer da casa. Compungira-a, em particular, abandonar as tábuas corânicas, de sinuosa caligrafia, em que aprendera a ler e escrever. De tanto nelas acompanhar com destreza os versículos do Corão, repetia-as de cor, sobretudo às sextas-feiras. Dirigira-se aos parentes e serviçais certa de não voltar a vê-los. Aquela jornada, apenas iniciada, ia-lhe cobrar sacrifícios, renúncia à realidade e aos valores familiares, para lhe ofertar em troca o direito de pleitear a própria vida.

Preocupado o Califa com a pobreza das princesas, fez vir trajes e regalos, ainda que Scherezade devesse morrer à alvorada. Para em seguida Dinazarda examinar as vestimentas e finalmente inclinar-se por aquelas cujos tecidos luziam detalhes nascidos da invenção de peritas bordadeiras e artesãos.

Os regalos, expostos à vista das jovens, iam desde frascos de osso pirogravados, recipientes de ébano, prata, cobre, joias cinzeladas, braceletes de filigrana, colares de jade, cadenas de metais pesados, até manuscritos, alguns originários das primeiras escolas religiosas de Bagdá.

Já à primeira hora do dia, Scherezade apreciou os vitrais coloridos atrás do leito e que filtravam o brilho forte do calor. Esforçou-se por ver da janela os reflexos da cúpula verde do palácio construído pelo abássida Mansur, enquanto lhe traziam, em nome do Califa, a cesta de romãs e tâmaras colhidas em um oásis distante algumas horas de Bagdá. Cuidados estes que o Califa estendia a outros visitantes, além das favoritas, preocupado em entretê-las com futilidades e adereços, sem afrouxar, contudo, a vigilância sobre o harém.

A prodigalidade do Califa, em contraste com a notória crueldade, motivara que as caravanas, vindas do estrangeiro, encostassem à entrada do palácio, na expectativa de serem atendidas. A espera, que podia tardar dias, provocava alaridos no entorno palaciano, atraindo curiosos para as tendas montadas perto dali, com a aquiescência do Vizir. O espetáculo de homens e mercadorias em profusão irradiava intrigas, enlevos, surpresas. Sobretudo o desembarque de cestas, baús, tapetes, sedas, joias, dromedários, cavalos de raça, cordeiros, ovelhas, bichos surgidos de surpreendente mistura de raças. E tonéis de óleo, de vinho, comestíveis que, após vencerem geografias inóspitas, trazendo ainda o olor dos reinos infiéis, seriam levados à presença do Califa.

Dinazarda testa o frescor do algodão egípcio, desliza a mão pela seda chinesa antes de eleger. Ela sabe o que busca. Reverente, sonda aspectos que destaquem os encantos da irmã. Nestas ocasiões, ensina a Jasmine o sentido da aventura, assegura-lhe que alguns dos trajes, procedentes do Extremo Oriente, vieram pela rota da seda, trilha perigosa, havendo enfrentado pilhagens, batalhas, até desembarcarem em Bagdá. Como resultado destas agruras, os trajes reluziam à vista delas. De cores magníficas, é verdade, mas nem sempre combinando entre si. Facilmente postos juntos no mesmo vestido, estes coloridos feriam acordos estabelecidos em nome da beleza. Princípios provindos, talvez, de uma consagração tribal, e que só ensejavam alterações em seus fundamentos quando ocorria novo assomo harmônico.

Dinazarda persiste na escolha. Evita as zonas de sombras e luz que luzem impiedosamente em certos trajes. Serve à irmã pensando em saciar a luxúria do Califa, que se compraz com a magia do conjunto, incluindo as joias. Ignora que o soberano, nem sempre inclinado a quimeras, converte Scherezade naquele momento, graças aos trajes, em uma mera estrangeira recém-chegada a Bagdá, ainda trazendo nas sandálias a poeira da longa viagem.

Sob o efeito de um tédio incessante, insatisfeito com as fêmeas em seu leito, o Califa habituara-se a abrigar no interior da mulher que eventualmente o acompanhasse uma outra, nascida da sua ilusão. O recurso parecendo-lhe prático e eficiente, ao menos enquanto lhe durasse a fantasia. Até aquela data, poupara

Scherezade deste truque. Agora, porém, ao pedir-lhe só pelo olhar o corpo emprestado para guardar uma outra mulher que não ela por algumas horas, prometia-lhe não retê-la por muito tempo. Em geral, elas se desvaneciam logo, pois não tinha como fixá-las na memória além de alguns minutos.

Estas arrojadas manobras, porém, intensificavam-lhe o prazer. Sobretudo quando, tecendo intrigas amargas, fazia com que estas mulheres imaginárias atravessassem mares, desfiladeiros, desertos, sempre no afã de provarem um amor que ele não retribuía. Fadadas à aventura, estas criaturas inventadas deslizavam pelo piso esmerilhado do palácio, para se verem refletidas nos veios que guardavam na superfície as pegadas de outros visitantes igualmente aflitos, para serem recebidos pelo Califa. Tais fêmeas ignorando que, em breve, o Califa, ao longo do seu árduo processo de inventar outros rostos, iria rechaçá-los.

Ao agrupar estas mulheres fictícias em torno de Scherezade, elas lhe pareciam tão reais que lhe reclamavam de repente uma atenção que não estava o Califa disposto a conceder-lhes. Mas querendo, contudo, certificar-se de que ainda viviam dentro do corpo da contadora, como produto de sua imaginação, o Califa, na expectativa de que uma destas fêmeas lhe respondesse, dirigiu-se a Scherezade em língua estrangeira.

Como resultado de seu engenho, o soberano ia-se descobrindo detentor da habilidade não só de reproduzir mulheres com temperamento desinteressado, mas com autonomia. A ponto de este procedimento ficcional dar-lhe, e pela primeira vez, entrada ao mundo de Scherezade, podendo, como consequência, competir com ela em igualdade de condições. Ao igualar-se, pois, à contadora, podia exibir rasgos inventivos nem sempre inerentes à arte de bem governar.

A sorte parece bafejá-lo. O vapor que emerge do chá de menta cria-lhe novas ilusões. Apega-se aos sinais incipientes da primeira história que está por contar. Para tanto, obscurece temporariamente a realidade circunvizinha, como vira Scherezade fazer com seus personagens, de modo que, confiados nela, eles faziam-lhe confidências, mencionavam aflições, esmiuçavam a que genealogia familiar pertenciam, ajudando a contadora a fortalecer o tecido social da sua trama.

Tendo em mira a técnica da filha do Vizir, suas mulheres imaginárias não poderiam fugir da sina de fornecer-lhe igualmente intrigas que iriam vicejar mais tarde, com a moldura adequada. Atento ao que estas mulheres lhe vão sussurrar através do corpo de Scherezade, o Califa se aproxima da janela. A tormenta de areia, tão comum à época, toma forma, ameaça invadir os aposentos, grudando-se na pele, nos olhos, sem respeitar os orifícios. A indicar-lhe que a vida lhe chega mediante os ruídos produzidos pelo bazar.

Na expectativa de o seu talento a qualquer momento pronunciar-se, resigna-se com a espera, mas o sopro do mistério tarda em revelar-se. A urdidura proveniente das mulheres inventadas não ecoa nele. Irritado com a areia que lhe entra pelo traje, afasta-se das janelas, fechadas à pressa. Não lhe surge uma só ideia com que iniciar a ambicionada história. Retorna ao centro dos aposentos e percebe que as mulheres, antes ocupando o posto de Scherezade, haviam esvanecido sem deixar rastro. Desiludido, o Califa passa por Scherezade fingindo não vê-la.

Afetado por uma fantasia que desfalecera no nascedouro, constata que carece da virtude de costurar emoções, de criar personagens, de dar sequência a uma história à espera de ser contada. Ao contrário de Scherezade, ele não sobrevoa o deserto e nem se abriga nas tendas açoitadas pela fúria do vento.

Prostrado por força de suas limitações, o Califa dirige-se ao salão de audiência. O exercício da falsa criação o flagela. Arrepende-se, então, de haver desertado dos aposentos por meio da fantasia, sem deixar um sinal de que pensava retornar. Ao mesmo tempo enternece-se com a dignidade que norteia o comportamento das filhas do Vizir. Não ousa por isso desnudar Scherezade, constranger seu pudor. Afinal, ela nunca estivera ao seu alcance. A sua trama pessoal encerra-se em um mistério poético. Resguardada e ciosa, ela se ressente do cativeiro em que vive no palácio. Razão de sua desabrida imaginação semear ilusões, mentiras. Mas é da prisão também que ela semeia falsas esperanças. Dando a ele motivo diário para ameaçá-la com a morte.

11

O festim amoroso desenvolve-se praticamente diante de Dinazarda, que não tem para onde ir, além daqueles aposentos. Ao anoitecer, anima-a saber que Scherezade, reconfortada com sua presença, exige que ela e Jasmine, recém-incorporada à intimidade da esposa do Califa, testemunhem sua imolação noturna. E que o próprio Califa, homem de trato difícil, aceite sua companhia, como se temesse ficar sozinho com Scherezade.

Desde o início, vendo a irmã entregue ao soberano, Dinazarda temera-lhe a sorte, para logo tranquilizar-se. Murmurava-se na corte que o Califa, a despeito da crueldade recente, jamais abusara do corpo feminino, ainda que a pretexto de satisfazer a luxúria, ou por inesperado capricho. Segundo confidência de um eunuco flagrado por Jasmine em um desabafo, o soberano era tido pelas favoritas como um macho desajeitado e indolente no leito. Apesar de haver possuído incalculável número de mulheres, tal era sua apatia junto ao corpo feminino que dispensava apressado as práticas sexuais que lhe cobrassem esforço suplementar. Seu ideal consistia em atingir a plenitude orgástica sem se deslocar em demasia no interior da vulva feminina. Uma viagem cansativa aquela, da qual retornava trazendo lembranças que as tarefas do reino prontamente borravam.

Sabidamente nunca aplicara castigos corporais às favoritas, mesmo quando tomado de fúria. Havendo seu comportamento se transformado a partir da traição da Sultana, que lhe infligira severa dor, tudo se podia esperar dele, inclusive a aplicação indiscriminada da pena de morte contra jovens inocentes. E desde o sacrifício da primeira vítima, aliás, deixara de aparar as pontas irregulares da barba, como sinal de luto. Para atenuar sua aflição, lançara mão do ardil de recorrer ao arauto encarregado de ditar a sentença às vítimas. Um desfecho parecendo reduzir sua responsabilidade.

Scherezade, porém, querendo evitar que Dinazarda sofresse, proibira a irmã de olhá-los enquanto copulassem. Impusera-lhe a regra básica de afastar-se aos primeiros sinais do desejo do Califa. E apesar de a irmã ter sido requisitada ao palácio com o propósito de ajudar a vencer o soberano, não podia infringir esta norma. Devia obedecê-la mesmo circunscrita aos limites impostos pelo biombo, no lado extremo dos aposentos.

Ao solicitar que a seguisse até o palácio, Scherezade confiara em que a sagaz interveniência da irmã a impediria de vestir-se com a mortalha em vez dos trajes de núpcias. Graças ao talento de Dinazarda, sem o qual não venceria o Califa, poria seu plano em marcha, na tentativa de salvar-se. Com sobejas razões confiara em que Dinazarda, naquela primeira noite, despertaria a curiosidade amortecida do Califa para a necessidade de ouvir-lhe a primeira história. Como ninguém, seria ela capaz de transformar um fato adverso à irmã em um projeto favorável. E isto porque Dinazarda aprendera cedo, com o pai, a convencer o inocente a declarar-se culpado, se fosse necessário. Assimilara com ele ainda a técnica de indispor uns servidores com os outros, sabendo tecer intrigas com possibilidade de grassarem pelo palácio.

Fora tão difícil convencer Dinazarda a segui-la quanto ganhar a autorização do pai. E embora lhe prometesse os créditos de qualquer vitória, Dinazarda não se deixara convencer, recusando-se a discutir o tema. Albergava, sem dúvida, outro tipo de ambição, sobre a qual nada dizia. Diferente de Scherezade, que zelava pela discrição, tudo nela chamava atenção. Alta e morena, sua figura ajustava-se às dimensões dos salões amplos. Ria alto, sem moderação, e dava várias ordens ao mesmo tempo, certa de ser obedecida. Não nascera para a imorredoura glória, mas tinha noção de que Scherezade lhe poderia trazer benefícios ou perdição.

Um jogo perigoso, mas estimulante. Ao mesmo tempo, ressentia-se de que suas crônicas familiares jamais se alastrassem pelas dependências do palácio do Vizir, como as de Scherezade. Carentes de grandeza criativa, suas palavras não germinavam crença. Faltava-lhe a capacidade de adulterar a realidade, de encantar os ouvintes. Nenhum relato seu ganhando estatuto de mágico fora ancorar nas artérias caóticas de Bagdá.

Ciente da vaidade de Dinazarda, Jasmine seguia ao pé da letra o seu comando, sem distorcer suas palavras com falsas interpretações. Trazia-lhe à presença as urdiduras a circularem pela cozinha e os estábulos, com a esperança de consolidar sua presença nos aposentos. Tinha pretensões de ascender na hierarquia da corte. E em troca dos favores docilmente prestados, não voltar a ser vendida para um outro califa, menos afortunado que aquele. Aspirava a associar-se no futuro imediato às histórias de Scherezade e engrossá-las com suas mensagens adulteradas. E tudo para que suas intrigas, fugindo do círculo da cozinha e dos estábulos, chegassem aos ouvidos insensíveis dos cortesãos, quando, então, em meio ao banho com água tépida, renovada pelos escravos, se perguntassem a quem deviam relatos tão fascinantes.

Estabelecera-se entre as irmãs que, à manifestação do interlúdio amoroso, Dinazarda se refugiaria atrás do biombo ou iria visitar os jardins, onde, em meio a romãzeiras em flor, sebes de mirtos, palmeirais, laranjais, jasmins, limoeiros, mil outras espécies de flores, todas a merecerem regas, se sentiria a salvo. Podendo observar do mirante, em noite de lua, as muralhas redondas que protegiam a cidade, os quatro portões gigantescos, as pedras do palácio trazidas das ruínas de Ctesiphon, a tumba de Imam Abu Hanifa. Ao passear pelos jardins desenhados pelo avô do Califa, cujas aleias estreitas e circulares, à guisa de labirinto, confundiam os caminhantes, induzindo-os a se perderem, evocaria o soberano. Com a intenção talvez de imprimir aos jardins a marca do seu desespero, e de obrigar os visitantes a conhecerem, ainda que por curto tempo, os tormentos advindos da incerteza e da perdição, forçavam os serviçais a sair em busca dos aflitos forasteiros. Uma inconveniência logo compensada pela visão do chafariz, a cujas proezas técnicas se deviam que os esguichos, formados por águas multicolores entrelaçadas no ar, atingissem uma altura que praticamente refrescava as cercanias do palácio.

Scherezade tinha fé em que a irmã não lesaria sua confiança. Não concebia que lhe surpreendesse o corpo devorado pelo falo do Califa, a repetir com ela os mesmos atos praticados com suas favoritas, sem lhe deixar margem à ilusão de representar para o soberano um ideal amoroso ao qual ele finalmente se rendera.

Sob o peso do corpanzil do Califa, que a esmaga sem cuidados, Scherezade vigia-se para não emitir um grito involuntário de prazer. Afinal, sendo a carne uma matéria ingrata, que não responde a um comando moral, bem podia gozar de repente, desfrutar as regalias de um corpo inimigo.

Ao privar-se, porém, de tal gozo, explora em seus relatos as práticas sexuais inspiradas vagamente no Califa e, sobretudo, com exemplos fornecidos por tratadistas árabes. Confrontada com personagens que prevaricam, Scherezade descreve com minucioso sabor a paisagem lassa que advém após o coito, a pressa com que as servas apagam as evidências do sexo deixadas nos lençóis amarfanhados ou no chão de Bagdá.

Aborda estes temas como se, havendo frequentado o bordel de uso exclusivo dos funcionários do reino, pudesse discorrer a respeito. A verdade, porém, é que pouco entende do tecido carnal que, em atrito com a pele alheia, tende a esgarçar-se sob o impacto de seguidos estremecimentos. Inquieta-a notar os estragos que o amor produz. Nada pode fazer em face dos delírios do corpo, simplesmente apartar-se do drama amoroso, incapaz de balizar a conduta dos seres que, sob o regime da paixão, gotejam salitre, prata, secreções. Teme participar de um espetáculo constituído de espasmos falsamente simétricos e de corpos fundidos e desesperados.

Nem por isso Scherezade esquiva-se do bem e do mal, que margeiam a ela e seus personagens. O contágio humano, contudo, que suas histórias lhe impõem, a exaure. Tal ofício, a julgar pelo que sabe, tem regras incertas e, a qualquer descuido, o Califa a conduzirá à morte.

12

Mastiga devagar. Acolhe o alimento com a ajuda do pão. Aconchega-o no côncavo da mão enquanto pensa. Já no primeiro repasto, Scherezade é dona da palavra que pronuncia. Em meio às abluções, com o corpo impregnado de essências, define a seu gosto a pauta da história. E conquanto reverenciada como rainha pelas escravas que integram o conjunto sob o comando de Jasmine, Scherezade não é senhora do cotidiano. Menos ainda do futuro imediato.

Na ânsia de livrar-se da sentença de morte que paira sobre ela, é mister suspender a narrativa ao primeiro clarão. Tendo antes o cuidado de deixar à mostra a espuma difusa da paixão narrativa. Para tanto lançando o anzol que fisgue o coração do Califa com a intriga latente do enredo, de modo que a garganta do soberano, em meio à asfixia, sofra da agonia de uma verdade que só lhe será revelada na noite seguinte.

A serviço de seu ofício, o tempo dos homens, pautado por uma ampulheta hipotética, é frágil. Os minutos que prevê, antes do amanhecer, fundamentam-se no equívoco. Mal Scherezade determina o rumo e as oscilações da história, receia que a vida fuja ao seu controle. Suas noites, sempre maldormidas, dificultam-lhe a percepção imediata do destino. Sob uma ameaça cuja gravidade supera seu engenho, cabe-lhe prolongar um projeto sujeito a tantas interrupções estratégicas.

Jasmine traz-lhe infusões, chás, líquidos que mitigam a ansiedade. Desliza sobre o mármore, vertebrada como a cobra alva que resvala pelas areias do deserto, deixando marcas sinuosas. Mas, a despeito de seus cuidados e da vigília de Dinazarda, hesita em decretar o epílogo do relato. De marcar com rigor a extensão de uma história, quando apenas conta com escassos minutos, que precedem a alba, para conhecer de perto o ápice de sua criação.

A apressada realidade do tempo amedronta-a. Sua eficácia, tensionando os personagens, insinua-lhe, no entanto, que a linha do horizonte é fugidia. A ponto de se ver forçada a dotar os heróis de recursos excedentes, filigranas, volutas, só para mantê-los em cena, visíveis ao Califa. Mas se de um lado tais arabescos indicam perícia, o que ocorrerá se não alcançar o efeito desejado?

O pavor da morte causa-lhe calafrios. Avança indômita, tem muito ainda que contar. Sua imaginação, sujeita ao fluxo e refluxo da maré, admoesta-a sem cessar. Em seu mar interior, aventureiros e bandoleiros nadam sobre a crista das ondas que se encrespam. Subjugada ao caráter arredio do Califa, ela dobra e multiplica as malhas do enredo, cobre suas criaturas com a túnica da humanidade, tecida nas vielas abafadas de Bagdá.

O Califa não se comove. Com mínimos gestos expõe um desalento nascido de um olhar imerso em si mesmo e que lhe ocasiona um estranho desfrute. Contando com estes gozos íntimos, ele emite à jovem sinais de perigo. Ao menor descuido, como errar na sequência das palavras e das peripécias, ou desencantar a fala, ele tem o poder de condená-la à morte.

Poupada de novo na reluzente manhã, Scherezade recusa-se a celebrar a vida que lhe é conferida com semelhante indiferença. Aceita as iguarias, tem fome. A cabeça do cordeiro, sobre a bandeja, servida com uma guirlanda de ervas em torno, assemelha-se à sua própria, na iminência de ser decapitada pelo verdugo. Sua vida, às vezes, longe do fausto da nobreza, parece-lhe miserável. As azeitonas salgadas, vindas de oliveiras que quase presenciaram o início do império islâmico, são bem-vindas. Sua carnadura e o azeite alimentam os pobres do califado. Na condição de princesa, Scherezade é uma ardorosa filha do deserto, herdeira da medina. Por que não provar, antes da morte, os cornos da gazela, os biscoitos que enriquecem as tardes das jovens?

Scherezade resiste. Desamparada diante do soberano, com quem reparte simplesmente o leito, almeja que suas palavras despertem nele a noção da aventura, vizinha do ato de viver. Reconhece que seu projeto fracassa nas mãos do Califa. Pensa no pai, que circula pelo reino e pelos salões do palácio, sempre armando emboscadas, buscando culpados. Aos olhos do povo, uma figura contraditória, em rancorosa defesa do califado.

Há anos mantém o posto de Vizir à custa de um talento testado com frequência e que lhe acarretara humilhações sem fim. Em algum lugar, que a filha ignora, ele aguarda a confirmação daquela morte. Silenciosa aflição que lhe apressa a velhice e o desonra. Onde esteja ele agora, quem ouvirá o ruído da sua respiração descompassada? Na solidão do palácio, a salvo do Califa, o pai arfa, um animal acuado à procura do ar que lhe foge. Inconformado com a tragédia prestes a abater-se sobre a sua casa.

13

Também o Califa não se despoja dos mistérios confirmados à sombra do trono. De um poder que não o protege das aflições, ou da lembrança da Sultana que, ao saciar a luxúria com os próprios escravos, maculara o leito real com esperma alheio. Indiferente a que lhe depositassem no ventre um produto espúrio e, como consequência, atribuindo-se ao Califa uma paternidade indevida.

A despeito de reinar sobre o califado de Bagdá, a desonra, que ainda hoje o persegue, inflige-lhe noções distorcidas da realidade. Como confiar na figura feminina que, mesmo sob vigília, o envergonha diante dos súditos? Jurara que nenhuma mulher voltaria a traí-lo, mas para manter intacta a palavra havia que condenar à morte cada esposa que lhe aquecera o leito. Saindo ela dos seus braços diretamente para o cutelo do carrasco.

Não concede futuro a estas jovens e nem lhes demonstra gratidão por haverem conhecido a cópula por seu intermédio. E ainda que penosa, sua decisão evitava no futuro que se praticasse contra ele qualquer ato vil. Sobretudo por não pretender revogar um decreto certamente impopular, mostrava-se hostil a apelo feito por certo líder vizinho que, temeroso de uma rebelião popular, lhe invocara preceitos religiosos, a necessidade de absolver quem se presumia inocente. A insidiosa apologia ao amor conjugal, vinda de respeitado bei, de nada lhe servindo frente à sua decisão.

Para enfrentar as reações que lhe pregavam o cancelamento da medida, o Califa proibira discussão a respeito, chegando a prometer que aplicaria, sem indulgência, igual pena a quem agisse contra seus interesses. E que não ousassem considerar sua decisão como debilidade de um coração fundamente golpeado, incapaz de superar os dissabores da traição.

Há muito a salvo dos sentimentos, fechara às mulheres a chave do amor. Sobretudo agora, quando o ocaso, introduzindo-o lentamente no ritual da própria morte, concedia-lhe as prerrogativas da solidão.

Scherezade, porém, vítima voluntária desta cadeia interminável de jovens assassinadas, fica à espreita. Os olhos apertados do Califa, quase um traço no horizonte, tornam-no indecifrável. A disfarçada manha com que esfrega o dorso da mão contra a boca, como livrando-se de um cisco incômodo colado à comissura dos lábios, revela o deliberado esforço de enxergar o inimigo e não ser visto por ele. O esboço que Scherezade faz dele ora esmaece, resguardado por trás do assento imperial, ora ressurge tenso, quando ele nota que querem desvendar os traços do seu interior.

Diante da vigilância de Scherezade, o Califa suaviza as expressões. Nega-lhe o direito de destacar quais de suas marcas procedem do bem e do mal. Anseia por uma descrição condizente com sua estirpe, que proclame ser ele um homem prazeroso, cuja temperança é o sinal do governante justo. Uma efígie que, emoldurada pela barba, exale olor a sândalo, de forma que, reproduzida na imaginação popular, torne-se a iconografia inspiradora de sua legenda. Torne-o assim, no bazar, no deserto, ou em casa, ao pé da chaleira, protagonista dos enredos que circulam entre beduínos e mercadores. Objeto de culto, como Harum-Al-Rachid.

Ainda que ambicione a popularidade, desgosta-o o convívio com o povo. Próximo à turba, em geral mantida longe, nunca sabe se lhes sorri ou acena com a mão direita, de cujas falanges pendem anéis, como símbolos de sua autoridade. Abássida como Harum, dificilmente repetiria as façanhas do soberano que, como nenhum outro, desfrutara a algaravia do mercado só pelo gosto de conhecer as emoções humanas.

Seu temperamento, irreconciliável com a vida mundana, cerrava-se a quem não lhe fosse útil na gestão do califado. A qualquer pretexto, dando curso a rompantes súbitos, abandonava o salão de audiência sem aviso, a pretexto de caminhar sem rumo pelos corredores, seguido da guarda. Um expediente que podia tardar até o anoitecer, em total desconsideração pelos visitantes, à sua espera no salão de audiências. Uma deambulação interrompida para sorver os goles de chá que lhe forneciam onde estivesse. Ninguém lhe podendo, então, dirigir a palavra, ou consultá-lo sobre tema pendente. Com o turbante enfiado na cabeça, a cobrir-lhe praticamente os olhos, não lhe registravam as inquietações.

O comportamento do Califa intimidava os cortesãos, tal intransigência havendo se acentuado a partir da traição da lúbrica Sultana, e com a sequência das mortes inocentes. Um fato que produzira disparatadas versões, cada cortesão considerando a peculiaridade dos métodos com que ele infligia castigo. Dizia-se dele que, de certa feita, lançando terríveis alaridos, arrependido talvez de seus crimes, tentara lançar-se do balcão do palácio ao pátio interior, antes, porém, banhando-se no sangue de uma jovem que assassinara com as próprias mãos, tendo o cuidado de esfregar o líquido, já pastoso, na própria genitália, à guisa de um gozo tardio.

Encerrado em seu casulo, o Califa desperta em Scherezade ação contrária. Ao ganhar da morte um novo dia, ela exerce com vigor a emérita arte da sedução. Tudo é pretexto para descortinar um futuro, onde seja. Mesmo quando esmerilha uma bandeja de cobre, na expectativa de as imagens de Simbad e Zoneida surgirem na superfície.

O Califa a quer vergada pelo medo, vencida. Procura nas pupilas de Scherezade sinal de angústia pelo seu veredicto, que não capta. Ainda assim, persiste em intimidá-la, de forma que as histórias, surgidas deste pavor, se renovem automaticamente e o façam feliz. Esquecido, no entanto, de que talvez estivesse em pauta, entre seus súditos, uma subversão amorosa, tendo em mira ativar a imaginação, graças às histórias nascidas de Scherezade.

O mutismo do Califa preocupa Scherezade. O instinto sugere-lhe que se reconcilie com o soberano, ocupe-se da seiva do seu rancor, concedendo-lhe uma narrativa que avance pelo seu insondável enigma e lhe agrade. Mas suas perspectivas não são auspiciosas. O Califa empertiga-se, falando-lhe da morte como um fato prazeroso. Apregoa-lhe ainda que tenha cuidado, se não der seguidas provas de engenho, ele arranca-lhe o coração, como já fizera com outras.

Estas cenas, assistidas por Jasmine, levam a escrava a suavizar o sofrimento de Scherezade com iniciativas modestas. Observa que, ao aprontar-se a cada noite, ela suspira, como se fora um brado de guerra. Assim aprimora recursos, supera obstáculos, à cata da pérola que Simbad garantira-lhe existir no fundo do mar.

Também Dinazarda, olhando a irmã quase imolada, revolta-se. Mas, não podendo envenenar o Califa e sair ilesa do crime, aparenta resignação. Mostra-se insensível ao drama de uma Scherezade que transmite ao soberano as claves da imaginação humana. De como ela recorre ao acervo de uma memória, vicejante e singular, para discorrer sobre o universo narrativo que os homens, escravos então da escuridão e do medo, construíram desde os tempos das cavernas, e que nem as chamas do fogo, a nascerem mais tarde, conseguiram debelar.

Desde que Scherezade enunciara a primeira frase, sob a vigília de Fátima que, com a vara à mão, ia afugentando fantasmas e gênios do mal, a jovem evoluíra de forma vertiginosa. Para isto orquestrando frases, dando-lhes suntuosidade, captando as peripécias que hipnotizavam o Califa.

Atento, ele registra como a jovem fomenta as emoções. A insídia com que, havendo perdido a vergonha, desliza pelos desvãos das vidas secretas de gente como Simbad e Zoneida, desrespeitando limites. Scherezade age sem dar margem a que estas criaturas fujam do seu poder persuasivo. Mas, conquanto deslumbrado com estes personagens que Scherezade mantém intactos dentro da redoma da história, ele reage, quer às vezes lançá-los à masmorra, prender-lhes as patas, as falanges, só para cancelar o alvoroço do cérebro de Scherezade.

Sob o arbítrio do soberano, nada a detém. Frágil e solitária, Scherezade prossegue com aventuras cujo desfecho prevê repartir pão e fantasia na praça de Bagdá. Eram sua perdição e acerto afligir-se e comover-se com os personagens saídos do seu cerne. Pois, igual a eles, também ela padecia da agonia de improvisar.

14

Desabrida nas histórias, Scherezade é recatada no leito. Envolta em lençóis de seda, cede ao Califa partes do corpo. Após a cópula, Jasmine a encobre com tecidos delicados, que protegem seu arfar discreto.

O Califa obedece às suas regras, acata-lhe o pudor. Ao ganhar acesso à pele alva, macia da jovem, ele espalma a mão sobre a matriz daquele corpo, de onde nasce a vida, apalpa-a, como se visitasse as vísceras resguardadas. Com gesto destituído de arrebato, acomoda-se às conformações dos seus volumes, desliza finalmente para o púbis. A serviço do prazer rápido, pois tem pressa, ele penetra a zona recôndita da vulva com o falo.

Ao cessar esta cópula, como as outras, da qual o Califa se desincumbe com eficácia, Dinazarda e Jasmine, atrás do biombo, retomam o território do qual foram expulsas, e onde Scherezade as aguarda. Com os olhos cerrados, sobre o leito ainda, ela aceita que a sufoquem entre sedas e afagos. Vestida de novo, a filha do Vizir reforça os detalhes do cenário da história que está por iniciar.

O Califa aceita as frutas e as fatias de carneiro frio. Enquanto se alimenta, prepara-se para ouvi-la, evitando olhá-la. Não explica por que, após o coito, constrange-se com a jovem, como se precisasse apagar do rosto a lembrança da intimidade recém-vivida. Talvez por haver cumprido na cama um ato mecânico, cujo realismo, comparado aos relatos de Scherezade, carecia de grandeza.

A jovem, no entanto, discípula do Califa na arte de disfarçar sentimentos, alija do horizonte do seu olhar a figura do soberano. Como se, não existindo ele para ela, cessassem os motivos do seu constrangimento. Sem intenção de ofendê-lo, ela reporta-se a Bagdá, outra vez centro de sua história. Ammim preocupa-a com sua inconstância. Eis um personagem que, apaixonado com exacerbada frequência, desfruta a própria frivolidade, como parte do embate amoroso. É com gosto que ele vai deixando, por onde caminha, marcas do pecado cometido.

E assim Scherezade prossegue com Ammim, cujo método de viver julga sem dúvida perigoso, quando Dinazarda, tossindo com insistência, emite-lhe sinais de advertência. Faz-lhe ver que a considera desmotivada no trabalho, mal cobrindo aspectos do temperamento de Ammim, que deveriam agradar ao Califa, até por ser o soberano tão diferente daquele jovem aventureiro. Com isto Scherezade deixando atrás vazios perigosos, que deveria preencher enquanto dispõe de tempo. Dinazarda reage, pois, às eclipses obscuras da irmã, que lhe dão a impressão de haver ela, no afã de acompanhar Ammim, se afastado dos aposentos, sob o risco de não voltar tão cedo.

Talvez Dinazarda exagerasse julgando Scherezade inepta no desenvolvimento daquele percurso da história, não lhe cedendo alguns minutos para expor os pormenores da trama, a fim de cumprir o que fora programado previamente durante a tarde. Expressando sua reação uma mágoa crescente, pelo motivo de Scherezade não a consultar, como acostumara-se a fazer no passado.

Ressente-se de que Scherezade a expulse de suas decisões, como se faltasse a ela prestígio para afetar o fulcro das suas histórias. Indisposta com tal desconsideração, arranca de Jasmine a bacia com água quente, a que a escrava adicionara essências, destinada à contadora. Mergulha os pés nela em busca do alívio que a própria irmã lhe negara. O calor, que lhe sobe da sola, provoca-lhe a ilusão de perambular de novo pela imaginação de Scherezade, ainda ocupada com Ammim. Agora mais calma, alegra-se por participar dos benefícios de tal imaginação como se fosse sua também, herdada, por sinal, da mãe, que legara este dom às filhas.

Scherezade adiciona características novas à última noiva de Ammim, que ele está prestes a abandonar após jurar amor eterno. Enquanto ela atrai a atenção do Califa, releva as implicâncias de Dinazarda, que não hesitara em segui-la até o palácio, a despeito dos graves riscos daquela empreitada. Ambas se queriam e nutriam intensa memória familiar. À vista de certos objetos, choravam na mesma hora, buscando equivalência entre aqueles que haviam herdado da mãe. E, em certas tardes, com o sol a iluminar os aposentos, elas falavam do cotidiano familiar, deixado para trás. Das lembranças que cada qual tinha da mãe.

Dinazarda, dona do fantasma materno, que parecia jamais abandoná-las, retinha mais informações, na condição de primogênita. A imagem da mãe, às vezes tão nítida, sobressaía em meio a sombras. Ia-lhe ao encalço, mas a figura esmaecia, antes prometendo-lhe retornar em outro momento. Vinha-lhe, então, a urgência de garantir a Scherezade que fora ela a única a herdar da mulher que as parira o rosto harmonioso, em meio à cabeleira negra. Pois pequena e clara como a mãe, os olhos intensos, quase saltando das órbitas, Scherezade era sem dúvida a mãe revivida. Mas seria mesmo como todos lhe diziam? Ou meramente inventava Dinazarda esta semelhança para abrandar-lhe as saudades da mãe? Para cumprir os desígnios dos mortos, de se verem falsamente reconstituídos pelos que sobrevivem a eles?

A estação seca naqueles dias acentua o calor. As escravas renovam a água das jarras, preparam banhos e espanam em torno com os abanicos gigantescos. Aquele verão rouba-lhes o ar, que lhes é devolvido à noite com a brisa ou com a chuva forte da temporada.

Scherezade banha-se repetidas vezes, evitando assim os pensamentos torpes que a asfixiam. Dinazarda e Jasmine lutam para desanuviar o ambiente, querem salvá-la. Qualquer grito da contadora, sendo mero exercício para desabafar suas angústias, podia ajudá-la. Afinal, Scherezade carecia de mensagens assegurando-lhe que a vida lhe fora outra vez devolvida ao amanhecer.

E prova de que o cotidiano lhes sorria, o Califa envia-lhes regalos, trajes de cetim azul, de seda escarlate e ocre, de algodão púrpura, oferecidos pelos comerciantes que, sabedores da sua prodigalidade, lutam por merecer suas graças. Dinazarda apalpa os tecidos, leva-os ao rosto, sob o risco de as pedras a arranharem. Entrega a seda a Scherezade, curiosa por conhecer a rota da caravana, o que lhe fala o tecido da trepidante viagem até Bagdá, após haver enfrentado as tempestades de neve e areia. Leva-a ao ouvido, inebria-se de que tal finura, procedente de um casulo, se devesse ao fio expulso pelo lagarto, com o qual se produz matéria de consistência tão inefável.

A qualquer pretexto, a imaginação de Scherezade faz o mundo falar. Expede tal veracidade que empalidece os ouvintes. Tem plena noção de fazer o Califa sofrer sempre que o introduz às suas criaturas e torna-o partícipe da dor alheia. E podia acaso ser de outro modo? Como poupá-lo de confissões que têm por fim alargar e estreitar o coração, este órgão carente de mergulhar no espírito do insurgente sem medir consequências?

Scherezade acaricia os tecidos, ouve o que lhe dizem. Saídos de sofridas mãos femininas, íntimas da arte de bordar, alguns deles reproduzem paisagens, cenas domésticas, indícios da felicidade, tudo, enfim, que está próximo da flamante fantasia dos homens.

Dizia-lhe Fátima que alguns trajes luziam triste sina. Exemplo conhecido em Bagdá ocorrera a uma escrava hindu. Fascinada por um traje de gala, ela vestira-o na penumbra da noite, sem pensar que usurpava assim a sorte da princesa a quem a peça destinava-se. Surpreendida no delito, a jovem foi em seguida desalojada do sonho e arrastada, sem mostras de piedade, para o cadafalso, a despeito do seu arrependimento.

Tentando estabelecer elo entre as coisas, Scherezade surpreende as pegadas femininas nos seus trajes. Bate-se por localizar os segredos das artesãs, de almas atormentadas, cada qual em seu exílio doméstico. Teme, porém, exceder-se, imiscuir-se em demasia na vida do outro, e que, súbito, o pranto da noiva de Ammim, que a abandonou sem uma única palavra de consolo, desclassifique sua humanidade. Mas, o que fazer nestes casos? Afinal ela carrega o fardo de representar os párias de Bagdá, os piratas do Índico, os vencedores e vencidos. Não lhes pode ser infiel ou expulsá-los do inferno e do paraíso das suas histórias. Ou deixar de oferecer-lhes a única morada onde arfam e brilham.

15

Jasmine é escrava e bela. Serve às duas irmãs com a ilusão de haver nascido na poderosa família do Vizir. Em seus sonhos, desgarrados e sem esperança, ambiciona pertencer à grei de Scherezade e Dinazarda.

Educada no deserto, em meio às ovelhas, ainda agora, anos depois, esfrega a pele com pedra-pomes, vinda do mar, para livrar-se do cheiro dos bichos que se aninham na alma. E enquanto suspira ouvindo as histórias que Scherezade traz à tona, nelas identifica sua vida e a dos ancestrais. Intriga-a como a princesa, não fazendo parte de sua raça, conhece mais que ela o espírito de seu clã, transmite os enredos como se falasse em nome dos beduínos.

De comum acordo, as irmãs aceitaram que Jasmine se integrasse à intimidade dos aposentos, ali praticamente vivendo mesmo quando o Califa retorna aos aposentos, vindo da sala do trono. Consentem que Jasmine se beneficie da aliança que Scherezade estabelecera entre a aristocracia de Bagdá e o mundo do mercado, que a escrava encarna. À simples vista dela, as filhas do Vizir imaginam-se na medina comprando pistache, queijo de cabra, envolvidas pelo olor de sândalo misturado ao âmbar-gris, essência oriunda da baleia que Simbad capturara para elas.

Desde o início, Jasmine distinguira-se das demais escravas. Ao se instalarem as jovens nos aposentos, Jasmine demonstrara afinco em servi-las, mediante delicadezas que traduzissem seus sentimentos. Incorporada, pois, à pequena corte, prolongava sua permanência entre as jovens além das horas devidas, para isto invadindo a noite com pequenos serviços. Ao fazer-se às vezes tarde para retornar às dependências das serviçais, Dinazarda, compadecida, instava-a a acomodar-se no leito ao lado, atrás do biombo.

A devoção de Jasmine, expressa em cada detalhe, comovia as irmãs, que já não sabiam como coibir-lhe os excessos ou reduzir o tempo de permanência entre elas. Mas, enquanto ordenavam sua retirada para o universo dos escravos, sentiam sua falta ao tardar em regressar. Habituadas ao seu convívio, elas iam valorizando cada vez mais os pequenos atos que Jasmine, como ninguém, semeava em torno, e de que já não prescindiam. Diariamente perguntando por onde andaria, confiavam-lhe tarefas, exigindo sua companhia em tempo integral.

Ao contrário de Jasmine, que vivera na miséria, Scherezade nascera em meio à palha de ouro da casa do pai. Cedo, após a morte prematura da mulher, ele confiara a filha caçula a Fátima, que fizesse dela o necessário, mas recomendara que jamais deixassem os limites do palácio, mesmo que Scherezade, no futuro, insistisse em visitar o velho bazar. Como se o Vizir pressentisse que aquela filha, vindo a afeiçoar-se às aventuras, se lançaria, como consequência, aos abismos de Bagdá, prontamente estabelecendo aliança com os pecadores da cidade. Sem ele considerar, no entanto, que, ao chegar o momento de Scherezade abandonar o casulo, a interdição paterna iria açodar a curiosidade de Scherezade, tirar-lhe o sono.

De fato, com os anos, curiosa de conhecer um território sujeito ao desprezo do pai, por conseguinte zona de perigo, Scherezade crivava Fátima de perguntas. Insistia que lhe falasse do mercado, que ia se tornando para ela um mundo que, embora desconhecido, representava o povo da sua cidade.

Fátima tentou resistir. Recordando as advertências do Vizir, enfatizou-lhe os perigos existentes naquela parte de Bagdá, para fazer a menina desistir. Mas, quanto mais falava de uma urbe povoada pela algaravia de ladrões, sicários, mercadores, gênios do mal, mais Scherezade, chorando plangente ou irada, exigia ver de perto as inesperadas curvas das vielas, o próprio mercado, onde lhe parecia que sua imaginação fora parida. Queria atravessar os limites da geografia que, proibida de frequentar, ocupava-lhe a fantasia.

A influência do mercado logo se fez presente em suas primeiras histórias. Descrevia Bagdá com tal acuidade que Fátima, sua única ouvinte, impressionou-se. As cenas ali ocorridas, contadas com sua voz ainda em formação, guardavam irrestrita fidelidade à medina, a ponto de Fátima julgar que algum mágico, em nome do bem e do mal, ditava-lhe tais pormenores. Ou então que a mãe, do reino da morte, soprava-lhe subsídios preciosos. Aquela menina, apesar das joias, dos véus, de fina procedência, não parecia da nobreza. Sem sombra de dúvida, tinha a alma lavrada na pedra do imaginário árabe.

Testemunha das ocorrências palacianas, Jasmine recusa-se a descrever às demais escravas, que não tinham acesso aos aposentos, o teor do drama de que participa graças ao consentimento das filhas do Vizir. E evita igualmente, em que circunstância seja, a pretexto mesmo de despertar piedade às irmãs, manifestar desejo de retornar um dia à sua família, seguramente morta ou dispersa pelo deserto, onde outrora viveram todos em tendas esgarçadas pelo vento. Pensava neles com frequência, querendo contar-lhes que servia à esposa do Califa de Bagdá, a princesa Scherezade. Vivia ao seu lado, às expensas de suas narrativas. Pois não fazia ela outra coisa que contar histórias ao soberano. Também eles, nômades tão incrédulos, se encantariam com ela, a despeito do conhecimento precário que tinham do mundo islâmico. Mas soubessem, desde já, que esta princesa, verdadeiro arauto do imaginário típico do deserto, sabia utilizar como ninguém, mediante sons rupestres e guturais do idioma, o linguajar típico das caravanas, das tribos dispersas, dos desolados beduínos do deserto.

O Califa mal olha Jasmine, não lhe dá importância. Ignora que ela traz no regaço mistérios típicos da nação que governa. Habituada aos horizontes infinitos, onde a importância humana se reduzia a um grão de areia, Jasmine conforma-se com a indiferença do Califa. Refugia-se atrás do biombo, perto de Dinazarda. Quando pode dormir, agradece as bênçãos recebidas. E por iniciativa própria, a pretexto de exercício, acrescenta a certas cenas da história de Scherezade uma astúcia originária de emaranhada genealogia de semitas, hindus, aramaicos. Povos errantes que estiveram em todos os lugares ao mesmo tempo.

Ao voltar para perto de Scherezade, encanta-se de novo com a voragem da contadora, que não cessa frente aos obstáculos. Enquanto ela conta, bebe praticamente o sangue de Jasmine sempre que precisa extrair os segredos da sua tribo. Sem cerimônia, Scherezade apodera-se dos enredos acomodados naquele coração cativo, ou de quem mais cruze por ela. É assim que Scherezade circula a esmo em meio aos vendedores de água, aos encantadores de serpente, aos dentistas que exibiam como troféus dentes arrancados de heróis e assassinos célebres.

Nem sempre Scherezade dependera de reforços que uma escrava ou outra lhe trazia. Sua imaginação febricitante, sozinha, sem ajuda de ninguém, formava juízo sobre as coisas. Quantas vezes Fátima e ela seguiam resolutas para o mercado, logo fincando o pé perto dos rapsodos enfeitados de amuletos, pondo à mostra o peito tatuado com elementos que conjurassem malefícios, aos quais cabia o ofício de sustentar mentiras com rosto de verdade.

Também surpreendiam-se com um ancião, precisamente um tuaregue em farrapos que, por conta da idade avançada, ia esbarrando nos objetos, o que lhe dificultava cortar finas aparas de melancia com o mesmo facão que no passado cortara as cabeças de ferrenhos inimigos. Sempre a falar sozinho, ele atraía compradores para sua barraca, enquanto repetia bordões enaltecedores, todos evocando Harum Al-Rachid.

Apesar da aparência desleixada, exposto à miséria e às intempéries, o ancião exaltava-se com a memória do lendário califa abássida. Ao mesmo tempo em que, afetado por inexplicável vaidade, mencionava o próprio talento, graças ao qual se mantinha vivo. Ao contar suas histórias, demonstrava clara preferência pelos adúlteros que, só pelo pecado de confundirem os sintomas da concupiscência com o amor, caíam facilmente em desgraça. E, com as cordas vocais quase quebradas pelo esforço, convencia-se de existir no paraíso lugar para os que, havendo sido vítimas das paixões que obscurecem os sentidos, ousaram com valentia aventurar-se pelas bordas do abismo do mal.

Impressionada com histórias como a do vendedor de melancia, Scherezade guardara-as na memória, como relíquias. Enredos que, tendo vicejado longe do núcleo familiar, eram-lhe tão transparentes quanto qualquer outro. Para ela não havia excelência em um relato por ostentar procedência nobre. Seu mérito de contadora consistia em acrescentar a cada um deles alusões, arrebatos, imagens, tudo que se cristalizara nos manuscritos e nas mentes de Bagdá.

Sempre cobrara o direito de contar o que quisesse. A arte de narrar só amadurecia movendo-se destemida em meio ao pântano das palavras improvisadas. Daí advogar para si o planejamento impreciso, suscetível de mudanças repentinas. Cada frase como que impondo a ferro e fogo sua própria lei. Um saber único, com o qual imprime rumo à história que, justo naquela noite, causa desassossego ao Califa.

Naquela tarde, sensível aos ruídos de Dinazarda e Jasmine, concentrava-se com dificuldade. Tinha muito que fazer, como desatar certos nós que a impediam de alçar voo. Sem mencionar que fazia falta, sobretudo na cena em que Zoneida, doída pela ingratidão do amante, dava-lhe as costas, criar condições para que os ouvintes chorassem pelos infortúnios desta mulher.

Em nenhum momento descuidando-se das emoções originárias de uma matriz comum a todos os seres.

Mas faltando pouco para o Califa retornar aos aposentos, Scherezade tem outras urgências a que atender. Como equilibrar, na dosagem certa, o desespero e a esperança de certos personagens propensos ao exagero, com isto prejudicando a naturalidade que devia fluir entre todos.

Contrário ao que se dizia da jovem filha do Vizir, sua imaginação, alimentada pelos incunábulos e os rolos trazidos à sua casa pelos sábios de Bagdá, muito dependia das palavras que lhe saíam das vísceras. Como se no interior quente e abafado das tripas houvesse um manuscrito que ia lendo enquanto falava.

Sob o turbilhão de tantos enredos ainda por urdir, Scherezade comporta-se frente ao Califa como falsa profetisa que, embora adivinhe o mundo, é incapaz de entender a própria vida. Alguém que, em meio à dor, obriga-se a fazer colagem dos fatos reais para enxertá-los na psique de Aladim em doses que não lhe afetem a vida.

Igualmente acorrentada à nau de Simbad, ora atracada à beira do cais dos aposentos do Califa, ela se pergunta se pode alardear a mesma liberdade que atribui ao apaixonante marinheiro. Se lhe é suficiente dar marcha à imaginação para redimir-se.

Sente-se desamparada. Impossibilitada de ingressar na boca escura do mistério e, neste desconsolado descampado, acender o fogo com que iluminar a própria alma agora na penumbra.

16

Excursiona em pensamento por Bagdá. Traslada-se igualmente pelo mundo sem que lhe sofreiem o ímpeto. De volta aos aposentos, Scherezade segue a regra básica de não se distanciar um só momento de suas histórias.

Indo com Fátima ao mercado, aprendera que para seduzir o ouvinte convinha obedecer a pausas respiratórias, dar às palavras dosagem de pecado. Até para vender uma romã, de esplendor dourado, era mister teatralizar o cotidiano, fazer ver ao comprador que, originária da Ásia, atribuía-se à fruta o milagre de aumentar os seios das favoritas do Califa, parcas de volumes físicos.

Muito cedo ela criara expectativas em torno de qualquer tema. Desde as lamparinas de Aladim ao mastro do barco de Simbad. Ia facilmente enveredando pela colmeia das abelhas do pomar do pai, que lhe oferecia a arquitetura ideal onde encontrar as chaves lambuzadas de mel com as quais descerrar uma história.

Scherezade aceitara Jasmine aos seus pés como um mastim que dissimula a ferocidade em troca da sua devoção. Não lhe faz admoestações quando a escrava desvia-lhe a atenção do trabalho, não controla o desejo dela de substituir a memória de Fátima na intimidade da princesa. De participar do arroubo de Scherezade, em especial quando a princesa, atropelando as palavras que lhe saem aos borbotões pelas comissuras dos lábios, sofreia-as de repente, em prol da almejada harmonia do conjunto.

Dinazarda interrompe os devaneios da escrava. Entra e saí dos aposentos escondendo da irmã o que a leva às lágrimas e contribui para revelar-lhe uma realidade cruenta, na iminência de desabar sobre elas. Reproduz, quando muito, sempre em proporções reduzidas, o arremedo do drama. Já lhe basta viver sob a constante ameaça de morte desferida por um Califa que, enredado nos ardis e nas traições, mantém-se indiferente ao empenho de Scherezade em dar veracidade às diversas vozes de suas criaturas, em imprimir dissimulação a seus relatos.

Exaurida, Scherezade afasta Jasmine com um gesto. Depaupera-a o esforço de enfrentar dilemas e conflitos vindos de todas as partes, a que se adicionam as dores particulares. Encostada nas almofadas, sozinha finalmente, procura significado no que contara na véspera.

Parece-lhe que só induziria Aladim a cintilar naquela noite se o fizesse assumir um outro papel, além de vendedor de lamparina. Talvez devesse convertê-lo em príncipe, apesar do contraste de seus modos rústicos. Sob sua batuta, ensinando-o a piscar os olhos, a contrair os músculos da fisionomia, desta forma traduzindo convincente astúcia.

Scherezade reconhece sua atividade de contadora de histórias como improdutiva. Um ofício há muito relegado à obscuridade, rendendo a seus praticantes escassas moedas. Por isso mesmo exercido no bazar pelos desvalidos da sorte, os atingidos por invencível melancolia. Não passando ela, pois, de mera contadora, leva no alforje um punhado de enredos que exalam um aroma popular. É ela uma anônima que, se não houvesse nascido princesa, estaria hoje na miséria.

Vê, com os anos, que faz parte de uma raça que, conquanto desprezada pelos doutos mestres das escolas corânicas, ousa sediar suas histórias nas vielas da medina, atraída pelo olor das frituras, dos corpos suados, pela promessa da imortalidade. Ganhando em troca, graças à sua fidelidade, a regalia de ser mulher, homem, rocha, cordeiro, hortelã, gênio da garrafa, todos os estados ao mesmo tempo, a cada qual sentindo com igual intensidade.

Sempre amara o silêncio imorredouro daqueles seres do deserto que, ao louvarem o Profeta, suspendiam a respiração, por lhes ser fácil renunciar à vida se fora necessário. Scherezade, porém, não vive na esfera da fé. Para sua natureza inconformada, a religião não constitui uma vocação. Ao contrário, centrada na banalidade do cotidiano, há muito afastara-se do plano divino, a pretexto de lançar-se à fúria dos personagens que lhe desgovernam a imaginação. À simples ideia de nada lhe apaziguar o espírito além de suas criaturas, ela sorri, consente que Jasmine de novo se aproxime, faça-lhe companhia.

17

A voz de Scherezade ecoa pelo palácio, chega à cozinha, mistura-se às ervas furiosamente esfregadas na pele do carneiro que gira sobre a brasa. Cada serviçal à sombra do império arranca nacos da carne e das palavras que escuta pela metade, incapaz de prever o epílogo das histórias.

A arte que ela exercita à beira da cama deve parte da sua fabulação à vida do mercado de Bagdá e aos relatos concebidos nos serralhos dos palácios árabes, onde as favoritas registraram em palavras simbólicas, vedadas aos amos, suas frustrações. E que, ao se transmitirem de mãe a filha, estabeleceram parâmetros básicos entre suas sucessoras no harém do Califa. Muitas destas histórias, tristes e repetitivas a despeito de se originarem de uma imolação individual, forneciam peso a um universo que, bem explorado, tornara Scherezade dona de ilimitado repertório.

Sensível aos gestos matutinos, que lhe vêm após o Califa poupar-lhe a vida, Scherezade sorve com alívio o chá de menta trazido por Jasmine. A escrava, ao depositar na mesa baixa a bandeja de cobre, com o bule e os copos, perto da contadora, ignora o significado emblemático de cada objeto. Mas Scherezade, que a acompanha de perto, não lhe quer confessar que a bandeja, que Jasmine acaricia como preservando a memória da sua tribo, representa a terra, enquanto o bule, por motivo insondável, o céu. Já os copos, talvez por conterem o líquido, a chuva que, para quem vive no deserto, é um regalo de Alah.

Jasmine agita-se, querendo ser apreciada. Sacia-lhe a sede matutina com a esperança de salvá-la nos dias seguintes. Alterna-se com as outras escravas junto às irmãs, mas é a única a estar perto delas. Mas nem sempre fora assim. No início, nenhuma filha do Vizir dera-lhe atenção, distinguira seu rosto das demais escravas. Sem desanimar, Jasmine girara em torno fazendo discretas graças, trazia-lhes o que sequer haviam solicitado. Em poucos dias, as irmãs passaram a exigir sua companhia, logo surgindo entre elas disputa pela escrava de pele trigueira e pernas longas. Sobretudo Dinazarda, que exigia contínua atenção. Devendo-se talvez seu temperamento absorvente ao fato de não contar na infância com tutora tão devotada como Fátima. Ou por ter percebido muito cedo que o brilho de Scherezade ofuscava todos em torno, não a deixando luzir. Já no palácio, ela usa como justificativa para alguns rompantes viver sob a constante ameaça de perder a irmã.

O veneno que Dinazarda traga nestas circunstâncias afeta igualmente Scherezade. Para compensar a irmã de um sofrimento pelo qual se sente responsável, Scherezade envolve-lhe os ombros, leva sua cabeça ao peito, libera Jasmine para servi-la. A luta que ora trava com o Califa provoca-lhe um pessimismo que surge à sua revelia. Concentra-se unicamente no homem taciturno com quem se deita e que, à noite, obriga-a a fabular a pretexto de nada. E que, a despeito de exigir dela uma fantasia exacerbada, manifesta desprezo por tudo que contrarie a lógica e a coerência com que preside seu califado.

Dinazarda refaz-se das cenas de ciúme. Passeando pelo palácio, renova os votos de amor à irmã sem se descuidar de sua defesa. Já pelas manhãs, na expectativa de o Califa anunciar o destino de Scherezade, beija-a com ternura distraída. Quer roubar do beijo sua imanência trágica. De nada vale preveni-la dos perigos que rondam o seu discurso. Scherezade age às vezes como se não fora prioritário salvar-se. Vê-la, porém, expressar sua confiança na arte comove Dinazarda. Aquela contadora sabe como ninguém brandir os distúrbios e os devaneios que acossam seus personagens diante do rosto imutável do Califa, fazendo-lhe ver que também ele corre o risco de perecer com a morte de cada ser que ela inventa.

Fruto de provisória disputa, Jasmine se acovarda. Teme que a sacrifiquem em meio à decisão injusta. Lê no rosto de Dinazarda sua inquietação com o futuro de Scherezade, a fragilidade que ronda aquela vida. Confia, porém, que a princesa, evitando lacuna na memória, contorne os perigos que afloram no curso da história. Mas o que seria para uma contadora privar-se dos sobressaltos da arte, apesar dos diabólicos recursos do seu talento? De que modo seduzir o Califa se lhe faltar a autonomia que só a substância forjada na mentira pode assegurar-lhe?

À margem destas disputas comezinhas, Scherezade embaralha sentimentos que, dentro ou fora da história, roçam o agoniado coração do soberano. Com instinto feroz, ela faz acertos, contorna o caos que advém de suas incertezas. Tão desafiante quanto suas personagens, Scherezade urge que Aladim, Zoneida, na categoria de modestos mortais, sucumbam ao peso do destino individual.

Neste empenho, Scherezade cumpre com desvelo os rituais do ofício. Embora tangencie a crueldade que o Califa esparge, acusa o golpe que ele lhe desfere a qualquer pretexto. Assim, a despeito do benevolente coração da irmã e da escrava ao seu lado, fragiliza-se de repente. Parece soçobrar, não se sente a salvo. Mas anota o esforço com que Jasmine lhe defende a vida. Tudo na escrava, rescendendo o feitiço, alia-se às forças alheias à trama humana. Como se lhe fora fácil visitar sua tribo, mesmo estando no exílio, e regressar bela e retocada do espetáculo da miséria, fingindo pertencer a uma grei principesca.

À sombra de Scherezade, Jasmine vê as horas se escoarem. Frequentemente, querendo infundir ânimo às irmãs, atribui-lhes um poder que, de fato, pertence ao Califa. Cabendo a ela, tão somente, transferir às filhas do Vizir o cheiro vindo dos estábulos, dos porões, e que lhes faz falta conhecer. Devolver aos aposentos reais o olor de uma ímpia e sofrida humanidade.

Por onde caminha, as vozes do povo de Scherezade perseguem Jasmine. Enquanto transporta objetos, roupas, alimentos, da cozinha, que fora sua casa, até os aposentos, de cuja elegância esteve privada sem piedade desde o nascimento, tem dificuldade em resistir ao cerco que o mundo lhe faz. Em compensação, por força da imaginação da princesa, volta a ouvir os brados das cabras, dos beduínos, nômades como ela. Vê-se de novo na tenda familiar, cujos detalhes recompõe na memória. No interior da tenda, acompanhada de pastores suados, que arfam e gemem em conjunto, Jasmine contempla o teto de lona, atraída pelo equilíbrio delicado da armação. Um trabalho feito de tiras finas tecidas com lã e pelos de animal e costuradas de uma borda a outra. O toldo que, pelo seu peso, apoia-se sobre o cavalete amparado por correias esticadas e largas, fixas com cordas a piquetes, e que resistem ao vento.

Lembra-se da brevidade dos dias, da vida que se desarmava, e logo iam pelo deserto montando a casa volante segundo suas necessidades. A tenda familiar refletia pobreza, ao contrário daquelas das tribos ricas, de coxins esplêndidos, cujas bolas douradas, espalhadas em torno, simbolizavam autoridade e poder do chefe. As lamparinas de azeite, mal iluminando o rosto enrugado da mãe, não escondiam os tapetes puídos que, amontoados sobre o cavalete, separavam os membros da tribo por sexo.

Ora sufocada pelo luxo do palácio do Califa, Jasmine enaltece a banqueta, o bastidor, o catre, peças trazidas pela mãe ao casar-se com o pai. À simples lembrança, o passado chega-lhe em golfadas, perseguindo-a com o cheiro intenso das cabras recém-nascidas, que dormiam entre eles para não se extraviarem.

Antes de ser vendida em circunstâncias jamais reveladas, Jasmine entregava-se com fúria aos devaneios, antes de o sono vencê-la. Ao amanhecer, afastava-se da tenda em busca de cidades soterradas sob as dunas. Na expectativa de surpreender, aflorando de alguma cratera, um palácio de fachada lavrada na pedra, cuja abóbada, ora opaca, descerrava-se por um mecanismo mágico, a fim de Jasmine contemplar o firmamento.

A ninguém Jasmine faz confidências. Os desatinos que lhe perpassam a alma, porém, atraem Scherezade, que observa como ela reconstitui um universo do qual fora cruelmente desalojada. Também ela, filha de vizir, vê-se incapaz de lidar com as perdas de Jasmine, ainda que se apiede de suas mágoas.

Embora alijada da trama, Dinazarda enlaça Jasmine às pressas, a tempo de respirar o olor do perfume que a escrava exala, deixando um rastro capaz de perturbar o Califa, que atravessa, neste instante, os umbrais dos aposentos, alheio aos transtornos femininos. Ele olha as mulheres e nenhum gesto seu favorece o esforço diário de Scherezade de salvar-se. Exige tão somente que a jovem acomode em sua paisagem interior o maior número possível de criaturas, bichos e minerais. E não se esqueça, sobretudo, de modelar a alma dos seus personagens, a fim de melhor ajustá-los às histórias que lhe vai contar. Só este fato lhe interessa. Por tal razão, havia abandonado mais cedo o salão de audiências, deixara de sentenciar sobre o destino de seus súditos, desatendera às concubinas do harém, renunciara às caçadas e ao falcão pousado no ombro. Frente ao que ele abdicara, começasse Scherezade, sem perda de tempo, a contar-lhe o que afinal ocorrera a Simbad, sob ameaça de naufragar naquela sétima viagem.

18

O Califa cerca Dinazarda de atenção. Confia em que a jovem, apesar da apaixonada defesa de Scherezade, não se volte contra ele. Aprecia, pois, como ela, aos seus primeiros avanços, já levando Scherezade para o leito, desvia a mirada, encaminhando-se em direção ao biombo.

Ainda que se retire da cena, na extremidade dos aposentos, Dinazarda participa dos folguedos amorosos, que lhe atiçam a fantasia. Ao seu lado, Jasmine, de infatigável diligência, inventa pretextos para permanecer naquelas dependências formadas por quartos unidos sob forma de arcos, integrados todos ao núcleo central, que tem o leito como eixo, com o qual compõem equilibrada perspectiva.

Designada para servir às irmãs, Jasmine esforçara-se desde o início por ser notada, providenciando iguarias e relatos ocorridos na cozinha. Traz a Scherezade, que jamais abandona aquela ala do palácio, amostras vivas do jardim, sob forma de pétalas a boiarem na superfície do gamelão com água. E por guardar vívidas lembranças dos castigos e humilhações sofridos, tudo faz para não ser repreendida. Para isso assimilara os hábitos da corte, querendo passar por uma princesa etíope que vivera em meio às dunas. Começando pelo caminhar elegante que mal erguia os pés do chão, a olhar em torno, atenta a cada detalhe. Mas, embora familiarizada com a vida palaciana, sobressaía-se na escrava o orgulho de haver pertencido no passado a uma realidade oposta àquela, cujas regras foram ditadas pelo sopro da escassez e da esperança.

Após alguns minutos, Dinazarda se desinteressa das insinuações de Jasmine relativas ao histórico familiar. Pouco lhe importando se a escrava, antes do cativeiro, procedera da nobreza do deserto e, por tal motivo, entretivera algum sultão com quem pensara casar-se. Próspero senhor que, por ambição, vendera-a a traficantes de escravos em troca de magníficos alazões.

De Jasmine, ela esperava que atentasse às ocorrências de Bagdá. Descobrisse, sem a interveniência de Scherezade, o grau de verdade havido nas intrigas que lhes chegavam, em geral fermentadas pelo povo com o intuito de afugentar o fantasma da pobreza. Graças, aliás, ao bom trato que a escrava tinha com os cavalariços, guardas e cozinheiros, reproduzia-lhe, com facilidade, detalhes de um cotidiano que parecia às irmãs sedutor.

Instada a contribuir com a dose diária de maledicência, Jasmine não se furta a dilatar o tempo da conversa que mantém em especial com Dinazarda, sempre tendo como foco as histórias originárias dos porões do palácio. E quando queria luzir-se aos olhos das princesas, e comovê-las consequentemente, Jasmine matizava aspectos da vida com o uso dos bordões populares.

Alçada subitamente à categoria de modesta narradora, Jasmine comove-se. Agradece que Dinazarda não interrompa suas divagações cobrando-lhe palavras com chancela culta. Mesmo porque não teria como renunciar à dimensão que o deserto lhe imprimira à alma. Pois, a despeito da aprovação das jovens, jamais deveria violar as regras que regem as princesas. Aprendera também, desde a vida nômade, que não convinha confiar nos humanos. Havia entre eles o acordo de praticarem ardis como meio de se defenderem. Cada qual, resguardando as pegadas secretas do respectivo coração, ia nutrindo sentimentos contraditórios, causadores de profundo desassossego.

Ao longo de um único dia, as três jovens sofriam variados reveses. Passavam de instantes inclementes, causadores de lágrimas, a uma alegria transbordante. A ponto de Dinazarda, no afã de dissolver as tensões, fazer vir do bazar uma preciosidade chinesa, um creme de tartaruga do qual se esperavam milagres quando friccionado nos pés. Sem dúvida um jogo perturbador, ao qual Scherezade se submetia na expectativa de afugentar a iminente ameaça do cadafalso.

Scherezade ressente-se de que, forçados à intimidade imposta pelos exíguos aposentos, lhes falte cerimônia. Aflita, ela cerra os olhos mesmo à luz do dia, a pretexto de pensar e ratificar certas questões. Uma promiscuidade que se evidencia quando o Califa, ao dar realce à sua natureza feminina, estende-se lânguido na frente de todas as mulheres. Prestes a copular, ele livra-se apenas de parte dos trajes, só deixando a genitália escura à mostra. Para que os tecidos restantes escudem seus sentimentos.

O soberano prefere fornicar no escuro. Guia-se pela lamparina que justamente distrai Scherezade das funções amorosas. Isto porque, presa à tênue chama, cuja sombra, projetada sobre os objetos e o rosto do Califa, muda a forma do que ela vê, a ponto de se convencer ser a lamparina de bronze um presente que a astuta criada de Ali Babá enviara-lhes logo após o amo pedi-la em casamento, como agradecimento pelas manobras que Scherezade fizera em seu favor.

Antes de ouvir Scherezade, o Califa exige uma pausa. Nos últimos meses, o cansaço, ao envelhecê-lo, roubara-lhe a ilusão do prazer. A mirada de Scherezade, como adivinhando seu desalento, vaza-lhe o corpo, vence suas protuberâncias. Também ela simula à sua frente. Para aguentá-lo, usa disfarces faciais, arregimenta bravura. Protesta, em surdina, contra suas ameaças de morte. Seu consolo, então, é não amá-lo. O germe do amor, que existe nela, não fala, de nada reclama. Só se pergunta a quem há de destinar este amor de que precisa. A quem oferecê-lo no futuro?

19

Scherezade atiça a imaginação do Califa, jamais o seu desejo. Apesar dos ornamentos escolhidos pela irmã, ela empalidece a cada dia, seu brilho está nas palavras com que conta as histórias.

Desde a casa do pai, Dinazarda incumbia-se de eleger os trajes que ambas usariam nas cerimônias familiares. Uma seleção que desconsiderava o gosto do Vizir, a acusá-la constantemente de adotar hábitos perniciosos. Poucos anos mais velha que Scherezade, Dinazarda tinha prazer em desafiar a autoridade paterna. Não via por que ceder à sua vontade, quando o pai, conquanto seguisse reclamando, dava logo indícios de esquecer um acidente ocorrido dias atrás.

Graças à singela insubordinação, Dinazarda atrevia-se a subir ao tapete mágico que a fantasia da irmã lhe fornecia e instalar-se na proa, fingindo visitar paragens consonantes com as descrições previamente feitas, regiões imaginárias onde ambas as filhas do Vizir encontravam-se a salvo.

Os modismos, que Dinazarda introduzia na casa a pretexto de trilhar o caminho da modernidade, incomodavam o pai. Não pretendia submeter-se ao imperativo da fantasia que as duas filhas iam alastrando pelo palácio. Parco de palavras no lar, onde muitas vezes chegava abatido tarde da noite, o Vizir combatia os hábitos que ferissem a moral do Islã. Ao admoestá-las, seus sermões, expedidos às pressas, já retornando ao salão de audiências do Califa, onde sua vida de fato parecia transcorrer, enfatizavam que não deviam as filhas ferir uma única regra do Corão ou se entregar às práticas ofensivas à religião que professavam, dando ele realce àquelas que prescreviam modéstia e obediência à mulher.

Após alguma discussão, à noite seguinte, ele confessava compreender que as filhas, por mera curiosidade, se refugiassem em um gosto estrangeiro, em flagrante confronto com o que presidia Bagdá. Agora em tom conciliador, dizia-lhes não ver razão de ambas as jovens estimarem cores e feitios atrevidos que a corte do Califa, por certo, ainda não consagrara. De modo que lhes devia avivar a memória, caso houvessem esquecido certos preceitos fundamentais que, em seguida às revelações feitas por Alah ao profeta Maomé, as mulheres da família, tomadas de comovido fervor, cobriram o rosto com pedaços de pano disponíveis na casa, de forma a impedir que parte tão reveladora da mulher estivesse ao alcance da concupiscência masculina.

Era atencioso, contudo, com as filhas. Ao vê-las, o Vizir esboçava um sorriso e, dando-lhes seguidas provas de amor, permitia que lhe falassem, mesmo sob o risco de lhe contrariarem os argumentos. Acatou que Dinazarda não visse reproche nas novas expressões de beleza que iam chegando ao interior dos domicílios principescos de Bagdá, cada qual expressando prerrogativas oriundas de outros reinos. Também a civilização islâmica, de que o Vizir e as filhas tão orgulhosamente faziam parte, em que terras estivessem logo erguiam magníficos monumentos, sempre em obediência à acepção de que o belo fluía de Alah e desembocava nos corações dos seus devotos.

Os próprios soberanos abássidas, descendentes de Abbas, tio de Maomé, que conceberam Bagdá no século VIII, às margens do Tigre, ao norte de Ctesiphow, ao construírem mesquitas, minaretes, as muralhas redondas, tiveram em mira maravilhas que comprazessem Alah e assombrassem os olhos humanos. E tanto foi assim que se designou tal período como a idade de ouro da cultura islâmica. E por que, pai, disse Dinazarda, ou teriam dito as duas em uníssono? Porque tiveram a coragem de assumir a nostalgia da grandeza que emana do divino, enquanto se proclamavam produtos da magnitude do Poderoso, que os provera da existência. Além do mais, não fora o Vizir, tão generoso, quem cedera a Scherezade recursos com os quais ela impressionava mestres e ouvintes?

Como resultado destes privilégios, as filhas, antes pacíficas, começaram a insurgir-se contra a mentalidade do Vizir. Não viam impropriedade em servir a Alah e dar provas ao pai de que o próprio mundo comportava variadas manifestações de arte. Por todos os motivos, podia-se renunciar às formas tradicionais sem incorrer em delito moral.

Tal impasse, em vez de desgostar o Vizir, provocava-lhe orgulho das filhas. Fizera bem em propiciar-lhes educação primorosa, em trazer ao palácio mestres que transmitiam os fundamentos básicos da inteligência humana. Sábios, de aparência circunspecta, entrando e saindo dos salões do palácio a transportarem toda sorte de conhecimento, à época concentrado em Bagdá. Um saber a pesar-lhes tanto que pareciam arrastar pelas dependências da casa um camelo levando na corcova uma canastra carregada de manuscritos e tábuas caligráficas.

O Vizir, que a serviço do Califa coletava impostos exorbitantes e amordaçava o povo, obstruindo qualquer lufada de liberalismo, concedera regalias às filhas. Talvez pela viuvez precoce, auxiliado por Fátima, escusava-se de aplicar-lhes castigos, de privá-las dos benefícios próprios de sua classe. E contrário às práticas da corte, punitiva e castradora para as mulheres, as filhas expunham na sua frente ideias próprias, batendo-se por elas. Ainda que com a condição de semelhante privilégio ser desfrutado intramuros, perdurar apenas enquanto ele vivesse. Após as filhas contraírem matrimônio, os maridos sustariam semelhantes prerrogativas.

Ele amara a mãe das jovens com suave e persistente amor. Concedera-lhe amplos benefícios sem o temor de vir a traí-lo. A cumplicidade entre os esposos ocasionou uma felicidade rara, que perdurara até o falecimento da mulher, de febre impossível de ser debelada. Amparada entre seus braços, já nos suspiros finais, ela suplicou-lhe desvelos com as filhas, que fosse esmerada a educação a ser-lhes dada, aproveitando-se da circunstância de Bagdá ser uma metrópole propícia à sabedoria. Além das salas de estudos, frequentadas por mestres do Oriente Médio, esta espécie de universidade atraía para suas leituras públicas multidão calculada em quarenta mil pessoas, aí incluindo mulheres disfarçadas em trajes masculinos.

E prosseguindo com suas solicitações finais, a moribunda pediu que o marido levasse em consideração a habilidade e o temperamento de cada filha. Dinazarda, por exemplo, sua primogênita, sucederia ao pai em suas funções de Vizir, caso houvesse nascido homem. Ao falar de Scherezade, a voz, que quase se apagara, revigorou-se, advertindo-o quanto ao brilho da mirada de Scherezade, que, desde o nascimento, ensejava mistérios. Não erraria ao profetizar que a memória desta filha retinha o saber do mundo, merecendo que lhe franqueassem as portas da erudição. E de que outro modo o marido cumpriria os desígnios de Alah?

Ainda que absorto em suas tarefas, os sentimentos do Vizir prodigalizavam-se diante das filhas que, em meio aos folguedos, riam, pareciam felizes. Não tinha, então, pudor de pedir a Alah, mesmo na presença delas, que as poupasse no futuro de amargas desilusões.

Nesta fase de formação, Scherezade consumia os dias com Fátima, exclusiva a seu serviço, enquanto Dinazarda seguia o pai, já de regresso do palácio do Califa, em geral abatido. Mas, apesar do mútuo afeto, pai e filha colidiam com frequência, sobretudo ao ensinar-lhe o Vizir a arte de negociar. Raro momento em que ele, em tom insistente, cobrava de Dinazarda consistente defesa de seu ponto de vista. Devia ela aprender a que porções abdicar em prol de alcançar com o adversário um acordo satisfatório, tendente a favorecê-la posteriormente.

A filha entretinha-se igualmente com o universo mundano de que o pai lhe falava. Ciente da idiossincrasia da sua grei e dos cortesãos, Dinazarda extraía do Vizir, ao voltar ele de sua jornada, pormenores administrativos que diziam respeito ao califado. Informações que o pai lhe cedia sem desconfiar que a filha as memorizava. Enquanto ele distribuía uma palavra e outra inconveniente, ela o beijava, e passava a questioná-lo sobre outros assuntos, ainda desconhecidos.

À margem destas querelas familiares, tanto do agrado do Vizir e de Dinazarda, Scherezade recebia o pai com discreta efusão, logo buscando seu recanto.

Mas agradecia ter um pai que a deixava concentrar-se na aguerrida e preciosa matéria da imaginação. Seu método era evitar uma frontal discordância com o pai. Há muito havendo aprendido que não lhe convinha deixar rastros de suas travessuras.

Sempre reclusa, Scherezade amava o silêncio. Sem qualquer esforço, abstraía-se da realidade. Com alguns minutos de meditação imergia nos conflitos humanos, esquecida das funções diárias. Não reclamava comida, água, comprazendo-se em roubar horas do sono para dedicá-las às aventuras de certo gênio da lâmpada que, naqueles dias, a perseguia a ponto de ameaçar-lhe a integridade física. Um gênio que, oscilando entre o bem e o mal, alçava a voz para comover o coro de vozes que, do outro lado do desfiladeiro, solapavam o curso da história de Scherezade.

Nestes momentos, que Scherezade lutava por prorrogar, de nada valia que lhe falassem. Cedia, quando muito, um monossílabo. Nem Dinazarda devia bater-lhe à porta, insistir. Pois o coração da princesa, havendo se ausentado, não estaria ao seu alcance nas próximas horas.

20

Scherezade não saíra ao pai. O Vizir não fora contemplado com a imaginação que a filha herdara da mãe. Em compensação, a natureza pertinaz e astuciosa daquele homem sabia explorar a seu favor as querelas familiares, intensas entre os abássidas. Sobretudo as tramas da corte, que, em suas mãos, tornavam-se um instrumento de rara persuasão.

Assim ia pensando o Califa sobre o Vizir, intransigente servidor, cuja devoção à coroa antecipava e punia os avanços dos inimigos, sem mesmo consultá-lo. A quem ele mantinha próximo ao trono, confiante em sua obsessiva entrega ao poder, que só se alquebrava frente ao amor às filhas.

Há muito viúvo, o Vizir mantinha-se fiel à memória da esposa, resistindo a contrair novo matrimônio, ainda que o Califa o estimulasse. Em casa, porém, aturdido com o talento de Scherezade, facilitava-lhe esmerada educação. Os mestres de Bagdá, convocados para esta missão, amanheciam diariamente no palácio, só deixando Scherezade ao anoitecer. Munidos de toda sorte de conhecimentos, mesmo dos gregos clássicos, alguns dos sábios provinham da escola de tradutores, outros, associados às madrasas, aperfeiçoavam-se nos estudos exegéticos do Corão. Na qualidade de teólogos, detinham um poder que em muito superava o dos colegas dedicados à filosofia, assim provando-se que cuidar da transcendência de Alah constituía estímulo maior que especular sobre os homens em suas andanças terrestres.

Enquanto Dinazarda era negligente nos estudos, Scherezade cobrava dos mestres as chaves com as quais abrir as portas da percepção e da sabedoria. Nada lhe satisfazia a ambição intelectual, para perplexidade dos professores.

Sabedor do grau de exigência da filha, o Vizir agradecia a Alah o privilégio de ter uma filha para quem o mundo se fazia íntimo. Assim, quando Scherezade, anos depois, comunicara-lhe a intenção de entregar-se ao Califa, julgando com tal ato impedir a morte de tantas jovens, ele rasgou o turbante e jejuou nos dias que se seguiram. Abatido pela dor que o consumia, mas que prezava esconder dos demais. E no palácio do Califa, ao seguir com rigor a pauta diária, sem fraquejar nas audiências com o soberano, era como se a filha não existisse. Dissuadia que lhe falassem a respeito, como se a morte, à beira da entrada da casa, não ameaçara ainda qualquer membro da sua grei. Ao contrário, sobre a cabeça da filha pairava a coroa de rainha, e não o cutelo do verdugo.

A frágil situação do Vizir, posto à prova entre a lealdade ao trono e o tormento pela perda temporária das filhas, constrangia o Califa. Nas audiências, ao confrontar-se com o Vizir, o soberano limitava-se a assuntos pertinentes ao califado, jamais lhe mencionando as filhas, ou mesmo sugerindo-lhe que as fosse visitar nos aposentos reais, onde viviam reclusas.

Submisso à hierarquia cortesã, o Vizir reagia às notícias que eventualmente lhe chegassem sem se pronunciar, ainda que os olhos lhe brilhassem à menção de seus nomes, ou sabendo que Scherezade fora uma vez mais poupada da morte.

Mortalmente ofendido como qualquer pai, não sabia como persuadir o Califa a desinteressar-se de Scherezade. No início, intensificou seus afazeres, esperando afastá-lo do palácio. Mas sem obter os resultados aguardados, aconselhou-o a viajar pelo reino, tão carente de sua presença. Para isto devendo afastar-se de Bagdá nos meses seguintes.

O soberano recusou com firmeza. Não pretendia conviver tão de perto com os conflitos do reino, que já lhe pesavam de longe. Foi quando o Vizir, em árabe primoroso, instigou-o a ir ao distante Egito, na expectativa de conhecer uns sábios que acrescentariam riquezas à sua sabedoria. Deles dizia-se que, por não apararem as barbas, arrastadas pelo chão, elas levantavam poeira, soltando fios, recolhidos pelos discípulos como relíquia.

O Califa não via razão de deslocar-se para tão longe, se em Bagdá havia homens de igual envergadura, sem o transtorno de aturdir-se com barbas de tal comprimento. A argumentação do Vizir, no entanto, tinha fundamento. Aqueles anciãos, em permanente vigília, ofereciam aos visitantes, entre sorvos de ervas colhidas na horta, a visão ordenada do universo de que nunca se ouvira falar anteriormente. Síntese tão perfeita que causava perplexidade aos ouvintes, ansiosos por desvendar segredos confiados a poucos de um círculo restrito. Em compensação, em nenhum outro lugar, talvez, a valiosa perspicácia do Califa seria mais apreciada que naquelas paragens sagradas. Merecendo ele, pois, ouvi-los discorrer sobre a ciência da guerra, traduzida em ganhos de terras e despojos, sobre a arte de apreender os aspectos demoníacos da natureza humana, sobre o abençoado uso da ilimitada imaginação.

O olhar do Califa parecia anuir, como se a tática do chanceler estivesse por dar resultados. Sob semelhante estímulo, o Vizir confirmou-lhe que outros sultões, beis, xeques, após Meca e Medina, com caravanas próprias aventuraram-se pela margem do Nilo, cruzando o deserto em direção ao oásis Dakhla, em busca destes sábios. À sombra das palmeiras de tâmaras eles meditavam, preparando-se para o encontro místico. Para em seguida, após aninharem-se aos pés de escarpa de altura elevada, tomarem o rumo de Qasr, confiantes que, a despeito das escassas descrições que lhes haviam sido confiadas, a intuição, tão apreciada pelos santos do deserto, os ajudaria a localizar o esconderijo buscado.

O Vizir estreitou os olhos e, com gesto igual ao de Scherezade quando enfrentada com qualquer enigma, perguntou-se em voz alta, como a dispensar resposta, se não valeria, afinal, tamanho sacrifício em troca de ouvir histórias cujo tramado intrigante suplantava o que Scherezade, mera aprendiz, vinha-lhe contando. E, testando o interesse do Califa, insistiu na questão, sem perceber que o soberano, desatento à sua ponderação, concentrava-se agora no projeto de erguer a nova mesquita, cujo desenho lhe fora entregue pela manhã. Parecia-lhe ouvir outra vez o timbre do arquiteto assegurando-lhe a magnitude de uma construção concebida por um sonhador que erguia minaretes na crença de por si voarem, desprendidos do impulso criador do artista.

Ajoelhado ao pé do trono, o arquiteto, entre tímido e ufano, garantira ao Califa que as cúpulas douradas e cintilantes da futura mesquita, em contraste com o domo verde do palácio, seriam tanto apreciadas pelos que estivessem às margens do Tigre, ou navegando por suas águas, como pelos que entrassem a pé em Bagdá através dos quatro portões, antes circundando as muralhas redondas.

Com os olhos quase a saltarem das órbitas, o arquiteto previa minaretes leves, translúcidos, prestes a desabrocharem do pátio central, imantados pelo firmamento. Um milagre que haveria de causar aos crentes a sensação de ascenderem ao paraíso prometido pelo Profeta.

Constatando a indiferença do Califa, o Vizir arrependeu-se da iniciativa. Nos últimos tempos, pela abusiva frequência talvez com que se aproveitava das intrigas palacianas, seus desacertos vinham se evidenciando. Tornava-se penoso convencer o Califa sobre que assunto fosse, mesmo quando se tratava de um parente querendo usurpar-lhe o trono abássida em meio às fanfarras. Uma acusação que o Califa simulava não acolher. Ainda que semanas depois, antes que consumassem a traição, os abatesse sem piedade.

O fato é que o desencanto do Califa com as tramas da corte acentuara-se após Scherezade submetê-lo aos efeitos voluptuosos de seus relatos. As perorações do seu ministro, conquanto pertinentes, esvaíam-se a seus olhos. Atraído pelos relatos noturnos da jovem, cogitava, pela primeira vez, a existência de um tempo que fosse capaz, um dia, de preservar os encargos da tradição e modernizar simultaneamente a visão de uma posteridade feita de anarquia e liberdade perigosa.

O Califa herdara do pai apreço pelas orações laudatórias. Mas a lisonja do Vizir, conquanto bem-intencionada, soava-lhe agora sem encanto, se comparada com as lendas trazidas ao leito por Scherezade. Lendas que, possivelmente voláteis, superavam as arrogantes afirmativas dos cortesãos, a pregarem a imutabilidade do imperial cotidiano dos abássidas.

Mas o que o Califa exigia naquele instante era uma realidade que constituísse fonte de surpresa e entretenimento. Pois crescia nele a aspiração de roubar um dia o desempenho de Scherezade e emocionar seus súditos reunidos no bazar, apresentando-se a eles como um personagem de dimensão universal, da altitude de Harum Al-Rachid, abássida como ele.

Estes delírios felizmente se eclipsavam, retomando ele sua índole altiva, resistente às mudanças. A exigir que os acólitos, fâmulos, áulicos, reverenciassem sua majestade simbolizada no turbante cravejado de pérolas e brilhantes que, enfiado na cabeça, cobria-lhe parte da testa, realçando-lhe o nariz adunco de águia.

Despediu-se apressado do Vizir, tomando rumo oposto ao dos aposentos. Andava a esmo, seguindo as trilhas de um laborioso labirinto que reproduzia certas tramas de Scherezade, tendentes a retornar ao ponto de partida, para dali prosseguir até um lugar onde não estivera anteriormente.

Ao avançar pelos intermináveis corredores, esquecido de observar as maravilhas caligráficas impressas nas paredes sob forma de mural, as palavras de Scherezade afloravam desprendidas das histórias. A brisa do anoitecer trazia ao Califa a voluptuosidade das fragrâncias silvestres provenientes dos jardins, seguida de estranho langor. Seus passos, claudicantes com os anos, o obrigaram a reduzir o ritmo. Mas para que não lhe notassem a fadiga, apressa-se em direção aos aposentos. Quem sabe o verbo da jovem lubrifique a imaginação erótica, recrudesça o fogo da genitália. À simples ideia, ruboriza-se como um aprendiz das artimanhas da carne. Em alguns passos, enfrentará a matéria que Scherezade esboça com o intuito de atormentá-lo.

À entrada, Jasmine anuncia sua vinda, antecipa-se ao arauto, a quem cabe a tarefa. A quebra do protocolo inquieta Dinazarda. O Califa, porém, fingindo não ver um ato merecedor de punição, amacia a barba. Os eflúvios, emanentes do ambiente, o dispensam de avaliar pormenores, de averiguar que mundo se conforma à sua sensibilidade. Preocupa-se em seguir Scherezade aos lugares que ela lhe vai indicando enquanto conta. Até a Índia, Damasco, à beira do Bósforo, sempre levado pelo dom de transitar por estes cenários. Quando, certo de haver ganho aletas, que Scherezade lhe cedera naquela noite, ele sente-se nadar, vencendo os mares.

21

As horas conquistadas à morte impõem tensão ao relato e uma brevidade que Scherezade teme não controlar até o amanhecer. A cada noite torna-se mais penoso defender a vida e a história. Dissimula, porém, as vicissitudes que enfrenta, como se, liberta dos dispositivos impostos pelo Califa, dispusesse de condições privilegiadas.

Ainda que sonolenta e aflita, seu relato ganha substância ao acionar os botões da memória do Califa. Ao ativar-lhe o cérebro, adequadamente lubrificado, para que aceite os impactos da sua desgarrada narrativa.

Ambos copulam por obrigação. A dissimulada representação do amor, que praticam sobre o principesco coxim, é grotesca. Afinal, a obstinação do soberano em entregá-la à crueza do alforje impede-a de admirá-lo. Reconhece, no entanto, o talento do Califa em assimilar os fatos encadeados das histórias, a velocidade com que visualiza a matéria que ela, em obediência a seu instinto, exagera com o intuito de salvar-se.

Confinadas ao palácio, as irmãs, em certas tardes, com a ajuda de Jasmine, se divertem imitando os cortesãos, os mercadores de Bagdá, algum que outro visitante observado de longe. Sob este irresistível impulso lúdico, que lhes expulsa o medo, elas inventam situações inverossímeis, filiações raras, graças às quais proclamam-se, de repente, filhas de um sultão que, por seu espírito libertário, permitira às jovens enraizarem-se em Bagdá, onde ambas adquiriram suntuoso palácio fora das muralhas redondas, na outra margem do Tigre, em direção a Kerbala. E que, justo naquele dia, haviam retornado à cidade após prolongada temporada no deserto de Gobi, em cujas areias elas montaram tendas, com a esperança de desfrutarem de inquietante vilegiatura. Pois, embora afeitas ao conforto, elegeram o referido deserto como lugar ideal para uma vida ao sabor das vicissitudes, na iminência de descobrirem como seria viajar, pelo simples gosto de retornar ao lar quando se sentissem entediadas. Por isso estas princesas, decerto frustradas após algumas madrugadas na região inóspita, concluíram que o prazer da viagem consistia em regressar a casa, trazendo na liteira e nas carroças baús abarrotados de lembranças.

Scherezade reduzia a agonia diária engendrando histórias, enquanto Dinazarda, pendente da fantasia que a irmã lhes emprestava, escondia o secreto anelo de montar num tapete mágico e sobrevoar com ele paragens desconhecidas, indo até o Golfo Pérsico, só para provar dos peixes de escamas prateadas. De volta a Bagdá, após enfrentar atropelos, aterrissaria pela primeira vez no bazar de Bagdá, quando absorveria uma realidade excessivamente veraz. Mas não querendo que em nenhum momento se dissipasse a tênue fantasia que as três jovens viviam naqueles aposentos, Dinazarda, em linguagem cifrada, cobrava da irmã subsídios que pareciam faltar no cotidiano.

Scherezade repartia-se entre a irmã, que, apesar de amá-la, desenvolvia fórmulas de ambiguidade, e o Califa, dando vazão à sua crueldade. Em momentos temerários, ela dizia em voz alta os nomes dos personagens, para que não se afastassem dela. Carecia da proteção destas figuras. Convocados, eles vinham para perto. Ali estavam Simbad, Ali Babá, Zoneida, todos contrafeitos com a carnalidade recente, dispostos a se rebelarem contra o cenário original de uma história que, muitas vezes, os imobilizava.

Scherezade compadecia-se de uma rebeldia nascida da coragem que ela mesma lhes plantara no centro do peito. Entendia que estes personagens não aceitassem morrer justo agora, ainda que ela decretasse suas mortes. Como genuínos atores do drama, não permitiriam, mesmo em benefício próprio, que os lábios de Scherezade os sentenciassem ao silêncio. Pois só lutando pela respectiva humanidade e sobrevivência, Simbad e Zoneida estariam aptos a encarnar um papel relevante na história que lhes fosse destinada.

Registra-lhes a angústia de simples mortais. De como estas criaturas, na ânsia de se tornarem pessoas de verdade, aspiram a misturar-se com o Califa, com os demais moradores do palácio. E quem sabe, formando uma única família, não ajudariam eles estes seres de carne e osso a se libertarem de normas asfixiantes, a se tornarem personagens como eles?

Scherezade hesita. Como dar estatutos de personagem ao Califa, a Dinazarda e Jasmine, se até aquela data só o povo de Bagdá ocupara-lhe os relatos. Desde a infância, estimulada por Fátima a viver aventuras que beirassem a insensatez, ela reforçara a crença de que, ao longo dos séculos, alastrara-se pelo califado uma grei constituída de seres de imaginação cintilante. E que, embora tristes, desnutridos, vítimas do despotismo do Califa, sabiam, como ninguém, entrelaçar tramas irresistíveis e comovedoras.

Scherezade confiava que no futuro este povo se sentaria ao seu lado unicamente para ouvi-la contar histórias nas quais eles surgiriam restaurados em sua beleza original. Surpreendidos, talvez, com uma princesa que se aperfeiçoara na arte de fingir, e cuja astúcia, enquanto avançava nas peripécias, ia expondo à luz do sol, à vista de todos, a ambiguidade secreta de cada um deles.

22

No início, Ali Babá, amaldiçoado pela sorte, não ousava desenhar na areia um futuro que lhe sorrisse. Assim ia Scherezade falando do seu herói, para o Califa aceitar a existência da miséria aliada à aventura.

Ela descreve este personagem, paradigma das virtudes típicas de Bagdá, ansiando por estar pessoalmente na caverna onde os quarenta ladrões iam empilhando maravilhas roubadas das caravanas que há séculos atravessam o deserto.

Enquanto detalha o que vê, para o Califa acercar-se das pedras amontoadas dentro de sacos de linhaça, Scherezade simula expor contra a luz da lamparina os rubis, as esmeraldas, as safiras, a fim de rastrear os veios cujo brilho ofusca-lhe a visão.

A história de Ali Babá exalta-a e amedronta-a igualmente. Sobretudo quando os intrépidos ladrões, em um total de quarenta, aproximam-se velozmente da caverna montados em corcéis árabes, cujas patas enérgicas levantam, à sua passagem, a areia do deserto. A ponto de Scherezade sentir no corpo os calafrios provocados pelos rubis.

Seu zelo pelo que conta leva-a a exceder-se. A descrever certas pedras preciosas com excessivas minúcias, atribuindo às oscilações climáticas a natureza álgida e ardente dos minerais com que se pratica a arte da ourivesaria. E com o intuito de o Califa confiar em sua imaginação, espalma a mão para que, em meio às linhas da sorte, ele enxergue a mais cintilante pedra da coleção dos ladrões. Aquele raro rubi que ela esculpe com sua cobiça.

Os tesouros descritos por Scherezade, há muito acumulados na caverna, desfilam diante do Califa, a fim de que ele aprecie as joias que Ali Babá, naquele momento já a caminho de Bagdá, leva no lombo da mula, após visita à caverna. Seleção feita ao acaso, tangido pela aflição e pela avidez de desfrutar a fortuna que os fados lhe deram inesperadamente.

Graças a tal imaginação, que é também uma lamparina, Scherezade prossegue com detalhes que facilitem o desenrolar do relato. Assim seus ouvintes, ávidos por notícias, acompanham Ali Babá cruzando a cidade, não muito distante da sua aldeia natal, onde tinha a intenção de pernoitar. O horário tardio sendo-lhe conveniente, por não pretender que a carga do animal desperte suspeitas entre os vizinhos, cujo falatório poderia chegar aos malfadados ladrões.

Repetidas por Scherezade, as palavras de Ali em relação à sua fortuna, embora expressassem alegria pelo ouro em seu poder, submergiam o Califa no medo. E isto apesar de o muleiro haver contratado os serviços de uma criada, próxima a dominar a cena, e que tivera a felicidade de encontrar. Uma mulher que, combinando astúcia e devoção ao amo, viria a agradar ao Califa em seu vagaroso processo de humanização.

Jasmine alvoroça-se com a criada. Embora ouvinte do pequeno círculo, não pode pedir à princesa informações adicionais sobre o novo personagem a entrar em cena e de quem se esperam atos de coragem e lealdade. Sôfrega em suas avaliações, a escrava observa com tristeza que Scherezade, ao contrário de suas outras histórias, não lhe dera um nome, ainda que singelo, e nem mencionara o aspecto físico da criada, um dado afinal relevante para cativar Ali Babá no futuro.

Nascida no deserto, Jasmine amava os contos que consagravam aqueles seres de inexpressiva origem familiar, entre os quais se encontrava. Chorava com os personagens obrigados a esquecer os dias felizes em prol da salvação individual. Com que gosto ela teria lutado em campo aberto pela glória de integrar um dia a galeria de heróis a que Scherezade credita às vezes atos de renúncia. Havendo, pois, sofrido tantas humilhações, seria para Jasmine um castigo que não lhe vissem no futuro méritos suficientes para participar de uma história contada pela favorita do Califa. Ela se contentaria simplesmente que dessem seu nome àquela criada, associando-se assim a um relato iniciado justo quando Ali Babá, a arrastar-se entre as rocas do planalto, surpreende à porta de uma caverna os quarenta ladrões gritando em uníssono "Abre-te, Sésamo".

Também Scherezade comove-se no curso do relato. Ao repetir para o Califa o "Abre-te, Sésamo", clave com que abrir e cerrar a caverna e dar passagem aos ladrões, sua voz, descuidando-se da arte de sussurrar, em que era mestra, ressoa grave pelo palácio. E quanto mais emite o brado milagroso, o timbre recrudesce, parecendo empunhar adagas, cimitarras, armas temperadas com as águas do mítico Eufrates. Como se ao dizer com tal frequência o "Abre-te, Sésamo", por efeito de estranha magia acrescentasse densidade a um enredo já por si atraente. Um logro que se amplia pelo fato de o Califa, defrontado com as travessuras de Ali Babá, sofrer e maravilhar-se com sua sorte.

Aliás, o próprio Califa, impotente em prestar ajuda a Ali ou impedir que caísse na armadilha tramada pelos quarenta ladrões, pressente que a morte daquele súdito lhe acarretaria danos, lesões impensáveis. Visivelmente transtornado por um sentimento incomum em quem se habituara a emitir sentenças condenatórias sem por isso padecer de remorsos, ele olha Scherezade quase a pedir-lhe clemência, enquanto adverte-a que, a despeito de sua autoridade de narradora, não ousasse desferir em Ali Babá o golpe mortal.

Surpreende o Califa que enredo tão popular o fizesse sofrer. O destino daquele súdito, ganhando rápida repercussão, tivesse tanto a ver com ele. Mas sofreia o ímpeto e nada lhe diz. Torce, no entanto, pelo triunfo do homem e da criada, cujas feições, ajudado por Scherezade, ia forjando a cada avanço da história.

À mercê de Scherezade, o soberano testa um poder que, naquelas circunstâncias, de nada lhe serve. Não está em sua alçada salvar o imprevidente súdito das agruras da narrativa. Ambos, ele e Ali, dependem dos rumos que a jovem lhes queira dar.

Até aquela noite, interessara-se unicamente pelos assuntos provindos dos abássidas. Há muito assentados eles no trono de Bagdá, nenhuma outra dinastia soubera arrolar a seu favor tantas vitórias, garantindo-lhes invencibilidade e permanência na história islâmica. Educado, portanto, com tais postulados em mente, o sucesso do vizinho ia contra os fundamentos da coroa, reduzia-lhe o grau de comando.

Assim, desejar que Ali Babá e a vivaz empregada saíssem vencedores, além de soar-lhe inédito, impulsiona-o a adotar pela primeira vez o peso da solidariedade. Um sentimento que, se não lhe banha propriamente a alma, imprime nela alguns sinais de brandura. Sobretudo porque Scherezade, na sequência desta história, o introduz de imediato a outras com igual febre e prazer.

Naquela estranha noite, que parece ao soberano interminável, ele não se dá conta de a palavra de Scherezade ser uma lâmina rente ao seu nariz adunco, ameaçando mutilá-lo. E que, apesar de resignar-se com a posição subalterna de ouvinte, tem o direito de insinuar com a mirada seu vivo desejo de decidir sobre o futuro de Ali Babá.

Também Scherezade, por meio do mesmo olhar evasivo, faz-lhe ver que aceita por breves minutos repartir com o compungido Califa as rédeas da história. Mas antes de pensar ele no desfecho que pretende atribuir a Ali Babá, convém saber que a maliciosa criada, naquele instante na aldeia natal, empenhada em salvar o patrão das investidas dos quarenta ladrões, ia lentamente despejando óleo fervente nos ouvidos dos homens que, escondidos nos barris à porta da casa, aguardam a hora de matar Ali Babá, como revide pelos ultrajes sofridos.

À medida que Scherezade apara aspecto ou outro da conduta do homem e de sua futura esposa, na expectativa de o soberano contribuir com algum detalhe essencial, ele suplica-lhe, paralisado de emoção, que Scherezade prossiga. Sob nenhum pretexto interrompa a corrente de encantamento com que lhe vem atapetando o cotidiano.

23

Scherezade é um ser carnal. Breve terá vinte anos e teme não chegar à velhice. Seu corpo conjuga medo e exaltação enquanto dá vida às histórias que narra.

A matéria da imaginação, que estremece os seus sentidos, tem a voz como conduto. A cada noite, o seu timbre, milenar, repercute na fantasia e nas palavras que vão dando corpo a seus enredos. O registro vocal da jovem altera-se, sobretudo ao encarnar heroínas desconsoladas, ao assegurar intensa existência a Aladim, Zoneida ou Ali Babá, cuja esperta criada salva seu amo com notáveis artifícios. Com irrepreensível isenção, Scherezade atribui-lhes uma modulação que varia entre opaca, escura, rascante, nervosa, segundo as circunstâncias. A ponto de suas cordas vocais, ora expedindo timbres agudos, ora forjando uma extração gutural, ganharem pátina de um tempo vencido. Uma coloratura que confunde a própria Dinazarda e encanta o arredio soberano.

Enquanto Scherezade zela para seus personagens não saciarem de imediato a curiosidade dos ouvintes, resguarda igualmente seus sentimentos. Resiste às propostas de afeto e admiração que a reduzam a condição comezinha. E quando Jasmine lhe mitiga a sede, ou refresca-lhe a pele calorenta com fatias de melancia deixada ao relento no pátio para esfriar, ela agradece, mas não comunga necessariamente com seus ideais. Ali está para marcar o Califa com certo grau de perplexidade, que não se acomode nos coxins entregue a sonhos apartados dos seus relatos.

Tendo Dinazarda e Jasmine como testemunhas, enquanto o Califa não vem à noite, ela alça-se à categoria dos imitadores. Compõe, com facilidade, a personalidade de um barítono, recém-chegado a Bagdá, que ostentava volumosa pança. Um senhor que com a voz propagava notas musicais e maledicências na mesma frase musical. Introduzindo vilania à trama que se encarregara de defender em meio a acordes altissonantes.

Sob os aplausos das jovens, ela não persiste no retrato de um exibicionista que outrora servira à corte. Descreve agora uma mulher, igualmente opulenta, de quem se dizia ter a voz de soprano, e cujo transcurso existencial sendo tão intenso quanto o de Zoneida, merecia ser incluída em uma de suas histórias, quem sabe tornando-a escudeira do volúvel Ammim. Uma cantora que, usando a voz, contracenava com um tipo cheio de atavios românticos, apesar de o físico da mulher não despertar paixão. Ambos, porém, enlaçados enquanto cantavam, aguardavam um desfecho trágico, fora da sua alçada.

Compenetrada, Scherezade copiava-lhes os tiques nervosos, as sucessivas desafinações, indiferente a que Dinazarda e Jasmine rissem, pedindo mais. Sobretudo quando a cantora, entre falsetes e meneios, agora de turbante, albornoz, brandindo a cimitarra, passava por homem, a ponto de beijar, exaltada, a própria mão, à guisa dos lábios da parceira. Ela e o tenor, cada qual em seu papel, traduzindo um amor às vésperas de esgotar-se.

E tanto era fugaz o duelo dos artistas que o tenor, ao seduzir uma modesta vendedora de damascos frescos, de pé em sua barraca localizada na medina, surpreende-se quando ela, com mórbida curiosidade, pergunta-lhe como de hábito eram tratadas as mulheres do harém real. Se o Califa, ao levá-las para a cama, regala-as com presentes à altura de uma noite de volúpia. Mas ao avançar o tenor na direção da jovem, aspirando a que, em troca da informação, copulasse com ele, a vendedora, em atitude ingrata, exige mais. Quer saber se os eunucos, sabidamente incapazes de operar com o falo na vulva feminina, usavam de miradas lascivas, de dedos e línguas ágeis, plásticos, flexíveis, senhores de práticas que enlouqueciam as favoritas. A ponto de eles recorrerem às telas de algodão, originário das margens do Nilo, para abafar os gritos das mulheres?

Sob a concordância de Dinazarda, a voz de Scherezade, que não se gasta nem quebra, amplia suas ações, assume novas prerrogativas narrativas. Empresta a cada papel uma imprescindível compreensão. Como homem e mulher, ri, chora, vítima de um trampolim emocional. Como tal, ela fabula figuras lendárias do mundo árabe que irradiam voluptuosidade, exsudam olores, destilam secreções, desafiam gigantes e monarcas, todos com dimensão mágica. E que, empurrados por ela, alçam voo, atravessam o túnel do tempo até chegarem ao Profeta, justo à época em que Maomé e seus seguidores, sofrendo a hostilidade dos habitantes de Meca, refugiaram-se em Medina, para ali viverem o exílio. Uma hégira dolorida a partir da qual, enriquecidos pela palavra de Alah, dera esta data início à era muçulmana.

Os papéis que Scherezade vai representando nem sempre sugerem um desfecho malévolo. Alguns, constituindo uma ruptura feliz, faziam as mulheres sorrir. Prova é que, havendo feito Dinazarda e Jasmine exultantes, ela retorna ao cenário de Bagdá, após a imaginação conduzi-la para longe. Tal retorno indicando que se cansara de haver visitado a outra extremidade da terra, muito além do previsto por qualquer mortal. De haver seguido o incansável Simbad, já em sua sétima aventura marítima, que bem poderia ser a última.

Mas, embora Dinazarda se jubile com tal fantasia, ela termina recriminando a irmã, que não deveria gastar o produto deste festim com elas. O melhor destas vitualhas reservasse ao Califa, prestes a chegar aos aposentos. Só tendo-o como ouvinte conviria recomeçar o ciclo das vicissitudes humanas.

[illegible]

24

O peito do Califa esvazia-se de esperança. Não ama Scherezade e nenhuma outra mulher. O frio no peito, que expulsa emoção, irradia-se até a mirada impenetrável. A crueldade, que advém do seu ideal de vingança, ameaça envelhecê-lo.

Confiante na eficácia do seu juramento de eliminar as jovens após copular com elas, ele regressa pelas manhãs à sala do trono sem liberar Scherezade de seus votos. Paira sobre seus súditos a certeza de em breve repartir ele a sua dose diária de justiça.

Apesar de tal propósito, tarda em encomendar a morte de Scherezade. Inquieta-o que use as histórias da jovem como pretexto para mantê-la ao seu lado. Admite, certamente, que a fantasia daquela contadora lhe azeita o corpo, e suas palavras, às vezes cultas, quase sempre de raiz popular, suspendem as noções que tivera até então de realidade. Sem precisar abandonar o palácio ou visitar o reino, a filha do Vizir traz-lhe aos aposentos, à sala de audiências, ao repertório de seu coração, por onde, enfim, caminhe, a visão de seres grotescos, de terras incógnitas, de aventuras que ambicionara viver desde a adolescência, mas faltara-lhe a coragem de abandonar o reino em troca da miséria humana, da instabilidade da sorte.

Entrecerra os lábios, suspira, contrai o peito ao acompanhar Scherezade. Mesmo que não fale, vai emendando em pensamento uma palavra à outra. Algumas, por iniciativa própria, deixa suspensas no ar, reservando-as para uma emergência, ou para o instante em que se sentisse carente. Mediante estes exercícios, que o exaltam, o Califa esquece a esposa que o traíra com o escravo negro. Uma humilhação tornada pública pelo irmão, sultão como ele, de visita a Bagdá, e que, por triste sina, fora vítima de igual infâmia.

Tão logo distancia-se dos aposentos, e da magia da jovem, o soberano sucumbe à visão daquela esposa, morta há poucos anos. Graças ao fascínio da traição conjugal, ela emerge vigorosa, encarando-o fundo nos olhos. No curso destas evocações, o fantasma da Sultana, sempre arrogante, não esboça gesto de arrependimento, não se lança ao chão, puxando os fios de cabelo, rasgando as vestes, jamais lhe pedindo perdão. Ao contrário, por meio destas vagas lembranças, ela lhe quer tirar o turbante, vilipendia-o com atos e palavras obscenos. Insulta-o, amaldiçoa a hora em que o conhecera em Karbala, a cidade santa, onde havia nascido.

Aquela sombra asfixiante cresce brutal e eloquente. Arranca o soberano do trono para atirá-lo à terra, onde sinta de perto o assombro humano, a vida sem o suborno do poder. Os abundantes seios da Sultana, outrora fonte que por alguns dias lhe dera leite e mel em dosagens desmedidas, arfam sob o delicado traje de seda.

Irada, ela exibe desprezo pela coroa dos abássidas, indigna a seus olhos. Blasfema em protesto contra a sentença que lhe impusera a morte de forma inexorável. Em nome de que poder o Califa arrogava-se o direito de puni-la simplesmente por desfrutar do gozo que encontrara nos braços suados e exuberantes de seus escravos?

No salão do trono, protegido das intempéries humanas, os gestos do Califa são confusos. Quer borrar o retrato da mulher fornicando com o colosso negro, em sua casa, à luz do sol. No pátio, precisamente, enfeitado de árvores cujas copas refrescam o ar, lá estava ela, nua, feroz, esplêndida, as pernas abertas, esquartejadas, prestes a parir. Entregue aos cuidados da criada que isolava os demais escravos e acompanhantes da cena, a Sultana mugia como uma vaca, resfolegava como um carneiro, um bicho no cio.

Também originária da cidade santa, à qual retornara certa vez para prestar tributo a Hussein, neto do Profeta, diante da sua tumba de ouro, a criada era de compleição miúda, mas de força inesperada. Quase colada ao corpo da Sultana, regia-lhe os movimentos, impedindo que seus alaridos, estremecendo as árvores, precipitassem a queda das frutas maduras ao chão. Ou que atravessassem os muros, as paredes, os corredores, chegando às dependências do Califa, à antiga medina, aos portões das muralhas redondas de Bagdá.

Ele recorda a mulher vazada pelo falo do negro. A cautela com que, praticamente agônica, ela afugenta para longe a cabeça do amante. Não lhe quer beber o suor, que cai da testa. Mas tal desejo move as duas criaturas durante a cópula, que ambos colidem contra a fonte de pedra, cujas águas respingam seus corpos, sem refrescar os inextinguíveis ardores.

A silhueta feminina, como o Califa a evoca, exibe fúria, luxúria, cobra do escravo um ímpeto ininterrupto, que não deve arrefecer. A serviço da soberana, cabe ao homem exibir sem esmorecimento a virilidade requerida. E conquanto proibido pelo cerimonial de dirigir-lhe a palavra, a respiração descompassada e selvagem do africano como que fala, pronuncia obscenidades.

A criada, figurante constante da cena, e que acompanha a Sultana desde os tempos de Karbala, mantém o escravo sob estrita vigilância. Ajoelhada ao lado dos amantes, pronta a intervir, ela desvencilha-se das convulsões que ameaçam envolvê-la. E, sem esmorecer, no esforço de impedir que as secreções abundantes do africano maculem a soberana, ela seca o corpo da Sultana.

As iguarias trazidas à beira do trono, onde o Califa medita e sofre, são apenas tocadas. Cofia a barba com os dedos adornados de anéis. Nada lhe apaga a lembrança da Sultana a fazer sinal à criada, que imediatamente lhe interpreta o desejo. Sem outros cuidados, a servente arranca o escravo de cima do corpo da mulher. Com o gesto, rude e ingrato, ela desprende o membro intumescido do homem da vulva da mulher, junto vindo as secreções que ambos produziram. E, sem perda de tempo, a fiel servidora limpa o corpo indolente da mulher sobre a relva com esponja perfumada de almíscar, originário do Índico.

À vista da orgia, que ainda agora lhe chega atualizada, a ira cega o Califa. Quer matá-los, impedido, porém, pelo irmão, seu cúmplice na desgraça, que lhe contém a indignação. Convinha que o Califa, como o próprio irmão no passado, conhecesse o limite da dor. Observasse, para tanto, como o membro avantajado do escravo, ereto como um obelisco, que agia alheio à sua vontade, vergara o corpo da esposa, penetrara em suas funduras, quase lhe saindo pela boca retorcida por esgares.

Este mesmo africano, com movimentos sincronizados, em obediência à ama, desliza pelo corpo da soberana um pano de linho empapado de óleo. Assim ele percorre-lhe os seios, gira em torno das formas, assinalando os detalhes volumosos. E por lhe haver deixado o sêmen entre as coxas, com o mesmo tecido esfrega o sexo aberto da mulher. Urge borrar vestígios, cheiros, marcas, pegadas, que a sua natureza abandonara na Sultana.

A impessoalidade de tal cena impressiona o Califa, mas não o consola. Nada apaga a traição ou mitiga a ânsia de reparar a ofensa sofrida com a cimitarra herdada do pai. O irmão o dissuadira a tempo. A tarefa de golpear a carne impura da mulher era do carrasco, que, no entanto, devia aguardar. Ambos sairiam de viagem, deixando Bagdá para trás.

Ao retorno de tal périplo, feito na companhia do irmão, ordena a morte da esposa, não esquecendo a criada, o escravo e demais partícipes da orgia. Sabendo-se condenada, a Sultana suplicou que a ouvisse, tinha um segredo a revelar-lhe. Atendendo a seu pedido, o Califa permitiu que a mulher, trazida pelo verdugo, o visse antes da execução da sentença. A Sultana, frente à indiferença do Califa que a condenava igualmente a calar-se, esbravejou, soltava-lhe impropérios, um linguajar aprendido com os escravos. Mesmo provocado, ele não reagiu. Nada o comovia. Nem mesmo o rosto aterrorizado a pedir-lhe clemência, ao menos alguns dias de vida, enquanto o carrasco, decidido a silenciá-la antes que a morte o fizesse, amordaçava-a sem sinais de compaixão.

A impiedade da cena, quando revivida, estremece o Califa. Aquela mulher, que lhe usurpara a honra e lançara-o ao desassossego, passado tanto tempo mantinha-o ainda subjugado a ela. A ponto de arrepender-se de lhe ter concedido então morte tão rápida. Se estivesse em seu poder, ele a reviveria a que preço fosse, só pelo gosto de recebê-la em confissão, de ouvir-lhe os pormenores sórdidos. Para que, terminando de soterrá-la na memória, não restasse nele mínima lembrança da sua vileza.

Mas quais teriam sido suas últimas palavras, o que lhe poderia contar capaz de apaziguar a sua indignação, de extrair-lhe o prego cravado no peito? Existiriam palavras, na língua dos homens, que justificassem tal traição, a quebra de confiança? Ou faltaram à mulher, imersa em zona de penumbra na qual fora rainha e escrava ao mesmo tempo, condições de escolher entre o bem e o mal, o nefando e o sagrado? Na antecâmara da morte, teria a última palavra da mulher apagado para sempre a sua silhueta de modo que, ao final de seu dramático discurso, não restasse nele senão uma sombra esmaecida?

25

O Califa impõe-lhe a tirania dos dias que se seguem. A matéria do tempo a envelhece, transforma Scherezade em um ser diferente a cada segundo. Olha-se no cristal que lhe traz Jasmine e constata a mirada desolada. Sujeita ao implacável mistério temporal que lhe rege o cérebro, enfrenta, junto a Dinazarda, a eloquência da ampulheta, os grãos de areia que martirizam o coração, para não soçobrar.

Sob o fulgor das peças valiosas em torno, que reverberam aos primeiros raios solares, Scherezade tem vontade de chorar, mas resiste a que lhe roubem a ilusão. Prisioneira daquele mausoléu, ela adquire a dimensão trágica dos minutos que se escoam sem comiseração ou resgate, e que a podem levar à morte em breves segundos. Sua única salvação consiste em engendrar pausas, intervalos, interrupções, cortes, em defesa de uma história que respire até o amanhecer.

Para controlar, porém, a frequência com que os minutos latejam na fronte, ela consulta a irmã e a escrava, ambas expressivas em sua defesa. Scherezade pede pouco delas, anseia apenas por um epicentro irradiador que a reconforte, advirta-a das suas debilidades, o que fazer exatamente com o maldito enredo que ora tem em mãos.

A morte iminente da irmã é um conflito para Dinazarda, esquiva-se de olhá-la, simula indiferença. Com o gesto, pretende que o Califa se condoa de Scherezade e julgue-a desamparada pela própria família, que ela representa naqueles aposentos. Mas, para seu desgosto, o soberano não lhe registra o desamor por Scherezade. Absorto ao desenrolar de uma realidade enfadonha, no Califa não subsiste a chave da felicidade.

A estratégia de Dinazarda falha. Fora ingênua em contar com a solidariedade do Califa, cuja indiferença era proverbial. Enquanto Jasmine desdobra-se em cuidados, seu esforço no momento é evitar que Scherezade, enquanto narra, fraqueje pelo cansaço, pelo adiantado da hora. Mas, sorvendo a goles o chá de limão ligeiramente aquecido, onde boiam duas pétalas simbólicas, servido pela escrava, acaso Scherezade restaura-se, anima-se? Ou continua a exigir que lhe soprem ao ouvido a crença em seu ardente talento, e lhe proclamem que, por iniciativa de Alah, dispõem hoje, outra vez, da palavra fervorosa e de um corpo harmônico?

Scherezade transforma o esgar do rosto em sorriso. Nada a protege do sacrifício iminente. Sempre soubera dos riscos da empreitada, que para se salvar convinha entreter o Califa com episódio recheado de sobressaltos, injetar nele ingredientes de sua lavra, a insígnia de sua imaginação. Sabe-se dona de uma fantasia desabrida, de rédeas soltas, que vale sofrear para melhor conciliar os interesses antagônicos da história em pauta. Qualquer imprudência, ao dar relevância em demasia a cenas condenadas de antemão pelo Califa, redunda em sua condenação.

Entre as paredes dos aposentos, que nunca abandona, Scherezade vive o conflito de servir à vida e à morte. Em acirrada competição, uma e outra alcançam o paroxismo do respectivo esplendor aos primeiros sinais da alvorada.

Ao sair a cada manhã vencedora, ela vive a trégua das escassas horas ganhas à morte em meio ao turbilhão de emoções. Uma prorrogação devida à esperteza da sua narrativa, mas que, em contrapartida, sacrifica o projeto inicial, já em andamento.

Forçada, de repente, a ressuscitar detalhes soterrados na memória, sempre tendo em mira seduzir o implacável amante, Scherezade enriquece o filão dos relatos com intransigente zelo. Para este fim, lança um personagem no leito do outro, ainda que não haja amor, e nem o motive a paixão. Sabe que em algum lugar do corpo de Simbad há uma memória que pronto responde ao desejo e torna-o um amante perfeito. Ele simula o amor como se amasse.

saberá dos riscos da empreitada, e que, para se salvar, convinha entregar ao Califa, como prêmio, o receituário de sobremesas, somado aos ingredientes de sua lavra, a [illegible] de [illegible] patrocínio; sabe-se [illegible] tinta dourada, de redes secretas que vão [illegible] para melhor conciliar os interesses antagônicos [illegible] em pauta. Qualquer imprudência, ao darem [illegible] demasia a [illegible] tido [illegible] pelo Califa, [illegible] ordenado.

Entre as paredes dos aposentos [illegible] dona Scherezade [illegible] o conflito de [illegible] a morte. Enfrentada [illegible] corporação, [illegible] respectivo esplendor [illegible] da alvorada.

Ao [illegible] cada manhã [illegible] das [illegible] em [illegible] de [illegible] Califa [illegible] em contrapartida [illegible] o [illegible]

[illegible] de [illegible] detalhes [illegible] na memória, [illegible] Scherezade [illegible] com [illegible] Para [illegible] um [illegible] de [illegible] não [illegible] que [illegible] memória que [illegible] e [illegible] perfeito. Ela [illegible] o [illegible] se [illegible]

26

Acaso este ilustre abássida anseia por um prato de lentilhas no qual boiassem nacos de certo carneiro que, antes de ser abatido, surpreendera o fulgor da luz a brilhar na areia escaldante do deserto? Ou pleiteia o olhar complacente de uma mulher que, em vez de envenená-lo com a força do ressentimento, o nutrisse com o leite materno?

O Califa jamais indagara os motivos de Scherezade vir espontaneamente ao seu encontro, expondo-se à crueldade de seus atos. Prescinde de explicações que, em geral, terminam por expor suas próprias fraquezas. Age ao contrário de Harum Al-Rachid, o nobre ancestral que, de tanto carecer da verdade e da mentira, ia ao mercado disfarçado de oleiro, de mendigo, de mercador, forçando os súditos a lhe denunciarem a prepotência e os erros.

Cedo o soberano aprendera a força corrosiva advinda de homens e bichos. O diálogo entre criaturas, que, sem a menor justificativa, toma rumo daninho. No curso de simples troca de ideias, expondo-se fatalmente à debilidade de um dos interlocutores. No caso de um Califa, a concessão de intimidade, a quem fosse, mina a essência do poder, que parece repousar na reclusão absoluta da sua alma.

Os aposentos oferecem a Scherezade a única geografia ao seu alcance. Melhor que ninguém, ela entende os interstícios daquela grei imperial, erigida à sombra do Profeta. De como eles consolidaram sua irresistível atração pelo trono através dos diversos soberanos. E enquanto o dia escoa, e cumpre, tensa, os detalhes do cotidiano, ali representados por Dinazarda e Jasmine, ela evoca a sagacidade do Califa, o percurso das ponderações monossilábicas de um homem que não conhece outra expressão da vida senão a que lhe vem intermediada pelo poder.

Como prisioneira do Califa, o jardim parece-lhe inacessível. Quando sente perder Bagdá de vista, inventa-a para tê-la de volta, como se Fátima, ainda hoje, a conduzisse pelas vielas estreitas, que ganham realce quando o sol começa a se pôr. A despeito das condições adversas que lhe impedem o voo e a fazem imaginar-se um pássaro com um alfinete espetado na asa, há vida pulsante em seu entorno. As escravas riem, esquecidas de que a princesa as observa. Graças a estas jovens, o arfar da existência bafeja Scherezade e ajuda-a a dar combate à fragrância da morte que desliza pelos tapetes, pouco lhe faltando para abraçá-la.

Caindo a noite, o Califa virá em seguida. Ele é sensível ao relógio, jamais se atrasa. Não perdoa quem desconsidera o valor do tempo, ainda que por minutos. Fiel a este atributo, ele desponta na curva do corredor, precedido pela diligente falange de guerreiros. Por disposição protocolar, o arauto responde por seus deslocamentos. Relevante figura na corte, ele anuncia de longe a aproximação do monarca, dando tempo às filhas do Vizir, que não estão isentas deste dever, de se prostrarem sobre o piso de mármore, antes de o soberano, ereto apesar do corpo cansado, cruzar o portal.

A curvatura profunda, que mantém as irmãs praticamente no chão, não lhes permite sondar o ânimo do Califa. Se perdura nele ainda a indisposição manifesta naquela manhã, quando, por razão desconhecida, algo desprendera-se involuntariamente do granito do poder e ferira-o, roubando-lhe a ilusão da imortalidade.

Quantas vezes ele se esquece de dispensá-las da incômoda posição. Atrasa o retorno das irmãs à prática diária, iniciada a partir da data em que Scherezade, tomando de coragem, comunicara ao pai o desejo de imolar-se em prol da salvação das jovens do califado. Mantendo-as nesta curvatura, que atrasa a encenação das histórias de Scherezade, ambas as jovens aguardam que o Califa as libere.

Estrangeira do grupo, Jasmine imita as princesas. Ao imprimir, porém, humildade aos gestos, sua reverência tarda mais que a delas. Exposta ao crivo de cada irmã, traz em seguida guloseimas, cuida em não ofender o paladar do soberano. Mas ele não a observa, aceita distraído os cuidados que lhe são devidos. Habituara-se a estar cercado de mulheres, por ser vedado o ingresso masculino aos aposentos. Pouco a pouco, o Califa vai esquecendo-se das audiências concedidas à tarde aos mandatários, líderes religiosos, beduínos proeminentes, homens do deserto. Muitos deles, provindos de regiões ignotas, tinham em mira propor ao soberano toda classe de negócios. Desde alianças espúrias, expansões territoriais, tão do agrado dos abássidas, até vantagens pessoais que expandissem suas fortunas.

No salão de audiências finamente ornado, onde reluzem peças raras, o soberano é parcimonioso, finge meditar sobre as ofertas feitas à beira do trono. Parco com palavras, é uma entidade que ostenta apurado senso de justiça. Ouve os reclamos simulando operosidade, sem nada dizer. Não leva em consideração a difícil condução do destino individual e coletivo, ora a seu encargo. Ao chegar aos aposentos, ainda que se distenda, não se esquece de reproduzir, em escala menor, os ornamentos do poder que se estendem pelo califado. É com negligência que aceita iguarias, submissão, a oferta do corpo feminino. O arsenal misterioso que merece na condição de soberano imortal.

27

Dinazarda vaga pelo palácio. Dona dos próprios passos, por onde caminha leva junto os méritos da irmã. Nunca sabe se o beijo que lhe deu na fronte é o último em vida.

No jardim, aspira as flores, exige a verdade. Por quanto tempo ainda terá Scherezade ao seu lado? Nestes instantes de solidão, que exacerbam a sensibilidade, lamenta que fora a irmã contemplada com talento tão irresistível.

Imagina o que ela estará fazendo agora, isolada nos aposentos, em meio às escravas, que não a deixam. Talvez consulte o futuro no espelho que Jasmine insiste em apresentar-lhe, para que se certifique de sua beleza.

Scherezade dá mostras de cansaço. Diante do cristal, resiste em guardar os traços do rosto que em breve apresentará evidências de envelhecimento. O medo lhe tem deixado marcas que levam o nome do Califa. Mas o que lhe pesa é ser um dia esquecida, não lhe sobre tempo de levar suas histórias aos ouvidos do povo de Bagdá.

Teme que ninguém, além de Dinazarda e Jasmine, reverencie seus relatos, guarde-os em um recanto do coração, o lugar das intempéries. Não conte um dia com amigo que, em gesto desgarrado, exija a sequência de seus relatos, como se eles fossem arrimo de uma família universal.

Dinazarda passeia displicente pelas alamedas floridas. Afasta com cuidado os arbustos, os espinhos inesperados. Há muito consome o cotidiano ao lado da irmã, defende-lhe os interesses, chupa seu veneno, o sangue aventureiro. De tal forma presencia-lhe os atos que é como se vivesse em seu lugar.

Inspeciona outras dependências do palácio, nada lhe escapa à crítica. De retorno aos aposentos, a visão de Scherezade a dormir atormenta-a. A irmã aceita o cativeiro como querendo esquecer as formas do mundo para descrevê-las a seu jeito. A concentração em que ela vive inflige-lhe esgotamento. Movida pela compaixão, Dinazarda hesita em despertar o corpo frágil, imerso no sono profundo, esquecida por momentos da ronda diária do verdugo. Talvez o repouso favoreça a reflexão de que Scherezade necessita para dar início à história noturna. Por outro lado, convém que repasse os detalhes, não desperdice horas preciosas, todas calculadas para salvá-la.

Scherezade assusta-se com o adiantado da hora. O sol reduzira sua intensidade e sobra-lhe pouco tempo para preparar-se. Mas o atraso não lhe há de causar dano. Tranquiliza a irmã, é-lhe essencial que Dinazarda siga confiando em sua habilidade de tecer um tapete com simples fiapos que boiam na memória. De ser capaz de filtrar a matéria do mundo a serviço do seu engenho.

Talvez Dinazarda tenha razão em apontar-lhe os excessos, sua inclinação ao inverossímil, que o Califa, no entanto, subjugado por estes aspectos, jamais os criticou. Nem uma só vez lhe fez ver que a fabulação, desenfreada e sem limites, esbarra contra seus interesses, dificilmente se encaixa à realidade sob seu comando.

O semblante da irmã perturba Dinazarda. Julga prudente aliviar Scherezade da pressão que exerce sobre ela, do estigma de ser cópia sua. Afaga-lhe os dedos, a face, confirma-lhe que estará sempre ao seu lado. Não se sentisse desamparada por cumprir as leis inexoráveis do seu ofício. Não fora ela, Scherezade, aliás, quem lhe confessara que a imperícia narrativa é também fruto da experiência?

Após ressuscitar-lhe o ânimo, esmera-se Dinazarda em falar do jardim, onde, por iniciativa própria, batizara algumas aleias com os nomes de personagens da irmã. Recantos servindo de esconderijo, propícios para se viver um amor proibido. Ou para confessar ao amante que chegara o momento de dizer-lhe que já não o quer, tem outro em mira, um príncipe que lhe suspende o significado da vida, caso se ausente dela. Mas não sendo artista como Scherezade, sua contribuição é trazer-lhe pinceladas esfumaçadas da paisagem de Bagdá.

Na expectativa de que o Califa as venha ver, as horas passam depressa. E quando ele se aproxima, precedido por adagas, flâmulas, clarins, aparenta pressa. Apesar do olhar longínquo, ele assinala, arrogante, a cama, a cópula noturna. Desnudam-se parcialmente e ele aguarda que o rosto de Scherezade alicie o sexo. Mas antes de prolongar as evoluções na vulva da jovem, advém-lhe o espasmo, como se a morte, e não o prazer, o tivesse visitado. Como consequência, as abluções são rápidas. Ainda enfurecido com os problemas do califado, ordena que Scherezade dê início à história que há três dias lhe vem contando. Insinua-lhe que, se falhar, já ao amanhecer a entregará ao verdugo. Mas, para agradar-lhe, ela jura lançar mão desta vez de lances ousados, para tanto retirando personagens e substituindo-os por outros, sem deixar a cena livre de situações embaraçosas.

Scherezade sabe, de antemão, em que frase deixara suspenso o relato da véspera. Em que exata circunstância o marido de Samira, abordado pelo Grão-Vizir, que o queria subornar, manifestara desapego pelos bens materiais. Uma etapa que deveria, no entanto, encerrar para sempre, se pretendia acrescentar desdobramentos que acorrentassem o Califa de novo, ora abandonado sobre o leito.

O descaso do soberano, cuja lassidão provinha não do sexo, mas do tédio, pode custar-lhe a vida. Diante de tal perigo, Scherezade reage com presteza. Usa de palavras que criem vendavais, rodamoinhos. Incendeia-se praticamente, para seu fogo queimar o coração do Califa. Nada fique incólume à furiosa passagem da sua história. Não vê ele como os personagens, saltando do espírito para a carne, finalmente arfam sôfregos?

O soberano rende-se provisoriamente ao andamento da tragédia a que é introduzido. Seu olhar, voraz, não a deixa capitular, exige a tarefa cumprida. Ela enfrenta seu jogo nervoso e instável com sorriso irônico. Quase lhe prova ser dona única da sua imaginação, a agudeza do seu instinto de enlaçar palavras soltas. Prefere, porém, impulsionar o sentimento encantatório com que seduz o Califa desde sua chegada ao palácio. São tantos os rituais que ainda precisa cumprir.

28

Evocava Fátima com frequência. Cúmplice sua desde a infância, acompanhara-a a cada passo após a morte da mãe.

Divertia-se em sua companhia. Seu humor franqueara-lhe as portas da aventura. Ajudara-a a forjar uma Bagdá entregue à intriga, povoada por nobres, plebeus, animais raros, uns de estatura gigante, outros, pigmeus, todos aliados do sobrenatural.

Seduzida pela ama, Scherezade reagia ao que lhe diziam os mestres de Bagdá, de visita diária ao palácio. Vindos da escola de tradutores, e trazendo às costas rolos sagrados, manuscritos, alguns de procedência grega, vertidos à perfeição para o árabe, eles garantiam-lhe o rigoroso predomínio do mundo racional sobre todas as coisas.

Sem fazer comentários, Fátima comprazia-se em ocupar os assentos que guardavam ainda o olor douto de seus corpos. Como insinuando a Scherezade a existência de atos modestos postos à margem das considerações daqueles sábios. Daí pedir-lhe a inclusão de duendes, gênios, mendigos, príncipes, em seus relatos. Criaturas que, ganhando espaço em sua imaginação, expressassem a simultânea sordidez e magia do cotidiano.

O nome Fátima fora-lhe dado em homenagem à filha do Profeta. Ao pronunciar o próprio nome, ela batia no peito seguidas vezes em reverência à ancestral. Discreta em suas artimanhas, a ama não temia o Vizir. Solidária com as carências da menina solitária, tão logo ele saía sem hora de regressar do palácio do Califa, ela incendiava-lhe a fantasia. Pouco importando-lhe a presença dos servos, ou mesmo de Dinazarda, a observarem a cena.

Fátima sentia pulsar na menina uma curiosidade que lançava chamas pelo olhar e pelas narinas, como garantindo-lhe que, a despeito da tenra idade, sabia da existência de outros universos, além do califado de Bagdá. Desafiava a ama a ler as reações do seu rosto quando lhe descrevia a circularidade das vielas da medina.

Arguida pela menina, Fátima ressentia-se dos rudimentos de seu saber. À visão das tábuas caligráficas e dos manuscritos nos quais Scherezade estudava, submergia, perplexa, neste mundo de espessa e intricada beleza. Aflita para municiar a menina com ingredientes que lhe ampliassem o território infantil e a projetassem a centros distantes do palácio do pai, onde o espetáculo da vida, que havia por todas as partes, reverberava incongruente e polifacetado.

Sob o estímulo de Fátima, Scherezade, antes de dormir, embalava a ama com seus relatos. Às vezes dando ênfase a certo camelo trazido do deserto do Saara por Omar, criatura recém-inventada. Ou falando do marinheiro Hassid, que, prestes a subir à nau a levá-lo em direção às assustadoras Colunas de Hércules, despediu-se da pátria mastigando pedaços de melancia que lhe escorriam pelo peito assombrado.

Fátima dormia ao seu lado, na expectativa de despertar refeita, sob a magia dos poderes advindos da menina. Era comum que Scherezade, ouvindo Fátima descrever-lhe as figuras míticas de Bagdá, ardesse em febre. Exaltava-a pensar que, no futuro, caminhando pelo bazar, ambas encontrariam vestígios de areia do deserto nas mercadorias trazidas pelas caravanas.

Scherezade já não podia mais esperar. Chegara a hora de romper as amarras, de visitar o mercado. Também Fátima já não tinha como prorrogar esta decisão. Assim, antes de se dirigirem ao centro de Bagdá, ela cuidou de impedir que o Vizir descobrisse o grave delito. Para apagar em Scherezade as marcas da procedência nobre, a fez passar por um rapaz imberbe, de compleição delicada. Operando nela tal transfiguração que Scherezade, confrontada com um disfarce a realçar-lhe a ambiguidade, já não sabia, ao final, quem era, a que nome atender. Um dilema que, se a perturbava, fazia a ama rir. Orgulhosa de um trabalho que se opunha ao corpo original da adolescente e disfarçava-lhe o sexo, Fátima mostrou-lhe, com exemplos concretos, as vantagens de experimentar o prazer de ser menina e menino ao mesmo tempo. Desta forma respondendo ao duplo estado com uma sabedoria que iria lhe faltar no futuro, caso ficasse unicamente ancorada no corpo feminino.

Presa de sua mão, Fátima arrastava Scherezade como cega pelas vielas, a tropeçar nas pedras, nas paredes angulares, sem sentido de orientação. Só não conseguia estancar as lágrimas da menina, tocada por tantas revelações. A ponto de ruborizar-se e empalidecer, ir de um estado a outro sem jamais esgotar as emoções nas visitas subsequentes. Quando, então, seguras de não serem flagradas pela guarda do Vizir, desfrutavam dos mistérios da cidade, abriam espaços cerrados, portas secretas, atreviam-se cada vez mais.

Mesmo variando de disfarce, apoiada em bastão dificilmente se notariam as feições delicadas de Scherezade, a cútis alva, quase nunca exposta ao sol, ou atribuíam-lhe traços de sensualidade debaixo da aparência pobre. Nesses passeios, caminhavam devagar, Fátima não a perdendo de vista. No rosto cinzelado da ama transparecia a disposição de erguer os punhos contra qualquer intruso que observasse Scherezade de perto, enxotando-os com vara ou palavras rudes. Sem que a beligerância de Fátima atraísse Scherezade, atenta apenas em acumular experiência, guardar as feições do universo da medina, internar-se pelos seus labirintos. Aqueles corredores que, além de protegerem os moradores de ataque inimigo, canalizavam a brisa e os defendiam do sol inclemente.

Ao vislumbrar o mercado pela primeira vez, Scherezade identificara de imediato a geografia real das suas histórias. Através daquele cenário turbulento, invadido pelas imprecações populares, permeado por cheiros, olores, aromas desconhecidos, apalpava o coração da arte de fabular.

Scherezade retornava destas fugas com sensação de desamparo. Intuindo-lhe os sobressaltos, que a menina não aprendera ainda a filtrar, Fátima envolvia-a contra o peito, alisava seus cabelos, assegurando-lhe que, a despeito das vertigens e das comoções, não iria desfalecer. Só lhe pedia que não guardasse no rosto, à vista de todos, as pegadas da insubordinação.

Seguindo a orientação da ama, naqueles dias Scherezade refugiava-se no quarto, onde fazia as refeições, a pretexto de não estar bem. O pai, envolvido nos afazeres administrativos do califado, nunca percebera as transformações que afetavam a filha. A própria

Dinazarda, em geral atenta, informada da sua indisposição, respeitava-lhe o pedido.

Com a ajuda de Fátima, refazia o caminho dos sentimentos nos dias subsequentes. Ia desmanchando no corpo as impressões que as experiências lhe haviam deixado. Não se sentia obrigada a provar ao Vizir, ou à irmã, os acertos advindos da visita às terras impregnadas de miséria, ilusões, gritos plangentes. Cioso de sua estirpe, o Vizir não perdoaria a filha em meio à turba, sob ameaça de conspurcar-se.

Sua aprendizagem naqueles anos se acelerara. Com Fátima trazendo-lhe flores, insetos empalhados, doces, decidida a fornecer-lhe o precioso bem de conhecer o mundo. Não se furtando a levá-la às escondidas ao mercado, sempre que Scherezade lhe pedia, mesmo tendo que pagar com a vida tal desobediência ao Vizir.

De natureza desprendida, a ama não acumulara moedas naqueles anos. E, por temperamento, não bajulava o Vizir visando obter recompensas. Jamais se vira com o direito de ter um lar fora dos limites daquele palácio. Scherezade tornara-se sua única família. Por isso, acima de tudo, contribuía para consolidar o repertório das histórias que a menina gravava rapidamente na memória.

A partir das visitas à medina, Scherezade entendera que os segredos do cotidiano, a matéria do saber, a realidade longínqua, o universo árabe, eram-lhe de fácil aceitação. Sua alma, afinal, emergira deste povo que deliberadamente criara labirintos desordenados. Daí ela não registrar distância entre a grei da corte, sempre arrogante, e a gente andarilha, ansiosa por comida e fantasia. Todos eles, como de comum acordo, exibiam igual dose de delírio em sua ímpia carnalidade.

29

Contrário ao seu desígnio de eliminar as jovens esposas, o Califa poupa a cada manhã a vida de Scherezade. Conquanto se esforce por decretar-lhe a morte, frustra o algoz que aguarda sua presa à entrada do quarto.

À espreita de uma sentença que a ameaça, Scherezade aperfeiçoa-se na arte de embricar histórias. Dona de um tempo que lhe é escasso, vai enlaçando um enredo ao outro, enquanto desvencilha-se da malha das intrigas, como é capaz um narrador competente.

Afundado nas dúvidas que lhe suscitam reinar, o Califa ergue a sobrancelha direita em forma de arco, indício de que pretende decretar a morte de um desafeto ou de um inocente. Tal gesto afirmando que tem sobejos motivos para vingar-se, a vida o ofendera gravemente.

O que sente pela jovem, e que se traduz em piedade e admiração, fere-lhe a autonomia, os atos de governante, sem que atine com as razões de não lhe decretar a morte e terminar de vez com este suplício. As aflições, porém, decorrentes destes conflitos, são silhuetas que o sufocam como uma mácula, sombras enraizadas no coração, afugentando qualquer réstia de luz que signifique alegria. E que combate reduzindo a influência de Scherezade, borrando-lhe a capacidade de fabular a vida, como se fora esta também objeto de sua invenção.

No afã de esquecer a princesa, ele tece pequenos delírios. De novo imagina uma estranha introduzindo-se no corpo de Scherezade, sem ao menos lhe pedir licença. Uma mulher cujo nome e procedência ignora, mas a quem cobiça. E com quem, após cópula nervosa e imaginária, que o esvazia de emoções e de esperanças, terça armas.

A fantasia do Califa não lhe passa despercebida. Scherezade nota no soberano a resolução de teatralizar o seu encontro com a estranha, como se, amparado pela ilusão cênica, ele refletisse o desejo de esvaziar o conteúdo do corpo de Scherezade, ficando apenas com sua casca, para oferecê-la a outra mulher. Agira assim em outra ocasião, sem ela, então, ter reagido. Só que agora a pretensão do soberano é desalojá-la dos seus aposentos, em breve as trombetas do arauto anunciariam sua intenção.

Estampa-se nele a urgência de destruí-la. Convicto de que se não fustigar a fonte do mal, a desgraça se abaterá sobre sua casa. Mas só poderia prolongar a ilusão de multiplicar as mulheres, e minar ao mesmo tempo a energia da jovem, se Scherezade colaborasse, se lhe cedesse, voluntariamente, o invólucro da sua preciosa carne, na qual encaixar mulher de sua invenção.

Scherezade adivinha-lhe o ardil. O que está ele disposto a fazer se lhe emprestar o próprio corpo, tornando-se, então, simples figura de xadrez que o soberano moverá a seu bel-prazer sobre o tabuleiro da sua luxúria. Mas, tentada por um processo que o fantasioso Califa iniciara, a filha do Vizir pondera que, afinal, de tanto disfarçar-se em personagens apegados às suas vísceras, de comprazer-se em usar voz e meneios alheios, seria natural aceitar sua mágica, ludibriar a realidade do soberano, ainda que sob o risco de perder a alma.

Desde a infância, o Califa sonhara fabular o cotidiano, e só agora, mediante este truque, sentia-se capaz de assegurar transcendência a qualquer fato sórdido, fora da linha divisória de um realismo que seu poder estabelecera. Mas, confrontado com o dilema de prosseguir com esta encenação e perder, no entanto, o sentido de qualquer realidade, ele se assusta. Receia viver uma orgia perdulária, consumir as moedas da imaginação, que sonha lançar gratuitamente no bazar.

Antecipando-se às emoções que exporá nos próximos dias aos súditos, pergunta-se que classe de donzela ora ocupa o corpo de Scherezade, transformado em mera carcaça? Mas se Scherezade, de fato, despedira-se, quem tinha nos braços? Quem usava por trás dos véus as feições de Scherezade? Acaso alguém originário do deserto, familiarizado com as tendas, que, à chegada das chuvas, se cerram como um molusco, desta forma protegendo os moradores do acosso do vento?

A dócil adesão de Scherezade a tal fantasia perturba-o. Duvida que ela apoie uma imaginação agindo de forma autônoma, a disputar com ela o cetro da quimera. Não sabe, contudo, analisar as expressões da jovem. Nos últimos tempos, convivendo com Scherezade, avultara-se nele desapreço pelo jogo da máscara em que fora educado. Repúdio este que não o protege, pois teme as consequências de um delírio que, a pretexto de recuperar a juventude e ser feliz, expulsara Scherezade dos seus aposentos.

E com que se preocupar? Há muito ela lhe causa dano. No entanto, sem ela ao seu lado o mundo perde coesão, fragmenta-se, sem a vantagem ao menos de extorquir dele a jovem a seiva de que ele depende para rejuvenescer.

Fora longe demais em seu capricho de implantar indistintas mulheres no interior de Scherezade. Quem sabe gerara na jovem a decisão de vingar-se, de impor ao Califa o fardo da realidade, que, sozinho, ele já não pode suportar. Ou de desaparecer ela do palácio sem se despedir. Mas se Scherezade fugira de verdade, qual seria o seu paradeiro? Retornaria à casa do pai, ou empreenderia uma viagem há muito sonhada, sendo possível que, naqueles minutos, já tivesse tomado o rumo de Damasco? O que explica sua fisionomia contraída, ainda que não fale ou reclame do cativeiro que lhe fora imposto.

Tendo-a à frente, o Califa indaga-se para onde Scherezade partira, largando atrás seus restos mortais? Teve ganas de segui-la, reclamar de volta o seu monólogo narrativo, sem o qual a existência lhe pena. Estaria ela amuada, disposta a deixar-lhe um rastro de ódio, um legado que Dinazarda e Jasmine herdariam?

Em meio a tal inquietude, ele conjectura se envelhecera a ponto de perder qualquer benevolência consigo mesmo. E, se isto de fato ocorrera, por que cedera a um impulso juvenil que magoara Scherezade, levando-a à fuga, apesar de tê-la à sua frente?

Culpado de capitular frente a uma invenção cujo fluxo pernicioso não consegue estancar, tudo nele jorra sem controle, assinala que a velhice o está punindo. Já não sabe como livrar-se do dom da imaginação, outrora tão ambicionado, e que ora lhe vem sem o sentido de medida, forjando histórias que emulam uma realidade ordinária e grosseira.

Este talento tão recente asfixia-o. Ao contrário de os vagabundos de Bagdá, o Califa não se preparara para emocionar-se com as dilaceradas notas do alaúde, que escuta no salão do trono. Ou para aceitar as versões contraditórias do singelo cotidiano. Seu coração quer apenas repousar, livrar-se das agruras humanas.

A partir destas dificuldades, de que os artistas tão bem se encarregam, o Califa percebe que a imaginação jamais repousa. É onerosa, promíscua, prisioneira de ilimitados recursos. Com suas combinações inverossímeis e infinitas, ela circula por um território ocupado pelos mestres dos disparates. Por seres que, fecundando os demais com suas façanhas mentais, merecem aplausos em praça pública.

Scherezade observa no rosto ansioso do Califa esta nova prodigalidade. Avalia rapidamente os benefícios e as perdas que lhe podem acarretar a súbita emancipação do soberano. Em geral taciturno, pouco afeito ao prazer, a natureza do Califa, no entanto, consome absurdos novelescos e diverte-se com eles. Já este outro homem, que agora aflora nele, surpreende-a. Ignora se convém a ela perpetuar aquele estado, se mais vale encarcerá-lo outra vez, fazê-lo renunciar à volúpia emanada desta sua nova imaginação, devolvê-lo à apatia habitual. E só assim, resignado como sempre, ele ouça Scherezade narrar, submeta-se a uma maestria que abate sua proverbial crueldade.

30

Scherezade vive destemida aventura. Suas viagens, em torno do quarto, não a levam a lugar algum. Quem translada, quem ama, quem corrói os metais e os corações, é a imaginação, guerreira intrépida que a traz de volta a Bagdá, sempre que se afasta em demasia.

Nunca se cansa de se entregar à irremediável volúpia de contar histórias, como se assim encetasse uma peregrinação a Meca, ou a Medina, segundo a direção que tomasse. E que lhe vai ofertando, à visão genesíaca destas terras, prodigiosas revelações.

Scherezade segue sozinha nestas empreitadas, deixando tudo para trás. Forçada a rápidas despedidas, em seguida esquece-se de todos. Perde vínculos familiares, despreza afetos. Fixa-se em Dinazarda, como se a irmã já não estivesse ali. De nada vale que Jasmine lhe enderece um olhar disposto a socorrê-la nas horas de aflição. Engolfada pela odisseia daquela travessia, que ameaça eternizar-se, Scherezade não se questiona que espécie de destino é este, do qual não consegue fugir. Nestes instantes, tem a seu favor a propriedade de fabular o que a leva a um centro, onde a cabeça de um deus invisível repousa e reparte falsas benesses.

De porte miúdo, ela pouco crescera após a puberdade. A pele alva, em contraste com a cútis morena de Dinazarda, ressente-se do sol que invadiu os aposentos. Tudo nela é sensível a desmoronar. Mas ao caminhar sôfrega pelo mármore, tendo os jardins à retaguarda, Scherezade determina-se a aniquilar o Califa. Para isto percorre as veias dos personagens, ausculta-lhes a compulsão da vida, perambula por uma zona de perigo. Protege-a reconhecer que o Califa, ainda que ambicione, é incapaz de vasculhar seus segredos, as profundas intenções.

Submissa ao mundo, ela busca nesta cruzada uma geografia incerta que existe e não leva nome. Mas que a autoriza a acercar-se de um outro centro, outrora sonhado por profetas, poetas, e que tem a imaginação como guia. Conquanto escrava do cutelo da morte por determinação do Califa, ainda assim empreende a travessia que propicia ao herói toda sorte de obstáculos.

Ao leme do barco que lhe atravessa a memória, Scherezade vence, com os cabelos esvoaçantes, ondas encapeladas, seduz a legião de dragões que, com a leveza dos peixes, a perseguem na superfície do mar. No papel de heroína, cumpre airosa a tarefa que o destino lhe impôs ao resistir à sanha dos algozes, jamais aceitando ser um cordeiro resignado frente ao altar do sacrifício. Sua meta continua a mesma, salvar as jovens do reino sob a mira de um déspota.

Ao longo desta viagem iniciática, sem lugar certo para chegar e com data que se prorroga como prêmio, Scherezade depende exclusivamente dos caprichos do monarca. Diante do qual ela reclama a prerrogativa de enfrentar, por meio de suas histórias, um mundo ignoto, em que toda gama de aventuras está presente.

A serviço das filhas do Vizir, as escravas fazem um círculo em torno da contadora. Algumas, discretas, mal balbuciam sons, enquanto Jasmine, agitando um mosquiteiro, vai à caça do único inseto que ora molesta Scherezade. A jovem aceita que a tratem com mesuras. Sabe-se em posição de destaque no frontispício do imaginário árabe. Como se desde a infância, incentivada por Fátima, tivesse assumido a carnadura de todos os heróis cujas lendas pousaram na lembrança dos homens. E, mediante esta convicção, reveste-se altiva com a face dos personagens andarilhos.

O Oriente é uma vertigem em sua alma. Por força desta atração, Scherezade mergulha na memória arcaica e nos arcanos de outras latitudes, revive enigmas históricos, como o encontro de Príamo com Aquiles, após a morte de Heitor. E o reproduz com riqueza de detalhes, dando realce, por pura solidariedade feminina, aos lamentos de Andrômeda e de Hécuba, mulheres golpeadas pela dor. Aquele momento único em que o rei de Troia, ajoelhado diante do altivo filho de Tétis, reclama os despojos mortais do príncipe Heitor.

No horizonte daquela mente narradora que transborda com frequência, engendrando múltiplas versões, o sofrimento do ancião pelo filho amado a enternece. Apoia que Aquiles, ao devolver os despojos do príncipe, ceda ao rei acabrunhado a expressão de sua misericórdia e cresça aos olhos da história.

Imbuída de tal magia, Scherezade prevê no cristal do tempo outros mistérios além-mar. Surpreende, assim, a cavalgada solitária do nobre cavaleiro Percival, por seus méritos designado a descobrir o cálice sagrado. Ela ausculta a credulidade do cavaleiro a serviço de Arthur. O espírito que preside uma aventura que vem a ser um dos epicentros de qualquer narrativa.

Com tal certeza, Scherezade sorri comprazida. A vida como que a favorece ao guardar distâncias civilizatórias e séculos, ao ser capaz de seguir os passos deste Percival, de acatar seu sofrimento, sua perseverança, seu fracasso. Mas onde o cavaleiro escondera o Graal, objeto daquela procura? Terá encontrado junto ao cálice a essência inefável?

A interminável caminhada do solitário herói talvez a estimule a intensificar suas próprias histórias. Sujeita ela ao ilusório jogo do enredo, quem sabe acerte misturar lendas, como estas, com as que se originaram do desassombro de Simbad, de Aladim, de Zoneida, seres ávidos por aventuras. E não poderia ela, igualmente, ao dar curso à sua natureza secreta e ambivalente, tornar-se o Percival do deserto e ir ao encontro do próprio sonho?

31

O Califa nota-lhe a inesperada volúpia. Scherezade transpira, o corpo umedece. Ele fareja-lhe o cheiro proveniente da pele intumescida, molhada. Ao surpreender-lhe a euforia amorosa, tudo nele lateja, capitula, o membro endurece por instantes.

Transportada para longe, o desejo de Scherezade não advém do soberano. Mais intrépida que o pai, cobiça o que seja na presença do soberano, com a intenção de castigá-lo. Não disfarça a emoção, age como se não o tivesse presente. Uma postura diante da qual o Califa recua. Acovardado, as veias do falo esfriam e desfalecem.

Livre do Califa, ela disfarça a exaltação mantendo no rosto a algidez do mármore. Devaneia de novo relembrando o jovem de passagem no mercado, de olhos negros, fixos nela, não a querendo esquecer no futuro. A afrontar Fátima, que, banindo quem mirasse Scherezade por longo tempo, afugenta-o com a vara, enxota-o aos gritos, como a uma ovelha. O sorriso do rapaz, porém, dirigido a Scherezade, anuncia as estações do ano, o calor do deserto, de onde certamente procedera a pele tisnada. O corpo de Scherezade, reagindo à mirada, lateja, sente-o deitado ao seu lado, a mão larga, espalmada no ventre, girando em círculos, os órgãos expandindo-se à sua passagem, revolvendo-a, uma perturbadora emoção que não cessa.

Fátima percebera a troca de olhares, mas nada faz. Como se quisesse que Scherezade, de volta ao palácio do pai, levasse a imagem do jovem, e não o esquecesse. Um presente que lhe faz sob a forma de um amante intangível, que jamais seria seu. E se contentasse, a partir daquele encontro, em transportar nas entranhas a furtiva alegria de haver se enamorado de relance de um modesto jovem de Bagdá.

O corpo de Scherezade fora sempre de difícil acesso. Embora ansiasse pela carne estuante do jovem que recém-conhecera, na prática ocupa-se de duendes, monstros, de criaturas com andrajos ou com a coroa de rei, aspirantes ao riso e ao pranto, sempre inseparáveis. Sobretudo dos seres populares que, onde estivessem, fazem o amor sem escrúpulos. À sombra da árvore, sobre o chão abrasador do deserto, ou atrás das barracas de frutas. Entretidos com os embates amorosos, gemem, esbravejam, murmuram, qualquer recanto lhes servindo para as convulsões que precedem o gozo.

Graças também a Scherezade, o Califa ilude-se em ser um alazão ou um unicórnio, quando vai ao encalço dos seus personagens temendo ser repelido. Desconfia que ela criara estes seres com o único propósito de defendê-la, para não ficar ao desamparo, entregue à sanha do soberano. Ao mesmo tempo que dá prova de não temer o chicote de sua crueldade, parece dizer-lhe que um dia partirá para longe, sem voltar. Disposta a assumir qualquer risco, não medindo consequências. Afinal, o que poderia o soberano aguardar de quem vive à espera do seu provisório perdão para sobreviver? Alguém que, a pretexto de falar da vida alheia, modela seus personagens com a medida da sua quimera.

Esquecida em seu recanto, Dinazarda não perde o Califa de vista. O nervosismo com que ele caminha desorientado, quase resvalando no piso de mármore. Apruma-se, porém, com rapidez, disfarça a debilidade. Não quer que lhe constatem o envelhecimento. O sangue das jovens, que bebera antes de matá-las, não regenerara a pele, não detivera a ruína em marcha. Envelhece perdendo pequenas alegrias, sempre preciosas.

A despeito das mágoas, Dinazarda o socorre, só lhe falta ofertar as huris a lhe abrirem as portas do paraíso em vida. Enquanto o atende, emite sinais à irmã, que se acautele. Não confie em demasia no talento para salvar-se. O soberano não há de aguentar por muito tempo uma submissão que o humilha. Por que acreditar na glória humana?

A desenvoltura de Scherezade, porém, isenta Dinazarda de participar de suas aflições. Sempre que

Dinazarda a quer atrair para a realidade prática, Scherezade, sob o impulso da fantasia, prossegue incólume. Atravessa despenhadeiros, mares, hesita onde repousar nas noites seguintes. O mundo árabe, ao qual pertence, assegura-lhe a condição arcaica. Cruzamento de itinerantes e inventivos, o sangue da jovem abastece-se de alegria ao ouvir o balido dos animais, o som originário da guitarra de seis cordas, ao enaltecer a corcova flexível do camelo, cuja sombra, projetada nas areias do deserto, revela aquele notável irmão da sua raça. Uma natureza que, de tanto apiedar-se do humano, ajusta-se igualmente aos rigores do calor e do inverno, congelando e aquecendo o sangue segundo as conveniências dos berberes, dos beduínos, de tantos povos.

Visita continuamente o âmago da sua raça. Nutre a esperança de alcançar no futuro a síntese narrativa. E, de tanto abarcar seus mitos mais caros, obter como recompensa a capacidade de disfarçar-se de homem e mulher indiscriminadamente, e interpretá-los com rara paciência.

Ao mastigar o pão ázimo, sem vestígios de levedura, a que se adicionara açafrão e manteiga, Scherezade atravessa o Mar Vermelho, a caminho de Damasco, no afã de reclamar direitos que não tem. Seguidos deslocamentos que lhe trazem, de onde estivera, os haveres da experiência de que seus dias de hoje já não prescindem. Traz igualmente a música, a dança, a poesia, o sentimento religioso. O que soçobrara, enfim, de todas as eras.

O Califa descuida-se dos proclamas da jovem. Dedilha, distraído, o tamborete, atento ao som do alaúde que o músico arranca do instrumento com sua pena de águia, à entrada dos aposentos reais, a que não tem acesso. Cada corda, que faz estremecer o corpo de madeira do instrumento, em forma de pera, unta a alma do Califa.

Entre vulnerável e sorrateiro, o soberano pergunta-se a razão de Scherezade sorrir e ele não. O que falta a ele para desfrutar esta sorte de alegria? Pois anseia auscultar-lhe a zona daquela felicidade. O mistério que viceja na jovem e a isola dele. Como se o Califa, comprometido com a solidão do poder, lhe invejasse um prazer que não esmorece na filha do Vizir, a despeito de a sentença de morte pairar sobre sua cabeça.

Submissa aos pequenos detalhes, Scherezade registra a natureza daquele conflito. Seguida de perto por Jasmine, cujo seio arfa com imperceptível tremor, Scherezade quer dizer ao Califa que muito pouco ele conhece da pátria secreta dos homens. A despeito do seu poder, não sabe bater à porta da aventura humana. Diferente dela, que, conquanto condenada a morrer a qualquer instante, conta com a imaginação, herdada da mãe, para perambular pelos mercados, esbarrar com o léxico, com as lendas escatológicas, com tudo que provém do chão batido da terra popular. Capaz de compadecer-se com o eco da miséria que provém dos milhares de escravos daquele califado.

Quase tudo que ela vem produzindo, às expensas do Califa, é fruto da invenção, dos pergaminhos que leu, das histórias que escuta, dos prodígios que a memória foi acumulando ao longo dos anos. E de sua vocação de inventar e de viver muitas vidas ao mesmo tempo. Ainda de conceber cidades soterradas, de decifrar inscrições há muito desaparecidas, de enveredar pelo sonho ao traduzir estas mensagens crípticas. Sem esquecer a persistência dos mestres de Bagdá, as fugas ao bazar, a que acudira às vezes em trajes masculinos, dando à voz um acento rascante, áspero. Quase sempre com as mãos dentro dos bolsos da túnica, para que não lhe vissem os dedos de alabastro, modelados longos e ágeis, enquanto ia aprumando o corpo com a audácia negada às mulheres.

Scherezade sabe-se instrumento da sua raça. Deus lhe concedera a colheita das palavras, que são o seu trigo.

32

Era mister vir a amar. Submeter-se à carne apaixonada e abandonar por instantes o infortúnio alheio, presente em suas histórias. Suspender o indomável instinto narrativo para transformar-se, afinal, em personagem do próprio destino.

Scherezade teme descobrir de repente a face do amor em algum estranho, à simples troca de mirada. Uma flecha disparada por um príncipe ou um aventureiro rompendo as paredes do palácio e do seu ventre ao mesmo tempo. Um Harum ou Simbad que, após vencer a guarda imperial, cavalgaria com ela pelo deserto até a tenda armada com adornos preciosos, onde ambos haviam determinado previamente ser o lugar perfeito para a união de suas genitálias vorazes, ainda estrangeiras.

Em matéria de sexo, as filhas do Vizir proclamam inexperiência. Enquanto Scherezade tivera o Califa como único amante, Dinazarda, sem a irmã saber, fizera amor às escondidas com o escudeiro do pai, de visita ao palácio. Um jovem assassinado dias depois, as suspeitas de tal crime recaindo sobre um marido traído. As lágrimas de Dinazarda por ele não se prolongando além de um dia. Embora jamais o amasse, recorda-se, porém, da primeira vez em que fornicaram no quarto, com a cumplicidade da criada.

Para tal ato não a movera vestígio de paixão, mas a vontade de sentir a irradiação do desejo nascendo e morrendo entre as pernas. Com a precoce morte do escudeiro, ele ficara-lhe devendo um sexo mais audacioso, que Dinazarda sabe existir pela leitura de tratados eróticos, guardados pelo pai longe das filhas.

Educada a viver em um mundo dissimulado, que guarda segredos, não se confidenciara com Scherezade sobre o amante. Não se sentindo com direito, portanto, de extorquir da irmã o que não lhe quisesse oferecer. Mas também o que lhe falaria ela da própria vulva, do falo do Califa, dos assuntos do coração, se vivia encerrada em suas histórias, mantendo o sexo longe?

De escassas façanhas sexuais, Dinazarda duvida da inocência da irmã. Suspeita que, antes de se tornar mulher do Califa, despojara-se de parte das vestes a fim de certo mancebo, surgido do mercado, acariciar--lhe o sexo úmido antes de irrigá-la com seu esperma incandescente. Esquadrinha-lhe o púbis, através do lençol de cetim, à cata dos pelos.

Ante o olhar mórbido da irmã, Scherezade, indefesa, retrai-se. De sobreaviso contra a curiosidade da irmã, enlaça-se com Zoneida, Ali Babá, que a prodigalizem com enredos que despistem a verdade. Seu olhar, tornando-se o próprio escudo, é penetrante. Afeta Jasmine que, no banho, esfrega-a com esponja trazida possivelmente por Simbad. Mas, apesar da intimidade presente, a escrava não se excede no zelo. Resguardando suas aflições, limita-se a surpreender na jovem sobressaltos, trepidações do desejo. O que pode haver, porém, entre uma princesa e a escrava é epidérmico e fugaz. Talvez o roçar dos dedos que às vezes provocam espasmos em Scherezade, como emitindo ela o sinal de Jasmine haver avançado por áreas côncavas, abaixo do monte de Vênus.

Seduzida pelas carícias de Jasmine, que avançam e recuam segundo seus tremores, Scherezade constata que a expectativa constante da morte reduzira-lhe o desejo. Mesmo quando sonha vagamente com estranhos que lhe ameaçam a carne solitária, ela não louva a paixão ou o amor como benfazejos. A realidade, proveniente do Califa, borrara o mistério do amor, impedindo-o de grassar.

Ainda não amara. Confrontada, no entanto, com a amplidão dos sentimentos presentes em suas histórias, Scherezade magoa a espécie humana com descrições ferozes. No assunto, seu léxico torna-se escatológico, realista, destituído de pinceladas líricas. Às vezes, ante a ausência do amor que lhe deixa um oco na alma, ela arrepende-se, servindo-lhe, então, como consolo, ir ao fulcro da trama, a buscar a consciência do mal, o apanágio do bem.

Abranda a nostalgia diária observando o firmamento. Do jardim da janela, o olhar avança pela cidade envolta em uma esfera avermelhada. No prenúncio do lento anoitecer, Bagdá surge-lhe como um projeto concebido em terras estrangeiras pelo próprio rei Davi, que, em assomo de reverência a Jeová, entregara a Salomão, filho tido com Batseva, a tarefa de construir o templo do qual o deus de Abraão apresenta-se como guardião e arquiteto.

Desde a infância, Bagdá encarnara a ilusão proibida. Razão de Scherezade suplicar a Fátima que a deixasse caminhar pela medina, só para ouvir o que lhe diriam os irmãos de narrativa. A partir destas idas, reconstruíra com a imaginação minarete cuja claraboia abre-se para o crente conversar com Alah, sem outro intermediário. Desvendara igualmente o interior de casebres e de palácios azulejados, encontrara nas alcovas manchas assinalando os pecados provenientes de uma paixão vivida às escondidas.

Fora também seu objetivo conhecer a gênese de Bagdá. As curvas, os meandros, círculos, riscos sinuosos, traços surgidos da carência popular. Consultando manuscritos, ela desvendara a formação das primeiras passagens secretas por onde Harum Al-Rachid, ao se perder de certa feita, fora socorrido pelo verdureiro encarregado de fornecer cactus e tomates ao palácio.

Nestes passeios, alguns imaginários, outros reais, Fátima apura-lhe o gosto. Com seu caráter didático, ia-lhe apontando detalhes relevantes. Sensível aos argumentos da ama, Scherezade povoa a paisagem urbana com personagens impermeáveis a um tipo de heroísmo que lhe soara sempre grotesco. Desgosta-a o herói que, jactando-se dos próprios feitos, injeta ar no peito. Na solidão do quarto, atraída pelos vagabundos que, de regra, dispensam atavios e reverências, Scherezade os traz ao centro das histórias, astutos e matreiros. Esculpe-os como o tipo de herói que, a despeito da dimensão quase mítica, vende tâmaras, frutos secos, cebola, carne de carneiro, especiarias.

Sob a pressão da morte, que o Califa não a deixa esquecer, Bagdá esfuma-se no horizonte. Olhar a cidade, contudo, desembaraça-a das cordas que a atam ao fardo narrativo, atenua sua agonia.

Sensível ao que a princesa sente, Jasmine ajoelha-se ao seu lado, oferece-lhe iguarias. Sorvendo o chá, Scherezade lê a sorte nas folhas de hortelã pousadas no fundo do copo. O futuro é obscuro e melancólico, não lhe traz trégua. Fala-lhe que a alma narrativa é ingrata, formula as pretensões dos personagens sem considerar o medo que habita o corpo do narrador.

Junto à pequena corte, constituída de mulheres, ela vai esquecendo o perfil do cadafalso que se espraia pelos muros do palácio e atinge as janelas do aposento real. Espera vencer a hora prevista para sua execução, após contar ao Califa, tão logo ele chegue, uma outra história. Mais animada, ela antevê o amor aflorando das vielas de Bagdá. Admite seu corpo um dia com brechas por onde o amor pleiteie ingressar.

Não sabe o Califa, sentado ainda no trono, prestes a dirigir-se aos aposentos, que, a partir daquele instante, está condenado a ser novamente traído por uma mulher.

33

Dinazarda esforça-se por salvar Scherezade. Teme o súbito fracasso, que o repertório da irmã esgote-se sem aviso prévio, ou que o Califa se canse de ouvi-la. Não queira mais conviver com um mistério que o ameaça com a eternidade, parecendo jamais alcançar o fim.

Recorre a Jasmine, que, meses antes, ao estufar o peito, sobressaindo os mamilos arrepiados através do traje transparente, revelara-lhe seu afã de prosperar. Desapropriada de bens, fez-lhe ver que sabia mais do que estudara. Tem gosto em escutar e de inventar sobre que matéria seja. Em certa ocasião, aludira à profunda vergonha que há muito a castiga, sem esmiuçar o motivo da angústia. Adiantara apenas que no cativeiro anterior, até ser trazida ao palácio do Califa, havia aprendido esboços da magnífica arte da caligrafia, mas não o suficiente para ostentar esta gala raramente reservada às mulheres, e muito menos aos escravos. Tendo exercitado esta arte às escondidas, e com real afinco, os seus traços, convulsos e trêmulos, ainda hoje assinalam alta dose de incerteza, como que nada dizem. Não há palavras nesta caligrafia de desenho aleatório.

Convocada a servir nos aposentos reais, Jasmine devotara-se apaixonadamente às irmãs. Ajoelhada ao pé das jovens, sua posição preferida, querendo agradar-lhes, a qualquer pretexto ia-lhes pedindo clemência por erros cometidos. Sempre disposta a assumir as culpas do mundo em troca de um recanto onde encontrar um dia um pouco de si mesma.

Havendo Jasmine chegado certa manhã aos aposentos, Dinazarda aprovara de imediato sua pele trigueira, os cabelos escuros, enrolados no topo da cabeça, e que a elevam acima da humanidade, como se do alto daquela montanha a escrava enxergasse a cidade ideal. De extração modesta, seu ar principesco motiva Dinazarda a descobrir sua procedência. Embora inquisitiva, havendo herdado do Vizir a postura de comando, Dinazarda não ousara perguntar-lhe de onde viera agrilhoada, para estar agora a serviço do palácio. Se acaso originara-se de tribo do norte, de moral indomável, supostamente gerada pelo rei Salomão que, com a concordância de Jeová, emprenhara inúmeras mulheres chegadas a Jerusalém em busca da sua proverbial sabedoria.

Logo se estreitaram os laços entre elas, já não podendo as irmãs dispensar seus cuidados. Enquanto

Scherezade retribuía suas gentilezas com distraída doçura, Dinazarda, exercendo autoridade, marca a diferença entre elas. Mas logo, arrependida de seu despotismo, não resistindo à sua mirada, entre lânguida e combativa, oferece-lhe regalos, prova confiar nela incumbindo-a de desempenhar pequenas missões. De verdade, intriga-a a sagacidade com que Jasmine, esgueirando-se pelo palácio, traz de volta o que restabeleceria o equilíbrio entre elas.

Nos últimos dias, Dinazarda enviara-a ao bazar, com a condição de manter secreta a sua missão, mesmo para as demais companheiras de infortúnio. A linguagem que Dinazarda emprega, assinalando que parta e regresse ao palácio trazendo ao final da jornada determinados valores, reveste-se de um simbolismo que perturba Jasmine. Notando, porém, o embaraço da princesa, ela urge ser posta à prova, que lhe testem a inteligência, a maneira como enreda-se com as intrigas palacianas. Ao cobrar-lhe o impossível, permitiria que ela ascendesse na escala social do palácio.

Como Scherezade, Dinazarda tende à minúcia, a prever com antecedência os desatinos da realidade. Sentada como um buda de braços cruzados, ela ia aumentando a voz. Tocada pelo sentido da misericórdia e pelo encanto da escrava, enfatiza que ela se acautele, sobretudo após vencer a última porta do palácio, em direção à cidade. Observe se algum esbirro a está seguindo. Ninguém deve saber que pertence à jovem esposa do Califa.

Em Bagdá, todo cuidado é pouco. Entre aquelas paredes, facilmente ocorre que um estranho, mesmo esmolando, seja um príncipe. Não se sabe, por tradição, quem é viajante, ladrão, nobre, cada qual, mais belicoso que o outro, arranca nacos de vida com os dentes. Não é demais precaver-se contra alguma donzela disposta a seduzi-la, julgando ser Jasmine o próprio Harum Al-Rachid disfarçado de mulher. Em especial, apure a audição ouvindo os alaridos de espertos vendedores de mercadorias fraudulentas a perambularem pela medina. São eles que elaboram extravagâncias teológicas em torno da fruta da árvore do mal, do figo e da tâmara, crescidos no paraíso prometido por Maomé.

Segundo Scherezade, ninguém melhor que os ladrões e aventureiros de Bagdá para se aferrarem ao elementar ato de contar histórias. Devido talvez à miséria em que viviam, seus enredos pecam por excessos. Daí ser fácil catar subsídios em tal companhia.

Dinazarda confia que nada escape a Jasmine. E que, dona de semelhante mandato, regresse ao palácio do Califa com as mãos apinhadas de romãs, uvas bronzeadas e poemas de amor. Singelos detalhes atrelados à humanidade do mercado, que Scherezade saberia juntar para formar com eles uma história, caso fosse preciso.

Jasmine impressiona-se com a incumbência de Dinazarda, de vir a oferecer a Scherezade o mistério que se irradia dos minaretes e da praça. Mas como iria atuar igual a uma princesa e retornar ao palácio sem tal tarefa causar-lhe danos à alma? De que forma transportar invenções populares aos aposentos reais sem introduzir nelas o toque profundo das suas próprias aspirações pessoais?

Na defesa destas noções, a escrava recorda que nascera no deserto, aquecida pela miséria e pelas canções melancólicas. E que, havendo dormido entre cabras, carneiros, aspirara o perfume dos camelos, matara a sede servindo-se dos poços cuja água, escassa e disputada, alentava a tribo nômade. Quis a sorte agora torná-la uma princesa, fazê-la parte daquela dinastia, a ponto de ser queimada um dia na pira da esperança quando elas se fossem?

À espreita, Jasmine vaga a esmo pela medina, com dificuldade de selecionar os relatos que ouve. Mas, um pouco antes do anoitecer, tem tudo à mão. Com o farnel cheio de provisões, deposita diante de Dinazarda doces, queijos, palavras, os produtos da terra, sob forma de histórias. Dinazarda chama-a à parte, exige pormenores, que lhe confesse.

Não longe daquele diálogo, Scherezade descuida-se do turbilhão que assalta às duas mulheres. Concentrada no que dirá à noite, receia perder o ritmo essencial às frases, agora que o Califa chegara. Abatido, ele senta-se no coxim, com um sinal dispensando a cópula. Mas que Scherezade prossiga, a partir da palavra que abandonara na véspera.

Ela retoma no ponto em que introduzira Aladim, personagem da nova trama. O tema, de embocadura larga, logo subjuga os presentes. Tendo como núcleo a vida de Aladim, ela segue os desvãos maléficos da imaginação. É-lhe fácil expandir uma aventura que promete absorver temas paralelos, sem os desvincular por isso do vendedor de lamparinas. Ao apresentar, porém, o temperamento do jovem, ela é escorregadia, as palavras fomentam ambiguidade, cerca-se de casualidades, de elementos descomunais. Mas é com leveza e desenvoltura que vai convencendo o soberano de existir dentro de qualquer história o germe de outra. Assim, no rastro de Aladim virão outros miseráveis, ansiosos, como ele, por enriquecerem. Tal fato devendo-se ao milagre de fabular, tão natural nela.

Só a partir destes nodos, que se entrelaçam diante do Califa, ela obedece aos princípios básicos de um raconto e transfere a morte para o dia seguinte.

34

A tensão do Vizir cresce enquanto observa a ampulheta. Não confia no futuro. Sofre com a filha entregue à cobiça do Califa, que jamais se sacia. E que de nada vale jurar servir ao soberano eternidade afora em troca da vida daquela jovem.

Querendo salvá-la, o Vizir luta por mantê-lo distante dos aposentos, onde Scherezade seduz a imaginação do soberano. No afã de distraí-lo, aviva-lhe os deveres provenientes do califado de Bagdá. Além de ser objeto de culto por parte de seus súditos, responde ele igualmente pelas funções públicas e pela arte da guerra. Não lhe convindo manter-se indiferente aos vizinhos territoriais, sobretudo a Samarra, que no passado lhes usurpara o título de capital. Ainda que, décadas mais tarde, Bagdá recuperasse o honroso título à custa de uma guerra.

Conquanto lhe faltasse a fantasia da filha, o Vizir é um homem tenaz. E, na defesa de Scherezade, não pode falhar. Suavizando a fala, reduz o ritmo, praticamente sussurra ao ouvido do soberano como se fora uma favorita. Menciona-lhe a beligerância de Samarra, hoje tidos eles como amigos. Não devia o Califa, no entanto, iludir-se. Como antes, seguiam nutrindo a ambição de roubar-lhes de novo o título de capital das terras do Profeta. Aquela cobiçada Bagdá que, ao cair da noite, banhada de fulgor vermelho, projeta nos becos, travessas, um rastro de luz sobre o qual se caminha como se fora dia.

Refresca a memória do Califa com fatos concretos, relativos a Samarra. Como este reino inconformado com a degradação política sofrida pela perda de Bagdá, age em surdina, tendo seus mandatários o objetivo de minar a cidade. Não há que perder de vista inimigos assim. Os próprios persas merecem atenção, pelo ânimo belicoso apresentado em outras ocasiões. Deste modo, caso o Califa se debruce sobre as linhas dos mapas, ambos concluiriam que, levando em conta as precárias fronteiras atuais, vale anexar estes reinos ao califado ao preço da guerra. Uma prática de longa data comum entre os abássidas, o ilustre clã que, associado à sua fundação, aportara a Bagdá relevantes conquistas.

Aqueles voluntariosos abássidas, desde os primórdios com assento na história islâmica, dirimiam questões de poder e de fé pelo fio da espada. Para isto enfrentando acirradas batalhas que requeriam estofo de heróis. Forma pela qual esta linhagem, da qual o atual Califa descendia, se acautelara contra os ismaelitas, de andança herética e ameaçadora. Uma seita que, segundo a lenda, Abdullah, filho de Fátima, fundara próximo aos rios do Golfo Pérsico. E que, havendo de pronto manifestado clara discordância com o califado de Bagdá, provocou a ira dos califas, inconformados com um cisma julgado prejudicial ao mundo islâmico.

Estes ismaelitas, devido à vocação mística, eram inicialmente austeros e pareciam convencidos de que as palavras do Corão, de origem divina, guardavam um sentido sagrado, só ao alcance de iniciados, como eles. Com tal caráter dogmático, a seita propagara-se pelo Islã, graças a seus adeptos dissimularem, sob a prática de ofícios modestos, intensa atividade religiosa, enquanto conspiravam contra os poderes constituídos.

O certo é que Abdullah e sua horda de heréticos, condenados à errância, emergiram no cenário islâmico com a designação de fatímidas. Criadores, sem dúvida, de uma prodigiosa civilização que os próprios abássidas absorveram no cotidiano.

O Vizir não esmorece. Sua índole persuasiva retorna aos persas e aos demais adversários que o Califa afugentara com negligência. Além destes povos, abrange outros, igualmente ameaçando a grandeza de Bagdá, que, entre tantos centros, possui notável escola de tradutores, responsável pela disseminação do saber clássico, vindo dos gregos, entre os habitantes da longínqua Europa.

É difícil convencer o Califa. Fazê-lo admitir que chegara o momento de deplorar a conduta de tribos que no deserto, em ação isolada, há muito vêm molestando as caravanas a caminho de Bagdá, transportando mercadorias essenciais ao comércio da região.

Concentrado primeiro em Scherezade e agora nos acordes da harpa com que o instrumentista o entretém, o soberano abstrai-se da realidade que o Vizir força em apresentar-lhe por meio de monótona argumentação. O músico, com barrete africano na cabeça, que afina o instrumento segundo as cordas do próprio coração, sugere ao soberano abandonar a cimitarra que o Vizir, no entanto, emula-o a empunhar, a aventurar-se por paragens ignotas e perturbadoras.

O Vizir irrita-se com os ruídos do instrumento, que lhe soam como uma provocação, impedindo-o de atender aos assuntos do califado. Controlando a ira contra o músico, insiste sobre os desgarrados persas que, em incursões pelo deserto, roubam a água dos poços beduínos.

De tal forma entusiasma-se com o diagnóstico favorável à guerra, com a deterioração do quadro político dos vizinhos, que toda a sua atenção concentra-se nas manobras guerreiras, esquecido de defender a filha.

Entretido com a magnitude dos salões do palácio, o Califa fixa-se em um tapete preso à parede, no qual os artesãos do reino, contrariando as normas de reproduzir rostos humanos, registraram batalha célebre empreendida por um furioso ancestral abássida. A consigna artística dos rostos convulsos dos guerreiros à beira da morte desperta no peito do Califa o fragor da luta. O olhar complacente do soberano com seus guerreiros enseja que o Vizir, com visível orgulho de sua administração, afirme encontrar-se o tesouro real abarrotado de moedas. Com indisfarçável cobiça, ele arrola os bens do reino, inventariando cada detalhe como se tratasse do tesouro dos quarenta ladrões que o jovem Ali Babá recém-descobrira, sem mencionar, no entanto, a esta evocação, o nome da filha.

Ao ouvir falar em Ali Babá, citado pelo Vizir à guisa de curiosidade, o Califa atenta à descrição do tesouro real que ele lhe faz, em muitos pontos coincidindo com a história de Scherezade. Os detalhes realçados pelo ministro, relativos ao ouro, à prata, ao rubi, chamaram-lhe a atenção. Pergunta-se se Scherezade, antes de trasladar-se ao palácio, falara ao pai da figura de Ali Babá, ou se ouvira dele as mesmas descrições que o Vizir às vezes impinge a ele, quando pretende realçar o poder da moeda.

A preocupação com bens e joias expressa sem dúvida uma obsessão familiar, embora com resultados díspares. Pois se o Vizir carece de encanto verbal, a filha, sob o impulso de poderosa imaginação, transforma em refinada substância qualquer matéria rústica. Sem falar que o Vizir, no mister de governar, dá seguidas mostras de mesquinharia, enquanto a filha, contando histórias, desdobra-se em abundância e quimeras.

Antes de mergulhar nos acordes suaves da música que o deixara lasso, o Califa julgara despropositada a insistência do Vizir. Exaure-o a proposta de montar seu corcel branco, animal tão tenso quanto o arco do alaúde, e empunhar adagas e cimitarras. Entregar-se outra vez ao cotidiano bélico, celebrado por cortesãos e poetas, não lhe causa, como outrora, a mesma animação que hoje os relatos de Scherezade vêm-lhe inspirando.

Após a vinda da jovem para o palácio, o Califa indispusera-se com a corte, só poupando o Vizir de críticas em consideração à sua devoção ao reino. Mas o que fazer com um servidor que, ao retê-lo no salão de audiências além do tempo, priva-o de seguir as recomendações de Scherezade de, a qualquer hora do dia, mesmo em meio a uma audiência, indiferente às circunstâncias externas, cerrar os olhos, no afã simples de surpreender a nau de Simbad, sob a procela, estrelar-se contra as rocas. Enquanto certa rainha, encimada no promontório da ilha sobre a qual reina, ia avidamente acompanhando os despojos do naufrágio chegando à praia. Esperançosa de converter, naquela mesma noite, os marinheiros em bestas e amantes, a seu serviço.

Sob a dupla custódia do feitiço de Scherezade e da cruel rainha, o Califa distrai-se, como já estivesse, após abandonar o Vizir, a caminho dos aposentos.

35

O amor é teatral, intui Scherezade, que, à mercê do Califa, jamais se apaixonou. O espetáculo amoroso, como o concebe agora, junto ao leito do Califa, requer ilusão, artifício, máscaras coladas aos rostos dos amantes enquanto copulam. E que, modeladas com cera, derretem e renovam-se durante a noite, à medida que eles subtraem e acrescentam gestos e palavras ao convívio.

Scherezade desliza com pantufas douradas sobre o mármore refrescante dos amplos aposentos, indo ao encontro da águia real de quase dois metros de envergadura, que lhe trazem ao amanhecer, por ordem do Califa, após ele poupar-lhe a vida. Alvoroça-se com o pássaro de procedência altaneira que, após reinar nas alturas, aninhar-se nos alcantilados inacessíveis dos mares do califado, viera pousar nos jardins, onde o Califa o mantém acorrentado.

Scherezade se mortifica com sua presença. A imagem do pássaro realça a liberdade que ela perdera. Deixa-o ao seu lado, no entanto, o tempo apenas de desfrutar o sentido de grandeza que o animal difunde com sua indiferença. Desobriga-o, então, com a mesma brevidade com que, havendo se acomodado junto ao soberano no leito, o quer em seguida dispensar. Aliás, é comum, durante o próprio coito, ela ausentar-se, não lhe fazendo diferença que um outro homem ocupe o lugar do Califa. O mesmo, certamente, ocorrendo com o soberano, que se serve dela para atingir o orgasmo que uma estranha lhe poderia conceder, e do qual emerge vazio e melancólico.

Do alto do minarete, o clamor da voz do muezim convoca de longe o povo a rezar. Nos aposentos, onde a vida se escoa, Scherezade reza, mas nada pede a Alah. Envolta em sedas, tules, véus, ensaia alguns passos, à guisa de dança. Expressões corporais originárias de uma coreografia ditada por Ishtar, o deus que responde pelo amor na antiga Babilônia. Logo desanima-se. A brisa noturna, ingressando pela janela, desanuvia o ambiente, rompe o equilíbrio do seu semblante, desgoverna os fios da barba do Califa, que vaga os olhos miúdos pelo quarto. Aloja-se nele uma vida secreta.

Hesita em aplicar adjetivos ao Califa. Feio, altivo, apático? Ou um homem cujo nariz adunco, projetado na parede, tem forma de uma cimitarra assassina. A despeito, porém, das noites vividas sob ameaças, Scherezade sobrevive às sentenças do soberano. Embriagada pela liberdade de desfrutar novo dia, mastiga cada repasto com um prazer renovado, aspira a fragrância da especiaria recém-chegada da Índia.

Jasmine sonha com situações improváveis. Sem se descuidar dos detalhes, assimila os gestos das amas, como se comportam, suspiram, alimentam-se. Apura pormenores para mais tarde imitar as irmãs às escondidas. E enquanto as filhas do Vizir apreciam a carne das tâmaras de epiderme apergaminhada, Jasmine as copia também com parcimônia.

Ainda que sob o mesmo teto, as irmãs não demonstram intimidade com o Califa. Scherezade jamais confunde o amante com o soberano de Bagdá. A rápida cerimônia que os unira, ao dispensar ritual, impedira em Dinazarda o aluvião de emoções. Mais parecia uma execução que um casamento. Chamando a atenção que o Califa, impedido de alimentar qualquer sentimento amoroso, não pronuncia o nome de Scherezade. Hábito que estendera a todas as favoritas, tratando-as, assim, como se elas fizessem parte de uma entidade incorpórea, da qual devia eludir-se.

Jasmine renova a água tépida da lavanda onde boiam pétalas colhidas nos jardins. Apraz-lhe que o Califa e as filhas do Vizir, após cada refeição, mergulhem os dedos nos cálices de alabastro, confiantes nos resultados dos embates que em breve sucederiam entre eles. Quando impelidos todos pela imaginação de Scherezade, e sob o acúmulo dos perigos, enveredam pelo deserto, pela floresta, pelos mares. Pelo mundo enfim, que ela ressuscita antes do amanhecer.

36

Scherezade desenrola os fios coloridos da história puxados de um novelo a salvo das intempéries. Enquanto a ouve, o Califa, impassível, repousa, tolhe os movimentos. A cada palavra da jovem, esquece-se da humilhação infligida pela mulher que o traíra com o mais miserável dos serviçais. Lentamente apagam-se as cenas aviltantes que o deixam às vezes insone, perseguido por inexplicável terror. Como se o medo, ao acorrentar-lhe os pés, lhe roubasse o gosto de caminhar pela vida, instaurasse nele o caos civilizatório. Já não podendo, por conseguinte, entender as regras do mundo onde aprendera a viver e a reinar simultaneamente.

Basta-lhe, no entanto, retornar ao salão das audiências para a silhueta da Sultana, morta há algum tempo, persegui-lo. Já nenhum esconderijo oferecendo-lhe proteção, vedando o ingresso daquele fantasma. Nestas horas, a sombra implacável da esposa, em flagrante desrespeito à imponência do trono, avança em sua direção, degraus acima, lambe-o com o veneno da saliva, morde-o com uma boca que exibe dentes, língua. A apontar-lhe, com gesto voraz, a própria vulva, o lugar da crise e da traição, o depósito ígneo do seu sexo, do qual afloram lava, lama, secreções. Justo onde ela o açoitara, golpeando-o com a arma do desvairado desejo. Neste esconderijo, escuro e úmido, a Sultana experimentara gozos que o descomunal africano lhe trouxera como consigna da sua origem remota.

A memória da insultuosa luxúria da mulher reforça no Califa o espírito de revanche. Como se, tendo-a ainda ao seu lado, aquela voz lúgubre o exortasse a não confiar em outra fêmea, a matá-las após a posse. E sempre que ele acede ao templo da vingança, enviando uma jovem ao cadafalso, o rosto da esposa morta esmorece, mas não se apaga de todo. Apegada ao soberano, vigia-o de perto, cobrando seus direitos.

O fantasma da Sultana, nesta mútua perseguição, deblatera, indaga em nome de que princípio o Califa lhe decretara a morte. E por que motivo não libertava as mulheres, a que mal atendia, mediante simples alvará, assim podendo elas zelar pelas próprias fantasias, viver travessuras amorosas. Enquanto o sorriso arrogante lhe ia assegurando que, graças à arte de fabular a realidade, aprimorada naqueles anos, ela desfrutara os prazeres da carne. Quando, praticamente vizinha do harém do soberano, fugia da prisão que constituía viver atada a um homem que, embora a tivesse escolhido rainha, desconsiderava os caprichos de um ser como ela.

De volta aos aposentos após as audiências, o Califa entretém-se com as filhas do Vizir. Já não sobra em torno vestígio da silhueta da rainha. Diante dos gestos graciosos das jovens, ilude-se com a vitória. Como se a Sultana, não havendo sequer existido, não lhe pudesse causar distúrbio.

Em certos momentos do dia, contudo, averigua os estragos provocados em seu coração. Constata que nem livre da sua presença amarga sente comiseração pelos seus súditos, compadece-se de uma rainha responsável por viver agora sob o domínio da imaginação de Scherezade.

Ao cair da noite, os anos lhe pesam. Apoiado nas almofadas espalhadas ao longo do coxim, retribui com displicência os frutos secos. Para as filhas do Vizir, usa de gestos que não lhe destronam a majestade ou o afastam do centro irradiador do seu egoísmo.

Ao unir-se mais tarde ao corpo de Scherezade, parte de um ritual que ameaça eternizar-se, ele teme a natureza dos sentimentos ora em curso, o rumo da história que ela começa a lhe contar. Intui que seu poder, frente ao império narrativo de Scherezade, vale pouco, o que lhe dá motivo de ameaçá-la de novo com a morte aos primeiros sinais da aurora.

37

Dinazarda vangloria-se dos méritos da irmã na presença do Califa. Não lhe enaltece propriamente os encantos físicos ou faz-lhe ver que o corpo de Scherezade, discreta no amor, abriga vida, arfa em sigilo. Mas deixa-o entrever que a sedução narrativa, a que está ele sujeito, supera o prazer erótico com o qual se entretém a cada noite.

Não mede esforços em prover a irmã de inumeráveis virtudes. Ainda que esbraveje, toque-lhe o braço, aja como se ela lhe pertencesse. A ponto tal que se pergunta por que não considerá-la sua, se pusera a própria vida em risco para salvar esta contadora de histórias? Se desde a chegada ao palácio do Califa sacrificara suas esperanças em troca do bem-estar da irmã?

Dinazarda não esconde a crescente frustração. Tem razões de arrepender-se, que lhe ouçam os gritos de protesto por haver atado sua existência a Scherezade, ser prisioneira agora do Califa, que se esquece de enaltecê-la. Não se julga de modo algum compensada por tanto empenho. Afinal, a irmã e o soberano muito lhe deviam. Graças a ela reinava ordem naquele lado do palácio. Sob sua persistente capacidade de tecer intrigas e comandar o comezinho, a realidade da corte abrandara-se.

Ao insinuar a sabedoria da irmã, Dinazarda envaidece-se em realçar a própria. Sente-se tentada a confessar ao soberano que Scherezade, sob a ameaça de a memória claudicar, empalidecer, frequentemente recorre ao seu socorro. Quando então, condoída diante do seu iminente infortúnio, ela restaura-lhe a confiança mediante sinais que, apenas sugeridos, são o suficiente para enlaçar Scherezade de novo a um relato prestes a sucumbir ao surto de uma lógica asfixiante.

Nos últimos dias, prevendo momentos de estiagem na imaginação da jovem, Dinazarda encarregara Jasmine de ir recolher no bazar restos de histórias que revitalizassem no futuro o estoque da irmã. E não querendo transmitir a Scherezade a impressão de que perdera confiança em suas urdiduras, ferindo-lhe pois a vaidade, nada dissera. Simplesmente exigira que Jasmine se acautelasse, não a queria em perigo. Era uma escrava bela, atraía-lhe a atenção seu modo de caminhar, por onde ia deixando rastro de olor silvestre. De porte elegante, asseada, as pernas longas e finas, em perfeita sintonia com o pescoço enfeitado de argolas de prata. Os trajes no corpo assegurando-lhe atitude de princesa. Tal fausto, incompatível com sua condição, devendo-se a Scherezade, empenhada em fazê-la esquecer o cativeiro.

Fora esta mesma Jasmine que, em certa ocasião, proclamara irrestrita lealdade às irmãs, o desejo de ser posta à prova em hora de aflição. E isto por conhecer, pela primeira vez, o sentimento de pertencer às filhas do Vizir, que lhe reclamariam o corpo e chorariam por ela no caso de sua morte.

Desta perspectiva, Jasmine não vinha falhando. Na defesa das princesas, seu temperamento aguerrido via inimigo até em quem lhe falasse com fonética caprichosa, como privando-a de sua língua tribal.

Jasmine ultrapassa os muros do palácio, distancia-se rapidamente. Aparenta pobreza e cansaço com a cabeça pendida sobre os ombros, que a envelhece. Aspira sôfrega os cheiros da cidade. Entre as nesgas das casas, surpreende de longe as muralhas, o mundo do Califa que se estende além delas. Atraída pelo perigo, desvia-se da rota prevista, avança em direção ao rio Tigre, à margem oeste de Bagdá. As águas, que bordejam a cidade, haviam antes banhado outras terras.

Sente-se livre. Por desígnio divino, o entorno lhe sugere que desfrute o inesperado porvir. Norteada por seguidas emoções, Jasmine reza à visão da monumentalidade da mesquita que preenche a paisagem de Bagdá. Pensa na família, da qual fora brutalmente apartada. A lembrança a acabrunha, mas prossegue. No centro da tumultuada praça, a algaravia dos transeuntes a fascina. Andando a esmo, esquece-se dos afazeres que a trouxeram à medina, já não tem satisfações a prestar à ama. A emoção, contudo, torna-a imprudente, a induz a sorrir sem motivos. A inventar o que lhe faz falta. Vence assim as vielas, classifica os objetos à venda. Parece-lhe ver a silhueta de Harum Al-Rachid, que, vivo de novo, anos após sua morte, celebra as aventuras e desventuras do seu povo.

A imagem daquele abássida não é nítida. Ela se questiona se o poderoso príncipe, cujo fantasma a segue, fora formoso ou gordo no passado. E se o peso do corpo agora dificultava-lhe, neste retorno, galgar muros, tendo em vista aninhar-se nos braços de uma princesa, sob a guarda do marido zeloso em manter distantes de estranhos aqueles braços lânguidos. Ou teria preferido este califa Al-Rachid girar em torno das barracas, à cata dos escombros humanos, em vez de visitar a dama?

À frente do califado durante vinte e três anos, Harum Al-Rachid deslizara anônimo em meio a mercadores, mendigos, viajantes. Sempre contrariando os áulicos que lhe distorciam a realidade, a impedi-lo de recolher na fonte os desabafos, as intrigas, as tramas do seu povo. Harum era, porém, insaciável. Seguia desafiando as criaturas do mercado para que lhe contassem seus dramas, falassem sobre o soberano reinante, cujo rosto desconheciam. Testava a própria humanidade ouvindo a enxurrada de imprecações, ofensas, expressões sacrílegas, que o acusavam, em estilo rústico, de ser um déspota indiferente à sorte dos miseráveis. E embora verbalmente açoitado pelos infelizes, nenhum comentário abalava sua convicção de ser amado por seu povo, que, nos séculos vindouros, se encarregaria de prantear-lhe a memória.

Jasmine desconfia de suas intenções. Com turbante na cabeça, de sandália gasta, disfarçando-se de novo, Harum Al-Rachid, representante de uma estirpe arrogante, queria à força corrigir uma injustiça entregando-se ao julgamento popular. Mas, quando à frente do trono, promulgara leis favoráveis à sua gente? Até onde fora ele na escala da miséria e da expiação, a despeito dos trajes de beduíno e de pedinte? Acaso retirara da tigela de barro do mendigo restos de comida só para dar andamento à experiência que o levava a conviver intimamente com a plebe? E ao cobrir o corpo de uma companheira de infortúnio, atravessara o coração dos seus súditos do mesmo modo como penetrara com o membro a vulva popular e desprotegida? Ou não passaram aquelas incursões a Bagdá de uma grotesca farsa?

Sob a ameaça de desbordar, Jasmine adoça a boca com tâmara. Tem fome, angústia, mistura volúpia e medo. Mas refreia a imaginação, apagando o fantasma de Harum. Prevalece nela, no entanto, a esperança de ouvir em breve, em algum recanto, um derviche a contar-lhe as mesmas histórias que um outro relatara no passado a Harum Al-Rachid, tornando-o para sempre cativo de seus personagens.

38

Não conseguira amar o Califa ou enternecer-se com seu atormentado passado. Sob os véus que lhe cobrem o rosto, a mirada camaleônica de Scherezade espreita as manifestações da sua ilimitada força.

Os movimentos do soberano são pausados, carecem de arroubo. Enfastiado nos últimos tempos com um poder que o reveste com a coroa da divindade, governa com displicência. Mas basta irritar-se para brandir várias cimitarras contra inimigos invisíveis. Ao definir o destino alheio, não lhe assoma ao rosto uma emoção que o identifique com o comum dos mortais. Convencido do acerto de suas medidas, não há nele lugar para o erro.

Como uma lacraia arrastando-se sobre as pedras escaldantes, é comum ele deslizar pelo mármore dos salões, na tentativa de entender as transformações que se operam nele a partir de Scherezade e dos anos. Reage mal à areia da ampulheta que marca a passagem de um tempo interrogante. Quase a acercar-se dos aposentos, ele reduz o passo, concedendo vagar às filhas do Vizir para que se prostrem, segundo o rigor protocolar. Não as isenta de lhe prestarem vassalagem. Aprendera com o pai, como regra útil para o exercício do poder, a necessidade de conciliar a razão com a fé muçulmana. Uma razão que lhe parece, porém, impregnada de mistérios, jamais ao seu alcance. Abalara-o descobrir na tenra idade sua aversão ao sangue que borbulhava de qualquer ferida proveniente de arma branca. De tal forma fraquejava à vista do sangue, que se sentia às vezes desmaiar diante de seus súditos. Uma condição que, sendo do conhecimento do pai, daria motivo para deslocá-lo da linha de sucessão ao trono. Sob tal ameaça, querendo afastar a pecha de covarde e igualmente superar uma zona de total incompreensão para ele, optou por atos que lanhassem sua noção de decência e não comportassem arrependimento no futuro.

Assim, enquanto o iam adestrando na arte da guerra, sem motivo aparente desafiava um subordinado à luta sem trégua, contando com a vantagem sobre o adversário, vulnerável à sua presença. Mas ao ver o ferido despejando sangue antes de morrer, o príncipe tinha ânsias de vômito, quase desmaiava. Insistia, contudo, em contemplar o objeto do seu horror até acostumar-se com o olhar de vidro do moribundo, fixo em um ponto vago do horizonte, como a indicar a despedida próxima. Neste justo instante, o príncipe herdeiro retirava da bainha a adaga de punho cravejado de rubis e esmeraldas, e com ela desferia-lhe o golpe derradeiro.

Na intimidade dos aposentos, o Califa não se excede e nem esbanja atos. Reduzindo a vertigem do poder, esforça-se por provar às filhas do Vizir que é um homem cansado regressando ao lar, cobrando carinho e o olhar untado de solidariedade. Como um camponês qualquer, espera um prato de lentilhas e nacos de carneiro. Nada diz porém. Meneia a cabeça e aceita os queijos, a coalhada, o pão, as uvas, o figo, o mel.

Aprecia a brisa que lhe vem do jardim, enquanto demonstra fastio por outros prazeres. Não se apressa em dispor das mulheres. No passado, porém, professara o desejo de repetir na prática as façanhas de Harum Al-Rachid, de vir a ser sucessor da sua linhagem. Aliás, tendo em vista esta ambição, que o ilustre abássida encarnava, iludira-se em galgar o muro do palácio e desaparecer em direção ao mercado. Um projeto que implicava abraçar valores heroicos e altruísticos, dormir com o povo e comer de suas migalhas. A cada dia prometia-se cumprir o desígnio de querer ser aquele soberano que ganhara o dom da imortalidade. Uma figura que, embora desaparecida, o povo ainda hoje ressuscitava. Desde que Harum morrera, Bagdá panteava-lhe a memória. Usuários do seu mito, todos lhe repetiam o nome, à espreita de sua figura surgir de repente entre eles, flagrando as intrigas do cotidiano.

Segundo fora-lhe contado, Harum percorria as barracas do mercado disfarçado de mendigo, a pretexto de histórias ouvidas a esmo. Longe do trono, a pelar uma laranja, ia recolhendo o palpitar dos sentimentos comuns. Travestido de personagem, rastreava os sinais da paixão recôndita, divertia-se com os que lhe faltavam com a verdade. Constava que o califa atribuía à mentira uma qualidade básica de qualquer história. Isto talvez por haver se despojado dos trajes principescos e já não saber mais qual seria a medida da sua verdade. Mas através dos tiques nervosos de cada súdito, o que se resguardara a sete chaves ele desvendava com presteza. Já os velhos, próximos da morte, atiçavam sua compaixão. Quase a se despedirem, Harum ouvia deles as palavras sibilantes devido à falta de dentes.

Procedendo da dinastia de Harum Al-Rachid, o Califa, desde menino, encantara-se com as lendas e as especulações em torno do abássida que resistira ao esquecimento por força do amor que inspirara aos súditos. Mas seriam fidedignas estas histórias, serviriam de exemplo ao bom governante? Acaso seria prudente um califa confiar em seu povo ao extremo de ceder-lhe o coração? Não expressaria tal devoção uma fraqueza suscetível de inspirar rebeliões, mais valendo neste caso suscitar intimidação, um sentimento próximo do terror?

Caminhando pela medina, Jasmine enfileirou motivos para apagar a atração que sentia por Harum e que perturbava sua noção moral. Suspeitava do comportamento daquele príncipe que não passava de uma fraude com o povo. Até que ponto, ao inspirar-lhes amor incondicional, agira de má-fé, forçara-os a desistir de pleitear a independência, de livrar-se do seu autoritarismo? Tal ardilosa afinidade com a plebe abafando incipientes focos de insubordinação, enquanto disfarçado de mercador obtinha informações?

Ao menos uma vez o Califa decidiu seguir as pegadas de Harum Al-Rachid. Vestido de andrajos, dirigiu-se ao centro de Bagdá. Percorrendo as vielas, julgou por momentos ter acesso às quimeras daquele estranho cotidiano. À medida, porém, que as horas iam passando sem lhe advir a aguardada sensação de felicidade, constatou que preferia os ditames provenientes do trono a ser amado pelo povo. Jamais abdicaria do menor traço de sua majestade. Aquele ancestral aventureiro não lhe servia de paradigma à frente do califado. Sua natureza desconfiada não acreditaria nas respostas que o povo lhe desse.

Após esta decisão, afastara Harum como modelo. Aquele herói que, a pretexto de repartir doses de justiça entre todos, quase estremecera os pilares do poder. Um comportamento que, após seu falecimento, dera motivos aos dois filhos, confusos ambos com o significado social de tais mensagens, de se enfrentarem pela conquista da herança, de tal combate resultando a morte de um deles.

Acastelado em seu palácio, o Califa não voltou a sonhar com Harum Al-Rachid. Cercado de regalias, admitia para si mesmo que haver pretendido ser o novo Harum não passara de um momento de incerteza, do qual emergira com o cenho franzido, cerrando passo à piedade, à condescendência inútil. Já não tinha razão para retornar às vielas malcheirosas. Nem mesmo o desejo de restaurar o ideal da juventude o faria voltar atrás. Não temia tampouco que a silhueta do ilustre ancestral o perturbasse, apontando-lhe o fracasso das ilusões.

De volta agora aos aposentos, resistia a confessar às irmãs que ali, no aconchego do lar, estava um homem vencido pela fadiga, desfalcado de esperanças.

39

Dinazarda padece. O convívio com a morte que ameaça Scherezade igualmente a atinge. Lamenta a sina da irmã, cuja arrogância induzira-a a lançar-se em defesa das jovens do reino. Busca nela sinais de arrependimento, agora que superara a fase heroica das primeiras semanas. Mas se não fora a vaidade que precipitara seu destino, por que sucumbira à tentação de enfrentar o Califa?

Percorre o jardim. Por ordem do Califa, as aleias esvaziam-se à sua passagem. Pensa em Scherezade, privada do prazer de lamber o orvalho das flores daquela manhã. Também no pai, proibido de visitar as filhas, contentando-se com as notícias que lhe chegam, nem sempre fidedignas. Imagina-o sem saber o que fazer, dividido entre o amor paternal e a função de vizir.

Apesar da frieza, o soberano é atencioso. O casamento com Scherezade, que deveria ter durado uma única noite, não lhe trouxera responsabilidade familiar.

Não se sente parte daquela grei. Contudo, oferece regalos às irmãs, não as repreende. Só abandonando a paragem rarefeita do trono, onde quase sempre se encontra, ao concentrar-se no talento expositivo de Scherezade. Fora desta circunstância, de que é responsável, mostra-se insensível ao drama das irmãs, ainda que Dinazarda o mire com a esperança de que ele se exima das inequívocas provas de sua crueldade.

O Califa subestima a mirada feminina. Suspeitara sempre que, por baixo da fina película do amor lírico atribuído às mulheres, havia uma falsa transcendência. Por trás da apregoada fragilidade feminina, de ternura tão convincente, encontrava-se uma fortaleza que tinha como mira aniquilá-lo. Convinha, pois, proteger-se da intimidade provinda da cópula airada. Para que nenhuma fêmea, a pretexto de ser cúmplice de sua alma, o golpeasse como o fizera a Sultana no passado. Ainda que, apesar de tais cautelas, permanecesse nele o dilema de conciliar esta aliança carnal, estabelecida entre ele e as mulheres, com seu espírito inóspito, desconfiado, que se nutria da imanência do poder.

Os anos acentuaram sua indolência. A experiência advinda da idade, reduzindo o impacto da realidade em seu cotidiano imperial, ajudara-o a resistir à pressão da luxúria que lhe confundira outrora a existência. Quando se perguntava se valia para as mulheres o risco de morrer em suas mãos em troca das joias e da esperança.

Quanto a Scherezade, confinada ao palácio, seu campo afetivo estreitara-se naqueles meses. Sua vida restringia-se ao Califa, à irmã e a Jasmine, enquanto a figura do pai ia esmaecendo lentamente. Como resultado de tal precariedade, ela adere às incertezas que o próprio soberano engendra. Concede aos seus personagens um coração tão oscilante quanto o do soberano. E, submersos eles na mesma aflição que ela, obriga-os a conhecer o medo que ronda os mortais. Mas ainda que repudie o Califa, não exorbita ao julgar a matéria que corrói o emaranhado interior da alma daquele homem.

Escrava de uma morte programada, aguarda que o Califa lhe recorde a cada aurora que, conquanto possa matá-la, preserva-lhe a vida por breves horas, para ameaçá-la de novo no futuro imediato. Ressente-se deste jogo e aprende a odiá-lo. O que dizer a este sucessor do Profeta, faltoso poeta do sarcasmo, que dispensa subterfúgios e metáforas quando trata de sua vida e de sua morte?

Sobram-lhe horas para pensar. O jardim visto da janela, por onde Dinazarda passeia nestes instantes, é um consolo incrustado na linha do horizonte. Uma paisagem que logo abandona em troca da experiência de mergulhar em seu peito. Para Scherezade, coabitar o próprio corpo ao longo de uma jornada torna-se uma espécie de paixão.

Bem reconhece o perigo da empreitada de fazer ao Califa revelações precedidas de intensa curiosidade.

Cada relato deve corresponder às expectativas que tem o soberano da arte de narrar. Sobretudo porque, ao escutá-la, ele desobriga-se de também falar. Se não fora assim, não tivesse ele esses contos há muito aquecidos em seu imaginário, como iria o Califa dar guarida ao material que Scherezade vem desenrolando do seu novelo de lã?

Ao contrário da irmã, Dinazarda, afeita a dar ordens, provê os demais com as instruções que o Califa lhe confiara. Sujeita às atribulações do palácio real, renova diariamente sua fé nos milagres, nas preces a Alah, a quem encaminha pedidos. Mais que tudo, conta com o caráter encantatório das histórias da irmã para dobrar o coração insensível do Califa e subverter as suas noções punitivas.

Menos dotada que Scherezade, Dinazarda dispõe agora na sacola do corpo pedaços de histórias que Jasmine lhe vem trazendo, como resultado de suas frequentes idas ao mercado. De onde a escrava retorna reiterando seus votos de confiança no talento do derviche, cujo nome ignora. Um homem que não se comove com suas visitas e nega-lhe, reticente, o desfecho dos relatos que lhe transmite, e isto a despeito das moedas que Jasmine deixa tombar fartamente no prato de lata.

Conhecedora da ingratidão alheia, Dinazarda aceita que o derviche repudie as moedas que ela lhe fornece por meio da escrava. Usa de certa ironia para observar a tática com que o miserável, segundo Jasmine, ameaça esvaziar o arsenal de suas histórias. Sobretudo quando este derviche, querendo infligir-lhe castigo, confessa à escrava ser aquela história, que ora lhe inventa, a penúltima de seu repertório. Ameaças que, mesmo de longe, não impressionam Dinazarda. As reservas de pedaços soltos e sem nexo de histórias, que ela e Jasmine acumularam naquelas semanas, seriam suficientes. Scherezade saberia, graças ao seu verbo desabrido, triturar estes fragmentos, fazendo-os desaparecer em suas tripas.

Alheia à conspiração reinante que Dinazarda encabeça, a imaginação de Scherezade reivindica o patrimônio forjado por Bagdá desde a sua fundação. As ovelhas do seu rebanho, tangidas ali mesmo, em torno do leito, são a razão de seu ser. Por conta destes filhos aventureiros do Profeta, que são seus personagens, ela recarrega a máquina de narrar de segunda-feira a domingo, sem qualquer folga. E para que não decresça o interesse do Califa, implanta no enigmático homem um vício que o impede de libertar-se da volúpia de ouvir seus contos.

40

À medida que a noite avança, Scherezade empilha o legado das suas histórias, sob o olhar transtornado de Jasmine, que venera as estrelas ao alcance da vista.

A filha do Vizir descerra para um Califa fatigado o tapete de trama suntuosa, cujos nós e pontas lhe chegam da psique coletiva do povo que ele governa. De uma fonte originária do cruzamento de culturas nômades que atravessam o deserto, as tundras, o espaço geográfico. Enquanto ela lhe fala, desfila o saber de uma gente que, a cada mudança, leva às costas, como um fardo, a tenda, a religião, a fabulação.

Fora Fátima quem lhe afirmara que, se quisesse um dia contar uma história de forma que todos falassem por seu intermédio, incorporasse a cada palavra o timbre coral, só assim tornando visível o que a tradição requer dela. Ao infundir-lhe Fátima tal desconfiança, pleiteara que, para dar sentido à própria vida, se submetesse à consciência do povo.

Algumas vezes ao dia Scherezade cruza os aposentos em todas as direções. Nestas caminhadas, em que intensifica os passos, ela fantasia que viaja a Samarra, convencida de haver deixado ali, de certa feita, o seu coração. Uma viagem da qual retorna forçada pelos clamores de Bagdá, que sussurra e vocifera noite e dia.

Levada por Dinazarda à janela, Scherezade apoia-se no parapeito, inspecionando o horizonte. Com a ponta das unhas deixa na poeira do beiral uma inscrição de difícil leitura. Um pó do deserto, ou da mesquita de cúpulas douradas, vindo diretamente a ela, e que passara despercebido à limpeza das escravas.

Também Jasmine incorpora-se a este tipo de passeio. As jovens deslocam-se pelos espaços relativamente exíguos dos aposentos, de comum acordo provando o gosto das terras exóticas que Scherezade lhes vai descrevendo. À cauda, ela, do cortejo, formam todas, com curvas idênticas, um único corpo feminino. Mas quem fala, balbucia, murmura, é a voz de Scherezade, que celebra o amor do povo árabe pelo deserto. Um querer tão intenso que lhe motivara a prática de conviver com o efêmero, matéria fugaz prestes a esmaecer ao anoitecer. Uma lição que também lhes transmite o valor provisório da vida, preciosa nas circunstâncias presentes.

Ao longo das horas, as cenas se revezam sem maiores rupturas. Até a visita do soberano, que, após o sexo e a ablução, acomoda-se no coxim. Com desenvoltura ele troca os prazeres da cópula pelas histórias, sorvendo a tisana quente na expectativa de que os heróis de Scherezade imprimam certas incertezas ao seu cotidiano. Tudo, enfim, que a jovem lhe reserva às noites para atiçar o fogo da imaginação. Alheio ao fato de Jasmine, após visitar o mercado naquela tarde, entregar a Dinazarda as frases que o derviche lhe havia ditado. Algumas frases, largas e eloquentes, citavam um mendigo que, a caminho de Mosul, longe de Bagdá, convencera-se de encontrar, à entrada da cidade, um tesouro portador de esperança para a humanidade. Tal enredo, repleto de pormenores, interrompido pelo derviche antes mesmo do desfecho, de nada valendo Jasmine insistir que o levasse a termo. Mas, de tudo que Jasmine ouvira, a história do derviche era contrária à de Scherezade, que na véspera, por coincidência, abordara o mesmo tema. Isto é, sobre um príncipe que, disfarçado de plebeu, havendo jurado jamais retornar aos privilégios de sua classe, tem a má fortuna de apaixonar-se por uma princesa de Karbala, diante de quem esconde uma condição social à qual renunciara por razões morais, sem direito agora de cobrar a felicidade a ser-lhe regalada pela jovem.

O relato do derviche, transmitido a Dinazarda em árabe dialetal, e com foro de verdade, surgira certamente dos habitantes de Bagdá, adeptos de desenlaces dramáticos e amorosos. Uma história a ser levada ao conhecimento de Scherezade, que prontamente se credenciaria à sua lavra, caso fosse de seu interesse. Dinazarda dispunha-se a ceder à irmã estas porções com mérito suficiente para chamar-lhe a atenção.

Acomodado sobre o tapete em posição de lótus, o Califa usava túnica branca feita de algodão egípcio, que lhe dava ar jovial e servia igualmente para esconder alguma ereção involuntária. Aspira a brisa daquele janeiro e inicia sua oração. Alivia-o pensar que já se desincumbira no passado da obrigação de peregrinar a Meca, podendo permanecer no palácio, a cumprir, com boa-fé, os preceitos impostos pelo Corão, ainda que lhe custasse jogar-se ao chão cinco vezes ao dia para orar a Alah, em direção à cidade santa. Mas, havendo sua autoridade se originado de Deus, submetia-se com humildade a Alah e a Maomé, seu mensageiro. E guardava irrestrita reverência ao livro santo, que lhe fora revelado, e cuja base legislativa, tanto em questão moral quanto de costumes, reforçava seu poder temporal. Fora alguns pecados, que não fazia falta mencionar, o Califa ditava editos, cobrava subordinação, segundo o comando do Profeta.

Durante a preleção, Scherezade ergue-se algumas vezes, como se a cada movimento impulsionasse o relato da princesa que, transformada em pedra, causara profunda comoção no reino do seu pai. E enquanto lhes fala do episódio considerado de mau augúrio para os súditos daquela princesa, Scherezade, temendo que os ouvintes a desertassem, mede-lhes a aflição. Apesar de dominar os detalhes da história, avança morosa, pejada de dúvidas, como se a mente não a suprisse com a mercadoria necessária. Simula que tal lentidão se deve ao cuidado em fixar no cérebro do Califa as coordenadas de uma trama complexa de antemão.

Conquanto Scherezade não titubeie, sua palidez repentina inquieta Dinazarda, que a vê praticamente marchando em direção ao cadafalso, sem meios de ajudá-la. Mas logo, em total reversão, seu rosto ilumina-se de repente, advindo-lhe uma felicidade arrebatadora, como se a perfeição, intangível e distante, afinal estivesse ao seu alcance. E tudo por pressentir que, por milagre, avançara no caminho da sua arte. As palavras agora, ao falar da princesa enfeitiçada por uma bruxa, fluíam-lhe com tal oleosidade que lhe vinha a certeza, provinda desta ventura, de haver por fim acertado. A memória, ainda que premida pela abundância, não lhe falhara, deixara simplesmente tombar ao chão o que sobrava na história da princesa.

Após semelhante feito, Scherezade se retrai, não se permite iludir com uma satisfação que não lhe é costumeira. Pois convinha desconfiar das forças do mal que ludibriam as criaturas por meio da vaidade. Mestra ou não do seu ofício, não devia saciar a curiosidade do amo. Antes dividir as ações narrativas com parcimônia, atrasar o desenlace, até o instante de atar com nó cego o coração do Califa ao que lhe vinha contando. Só mediante tais cuidados poderia solicitar horas mais de vida.

41

A música que vem de longe impulsiona Scherezade a misturar os vivos com os seres que inventa à noite. A oferecer-lhes o som do alaúde vencendo as paredes do palácio só para alcançá-la.

Ela consome seus dias com as outras mulheres em mútua vigilância. Para vencer o tédio, recorre às intrigas dos cortesãos que, roídos pela inveja, destruíam quem se aproximasse do poder. Alguns deles chegando ao extremo de catar migalhas de pão que o Califa deixava tombar no piso, com o propósito de impedir que aqueles serviçais fora do círculo do poder ascendessem à vista do soberano.

Estas vilezas cortesãs despertavam a curiosidade de Scherezade. Contadas por Fátima, elas tinham muito a ver com as aventuras engendradas em torno dos abássidas. Aquela ama que ao pretender embrenhar a pupila pela obscuridade humana não hesitara, para isto, em citar a fonte de onde procediam algumas daquelas urdiduras sinistras.

As jovens se entreolham. Encerradas nos aposentos reais, a monotonia da tarde sufoca-as. Mas para que elas saboreiem certos episódios em torno dos abássidas, Scherezade vai esmiuçando as intimidades desta grei imperial. Assume ao mesmo tempo a condição masculina e feminina com o intuito de compreender a dimensão desses seres imortais. Pensa desta forma compensar suas companheiras pelas agruras sofridas nos limites daqueles aposentos, de onde vislumbram na parede a sombra do cadafalso.

Tem muito a contar-lhes. A pretexto destas reminiscências, evoca a maledicência tão generalizada entre os cortesãos, de que viviam apartadas por ordem expressa do soberano. Hesita, no entanto, por onde começar, tomada pela emoção que lhe desperta o alaúde, refinado instrumento de seis cordas duplas, cujo som, extraído pela pena de uma águia abatida a flecha por impiedoso caçador, vem-lhe do corredor. Um lamento musical originário de inusitada forma de pera estranhamente próxima ao dorso feminino que a fizera chorar e sorrir desde a infância.

Tensa com o lento avanço da conversa, Dinazarda urge que a irmã se apresse, antes de o Califa chegar. Pendente dos recursos da memória, Scherezade abstém-se desta preocupação, concentrada agora no alaúde, que florescera tanto na corte quanto no deserto, à medida que o islamismo deitara raízes no solo árabe. E que, por conta de sua caixa acústica, gerava sentimentos doloridos, tornando-se presença obrigatória nas récitas poéticas, como ocorria com frequência entre os beduínos. Havendo o instrumento musical alcançado a perfeição justo à época dos abássidas, que se cercavam dos melhores músicos do califado. Sobretudo no reinado de Harum Al-Rachid, que contou com o talento de Zeriab a seu serviço.

Sob o mandato de sua imaginação nômade, Scherezade fingia acompanhar os acordes do alaúde, enquanto o instrumento singrava as encapeladas águas do Índico, navegava indistintamente pelos rios Tigre e Eufrates, de visita às aldeias, até estabelecer-se em Bagdá, onde Zeriab crescera dedilhando suas cordas. Vindo de família de músicos, ele cerrava os olhos em pleno transporte amoroso, concentrado em extrair do som uma apenada tristeza, como sinalizando que há muito ausentara-se do convívio humano. A musicalidade deste homem, no entanto, ao ultrapassar os muros do palácio, vencendo os recantos da cidade, ia ao fulcro das mesquitas e dos casebres, suscitando, à sua passagem, expressões de fervor. Tendo ele a profunda convicção de que a linguagem da sua música endereçava-se a Alah.

Qualquer mortal, ao ouvi-lo, sucumbia à emoção. O próprio califa Harum Al-Rachid, em conflito com seus sentimentos, designara o músico panaceia de todos os males. Tal entusiasmo despertando ciúmes sobretudo em Ishag-al-Mawsili, músico oficial da corte que, tomado de descontrolada inveja em face do crescente sucesso do discípulo, jurou silenciar o artista que lhe fazia sombra e ameaçava sua posição junto ao califa. Atuando com rapidez, pensou primeiro em matá-lo, mas não encontrando forma de fazê-lo sem as suspeitas recaírem sobre ele, considerou a melhor solução intrigá-lo com o soberano, anular sua influência, preparar caminho para seu banimento.

Ishag sabia como Harum Al-Rachid, apesar do aparente espírito altruísta e aventureiro, reagia confrontado com questões vitais, como quando infligiu morte impiedosa a Musa al Kazin, grande líder religioso. E o quanto comprazia-se em estimular a animosidade entre os filhos Amim e Ma-mun, sem prever que, após sua morte, desta disputa resultaria guerra mortal entre os irmãos, com a vitória final de Ma-mun.

Contando com a fraqueza moral do califa, Isha-g-al-Mawsili atuou com tal sagacidade e insídia que Harum, cedendo à maledicência do mestre da corte, decretou a desgraça de Zeriab. Apanhado de surpresa, o músico tornou-se incapaz de articular sua defesa frente a uma pena que o expulsava dos domínios do califa, proibido de pôr os pés na terra onde nascera e sua música prosperara.

Zeriab sucumbiu à dor. Imerso em lamúrias, percorria Bagdá sem rumo, a despedir-se da paisagem amada. Com olhos dilatados, piscando sem parar, ia arquivando cada detalhe em torno, com o temor de esquecer o repertório de sua vida, e sem o consolo ao menos de repor no futuro outro bem em seu lugar.

Descontrolado, chorava nas vielas, à beira das sacadas, de onde contemplava o crepúsculo dourado à hora da reza, o coração prestes a arrebentar, segundo garantia Scherezade ao relatar suas desventuras. Solidária com o artista, ela dera volta à ampulheta do tempo para retornar à época de Harum Al-Rachid e presenciar a lenta agonia que abatera o músico antes de partir para o desterro, levando escassos pertences, vendo-o dar os últimos passos em Bagdá, enquanto desfazia-se do mundo que lhe motivara viver. Um cenário sem o qual ele mal saberia dar nome a qualquer outra realidade que viria a viver em outras terras.

Dinazarda sofria igualmente pela arte de um homem que, além de haver dominado os recursos melódicos do seu instrumento, aplicara-se em gerar em quem o ouvisse estados de espírito alterados, uma escala crescente de paixão e de desafogo emocional. Lastimava que as palavras de Scherezade descrevendo-o não pudessem ser ouvidas por Zeriab, que, concentrado em obedecer à ordem de abandonar Bagdá, estava prestes a dirigir-se a Al-Andaluz, do outro lado do mar, onde os árabes, no afã de expandir poder e cultura, haviam recém se instalado. E conquanto tivesse ele no mapa do coração o projeto de atracar no califado de Córdoba, sob o regime dos omeyas, duvidava da possibilidade de fazer ali sua arte crescer.

Magoado com a traição do seu mestre, tudo a que podia agora aspirar era contrariar os malefícios da sorte e esperar que as novas terras, onde iria aportar, lhe ficassem devendo, no futuro, um sistema musical impregnado de elementos persas, gregos e árabes. Uma perícia musical a ser alvo de consulta obrigatória para as composições da época.

Zeriab tentava enxergar o porvir por meio da tênue fumaça do sândalo que queimava em sua sala enquanto ia meditando. Longe de prever que se encontrava na iminência de influenciar os fundamentos da música a grassar às margens do Mediterrâneo, prestes a causar impacto nos centros andaluzes sob forte influência sufi. De modo que, a partir da matriz do seu alaúde, viria se construir um discurso musical tendo o amor como tema dominante. Mas como poderia ele então adivinhar que, no futuro, teria como cúmplice um bando de poetas que, perambulando por terras ensolaradas, subindo à região de ervas perfumadas, dedilhariam, à sua maneira, as cordas de um instrumento parecido ao seu, enquanto viriam a seduzir os ouvidos das castelãs com o canto da sua poesia. Sem que estes vagabundos do amor cortesão reconhecessem o débito contraído com a música de Zeriab.

Dinazarda pede que a irmã lhes fale da armadilha diabólica preparada por Ishag-al-Mawsili, que, antes de capitular à inveja, decerto terá amado seu discípulo Zeriab. Mas sem deixar Scherezade falar, ela própria enfileirava suposições sobre o destino final do artista no continente bárbaro, onde os árabes começavam a criar incipiente império.

Scherezade surpreendia-se com a irmã tão afetada pelo episódio. Infelizmente, não tinha como detalhar as circunstâncias prévias à partida do artista. Exceto que, para cumprir o prazo concedido pelo califa, Zeriab incorporara-se às pressas à primeira caravana a sair de Bagdá. Encetando uma travessia que o deixou praticamente à beira do mundo andaluz, após cruzar o Egito, a Líbia, Tunísia, Marrocos.

Crescido contemplando a imensidão do deserto antes de viver em Bagdá, a vista do mar, mediando dois continentes, representou um bálsamo para o luto de Zeriab. O mistério azul, sob a forma de vagas, ondas, marés indo e vindo, ajudava-o a abandonar o lar. À beira do Mediterrâneo, que lhe trazia suave brisa, ele inventava-se a si mesmo com a argila do medo e da esperança.

Scherezade descreve o músico com toques dramáticos. Familiarizada com o universo das viagens, atribui-lhe percalços, encontros, ameaças, o temor de não chegar vivo a Al Andaluz. E que, após subir à frágil embarcação para realizar a travessia marítima relativamente breve, desembarcou no litoral cujas dunas recordavam-lhe o deserto, compreendendo em seguida a razão de os primeiros árabes se aventurarem por aquelas terras ardentes com a intenção de ali permanecer.

Golpeado pela emoção do exílio, a voz enrouqueceu. O timbre, como que amarfanhado, inspirou-o a ajustar o canto que lhe saía agora da garganta ao seu alaúde. Voz e cordas, ao entoarem juntas um canto profundo que expelia gritos lancinantes, arranhavam a garganta, obrigando-o a alongar sílabas, a prolongar no peito as notas musicais até que se quebrassem. Tal esforço, na aparência daninho à voz, produzindo, no entanto, efeito de surpreendente emoção.

Zeriab ganhou súbito alento com esta vereda musical surgida da nostalgia que sentia de Bagdá. E que, fundada na ameaça de a música e o timbre se paralisarem no ar em súbita oxidação, como que lhe garantia haver encontrado em Al-Andaluz novo ideal de beleza.

Nos aposentos ainda, Dinazarda pede que lhe revele o fim de Zeriab. Se encontrara um amor de feições levantinas a recordar-lhe as noites árabes. Ou morrera ele desgraçado, sem mão amiga tomar da sua ao exalar o último suspiro. Dinazarda luta por descortinar o porvir do músico sem dar tempo à irmã de desenvolver as noções de injustiça praticadas contra Zeriab. Não a deixa dizer que o músico e ela mesma, simples contadora, pertencem a uma categoria imolada no altar da crueldade. Ou que em Bagdá, ou em Al-Andaluz, a vida, para os corações insubornáveis, sempre esteve presa por um fio.

42

O Califa distrai-se, parece ausentar-se do palácio. É difícil seguir-lhe a rota. Tem asas, que Scherezade lhe fornece. Custa a desprender-se dos lugares a que vai de visita sob o estímulo da imaginação da jovem, que lhe dá lições diárias.

De volta à realidade dos aposentos, revigorado pela experiência humana, ele crava na filha do Vizir o espinho da indiferença. Para que, sob o terror da possível morte, ela não se acomode, mantenha acesas a emoção e a curiosidade que lhe cobra.

A impertinência do soberano é constante, mas Scherezade não retruca. Sob a cerrada barba do Califa, que alberga segredos cruéis, ela registra a destreza com que lhe arranha a alma. As unhas do soberano, longas e abauladas, trazem manchas de sangue. Sem alterar a fisionomia, ele mastiga as tâmaras com vagar deliberado, prenúncio de tormentas. E enquanto expulsa com a ponta da língua os caroços da boca, retém o prato colado ao peito.

Scherezade esquiva-se de observar como ele apazigua a fome. Aos seus gestos mesquinhos, cevados no abuso do poder, ela revida com as histórias. Como dizendo-lhe que não pode intimidar quem se imola a cada dia pelo próximo, coloca voluntariamente a cabeça no cepo para dar gosto ao verdugo.

Sua vingança consiste em abrir-lhe a gaveta da imaginação e estabelecer no soberano o caos narrativo. Depositar neste homem enredos paralelos e circulares, alguns iniciados em Bagdá, outros encerrados em Cingapura. Histórias de que não se livra e menos ainda esquece. Para que só respire por meio de um filtro que apura o ar com a ajuda de palavras voluptuosas, provenientes da fantasia. E, não sendo assim, o que mais poderia este soberano pretender, além da morte, sempre que arria do trono e pousa os pés sobre as franjas arrugadas do tapete herdado do avô?

Scherezade contém a indignação. Faz-lhe falta seguir sustentando o emaranhado verbal com o mistério ao qual introduz o Califa. Bem sabe que qualquer urdidura apresentada depende da fé do ouvinte. E não está em condições de dispensar a confiança cega ou a credulidade do Califa, de Dinazarda e de Jasmine nas artimanhas do seu ofício. Sem a adesão deles, de nada valeria forçar que os interstícios, por onde as histórias passam, se dilatem a ponto de introduzir neles aqueles ingredientes indispensáveis à elucidação da matéria criada ao sabor dos seus impulsos.

Esta sua inteligência, que se renova ao crepúsculo, deve prover Scherezade de persistência. Graças à qual, sob o efeito da invasão de tantas variantes, cercada de sargaços, quase a soçobrar, tudo nela de repente se ordena. Como se os próprios personagens assumissem o comando da ação.

Na condição de ouvinte, Dinazarda não vê a hora de o Califa despedir-se, em direção ao trono, para cobrir Scherezade de oferendas, como recompensa por seu esforço em emergir da vastidão das palavras e salvar-se. E expressar à irmã sua admiração como se as duas estivessem no bazar, livre dos embaraços da corte, e saudasse ela a Scherezade, ali mesmo, com os mesmos fios verbais com que ela bordara à tarde, no bastidor da memória, sua história noturna.

Desde a infância, Scherezade habituara-se a repetir em voz alta trechos de qualquer história. Com o propósito, talvez, de suavizar os ruídos guturais do idioma, em permanente choque entre si, e isto enquanto ia coletando palavras que a humanidade fora juntando a esmo. Desta forma, sonhando transformar o que nascera imperfeito, fazia crescer imagens que o uso poético e a emoção, advindas deste ato, consagravam.

Sempre que se sentia desorientada Scherezade recorria à lembrança de Fátima. Fora com a ama que aprendera o sentido da aventura. Ao percorrerem às escondidas os esconderijos do palácio do Vizir, habilitara-se a outros voos. Era comum, acomodadas placidamente em torno da fonte do pátio, apaziguadas pela queda da água, se exercitarem na arte da fuga. Quando, simulando haverem abandonado o palácio, já a caminho de Samarcanda, agradeciam a brisa vinda do Eufrates à vista das palmeiras fecundadas pelo vento. Certas de regressarem um dia à casa com um carregamento de histórias inusitadas.

Fátima garantira-lhe que nascera com o raconto no coração. Mas que, para obter bons resultados, devia colher cegamente o que fosse. Só perdendo a trilha de um enredo por ato de vontade ou como resultado de imprevisível infidelidade ao ofício. Já não quisesse seguir vivendo.

Os olhos de Fátima brilharam de novo após o choro. Mas não devia Scherezade preocupar-se com suas inquietações, pois era seu talento tão genuíno que facilmente forçaria o tabernáculo alheio, a pretexto de extorquir o que lhe fizesse falta. Pronta a elucidar o que soçobrara no mar de tantas ideias.

Apesar da diferença de idade entre Fátima e a filha do Vizir, ambas faziam juras de visitarem o mundo em uma caravana disposta a tomar o rumo ditado pelos sonhos daquelas mulheres. Em tal peregrinação, enquanto Scherezade atentaria aos relatos, Fátima a guiaria pelos labirintos da terra.

Scherezade sofria com sua ausência. Buscava-lhe a sombra em cada recanto e responsabilizava o pai por sua perda. Anos antes, ainda na casa do pai, o

Vizir, condoído da crescente dificuldade de Fátima em caminhar, pelas dores provenientes da perna ultimamente inchada, ofereceu-lhe condições régias para aposentar-se, incluindo o presente de uma casa. Não queria Fátima, a quem tanto devia, enredada em afazeres, desamparada.

A proposta do pai indignara Scherezade. Como ousava privá-la da companhia de Fátima, com ela desde o nascimento, quando em seus planos via-se ao seu lado até a morte. Só moderou a reação ante a certeza de a ama recusar-se a abandonar Scherezade, a quem considerava filha. Para sua surpresa, Fátima aceitara sem vacilar as condições do Vizir. Afinal, nunca tivera uma casa onde cozinhar, preparar o lume, ordenhar a cabra, consolar-se com fantasias que, em todos aqueles anos, produzira em benefício de Scherezade.

Ao despedir-se, Fátima não quis dizer onde iria morar. Só adiantando que seria longe de Bagdá, em meio a ovelhas e camelos, vizinha de uma tribo dada a contar histórias que lhe recordariam Scherezade. Ainda que insistissem sobre seu paradeiro, só a ela confidenciara o roteiro de sua vida. Detalhara-lhe o que fazer para chegar à pequena casa, com a esperança de um dia ficar com ela o tempo que quisesse. A ninguém amara tanto quanto a Scherezade.

Scherezade chorara nas semanas seguintes. Até acostumar-se a captar os sinais que Fátima lhe emitia de longe, com o intuito de ajudá-la. A voz, às vezes, chega-lhe límpida, outras, sussurrante, nunca lhe faltando o eco de seu amor à menção do seu nome.

Sentada agora à beira do coxim, com Jasmine a friccionar-lhe os pés, Scherezade zela pelo novo dia ganho. Em certas tardes duvida se terá ânimo de seguir frequentando o leito de Califa, de sujeitar-se a seus caprichos. Quando se pergunta por que narra, hesita na resposta, e não lhe importa. Sabe apenas, até o momento, que narra com o intuito de afugentar a sombra das futuras vítimas do vingativo Califa projetada na plataforma, onde o cadafalso destaca-se, imponente.

43

As noites dos amantes decorrem nos aposentos do palácio, uma edificação próxima à mesquita. Nesta geografia, onde ambos encenam a vida e a morte, o Califa aparenta conciliar o coito apressado com as aventuras descritas pela jovem. Enquanto o dever erótico, aliado ao entretenimento, não interfere no que Scherezade diz.

Ao terminar, porém, os afazeres do reino, o Califa em geral inquieta-se, sente-se atingido por um ato de dimensão moral que o força a ir ao encontro da filha do Vizir, só por lhe haver poupado a vida naquela manhã. A retornar a este lar provisório com o intuito de ouvir relatos e repetir no leito, até que lhe fraqueje a virilidade, o sexo da véspera.

Assim, a conjugação das palavras da jovem com o desejo carnal, longe de alegrá-lo, arranca o Califa das amarras da realidade. Cria nele tal expectativa que, ao final das audiências, o devolve às histórias de

Scherezade, cujo epílogo aspira a conhecer. Vive um cotidiano que, cumprido à risca, vai estabelecendo entre eles o tácito reconhecimento de ser Scherezade a esposa cuja vida ele preserva a cada manhã, e com quem cumpre os rituais do matrimônio.

Não lhe é fácil contrariar o desígnio que traçou em seguida à traição da Sultana. Dói ao Califa desrespeitar a sentença de morte que paira sobre cada jovem, e que tem como origem uma proclamação divulgada por todo o reino, cujo caráter sinistro aterroriza, ainda hoje, os pais de qualquer donzela sob o risco de imolação pública.

Scherezade fora a primeira a interromper a sequência das execuções, quando o Califa, a despeito de o verdugo esperá-lo à entrada dos aposentos, sentia-se impedido de cumprir o preceito da lei, sempre no mesmo horário frustrando o carrasco, cada vez que lhe negava a vítima para o sacrifício. Impondo-lhe uma súbita inatividade, que levava o verdugo ao desespero enquanto o fazia pensar se fora a felicidade conjugal responsável pelo descumprimento da lei que o próprio Califa promulgara.

Também os acólitos estranhavam a espécie de amor por Scherezade, que fazia o Califa relegar suas favoritas à mais triste sorte. Pois desde a vinda da filha do Vizir ele já não convocava as mulheres ao leito real, motivando que se aventassem inúmeras hipóteses para o fato, nenhuma ao final convincente. De nada valendo, frente ao seu pesado silêncio, que insinuassem ao Califa a conveniência de retornar ao harém.

Corpulento, de nariz adunco, o soberano cedera ao fascínio da jovem. Praticamente abandonara o alforje do poder em troca da fantasia. E, igual a qualquer criatura do povo, aspirava a ser outro que não ele, usurpar a identidade alheia por meio do ardil da ilusão. Quem sabe preencher a própria solidão roubando a aparência de um personagem de Scherezade. Fundir a realidade do reino com as histórias da jovem, convicto agora de que, mediante a fabulação, alargaria a vida.

Sem abandonar o palácio ou renunciar às regalias do trono, ele assumira por minutos a figura de Simbad, exaustivamente explorada por Scherezade, vivendo em troca deliciosas aventuras. Em nome do marinheiro, o Califa conhecia de perto as astúcias do emérito mentiroso, a quem o destino reservara toda classe de peripécias. Uma burla através da qual seu gozo multiplica-se.

Ao ser Simbad, ainda que por instantes, decide por iniciativa própria atribuir ao marinheiro uma parceira indu, de nome Shiva, que Scherezade não previra. Logo disputando com esta mulher, recém-inventada, o direito de reverter as ambivalências do marinheiro sem medir o quanto um ato como aquele poderia afetar o andamento da história de Scherezade. Um artifício com o qual também ele pretendia abonar-se com provisória sabedoria.

Magoada com tal ingerência, Scherezade nega-se a prosseguir, alegando súbita afonia. Ao cessar de enredar o Califa com sua trama, interrompendo consequentemente o traslado do Califa para reinos onde sua régia humanidade jamais estivera, Scherezade confiava que semelhante manobra surtiria efeito.

A verdade é que o Califa vinha se desligando da administração do califado para viver em função da jovem. A ponto de os cortesãos, em surdina, se indagarem como o Califa, após a morte da Sultana, consumia as noites com Scherezade. Logo ele que, naquela ocasião, acentuara seu desprezo pelas mulheres, julgadas responsáveis pelo seu escombro afetivo, e calafetara as gretas do coração, para nada ali brotar e vicejar. Considerando, pois, este mundo tão ilusório, por que então expor-se ele a tanta sorte de perigo? Não estaria este excesso de fantasia, fornecida por Scherezade, afetando-o seriamente?

O Califa sofria de intenso dilema. Só porque tentara impor a Scherezade um personagem de sua lavra, até então inexistente, pensando fomentar a fabulação erótica da jovem, corria o risco agora de transformar a contadora em alguém à beira de prevaricar em seus propósitos narrativos. Ou mesmo silenciar-se, de tal decisão advindo sua morte, afinal, nas mãos do carrasco. Com o agravante, ainda, de Scherezade privá-lo de um prazer jamais experimentado anteriormente.

Fora, sem dúvida, açodado ao inventar Shiva com a intenção de buscar sinais concretos de sua imaginação.

Sombreara o talento de Scherezade levado talvez por inveja. Mas, neste caso, estaria esta sua fantasia ocupando o lugar reservado até hoje à crueldade?

Temera sempre ações descontroladas. De alterar-se a ponto de repartir, de repente, as joias da coroa entre os mendigos, de distribuir atos de clemência aos criminosos de Bagdá, e tudo a pretexto de falsa bondade. Não lhe convinha levantar o cerco erguido para protegê-lo dos súditos e dos inimigos, ou de quem quer que quisesse apossar-se à força de sua alma. Nenhuma outra ameaça parecia-lhe, no entanto, tão grave quanto o rosto de Scherezade obscurecido pelo mistério da imaginação.

Scherezade não o perde de vista, interpretando os sulcos daquela alma. Aprendera a dar lustre à máscara do Califa, fixa no rosto, acrescentando e subtraindo palavras nem sempre na ordem desejada, mas com a intenção de desestabilizar o reino daquele soberano. Há muito ambos travavam uma batalha. Só que naquele dia, de tanto sofrer suas constantes ameaças, diverte-se em observar o embaraço do Califa. Mas, não o querendo marginalizar em relação a Dinazarda e Jasmine, mitiga a discórdia entre eles dissimulando o que sabe a seu respeito. Para disfarçar, agradece a Dinazarda as tâmaras sumarentas trazidas ao soberano.

Seguindo este movimento de solidariedade, também Jasmine ocupa-se do Califa. Falta agora que ele comande o início dos relatos. Mas o soberano não demonstra pressa, aparenta cansaço. E embora ele pudesse estar na iminência de morrer, nem assim, à guisa de despedida, saúda o talento feminino, suspende a sentença que ora pesa sobre Scherezade.

O embate entre estas personalidades exaure Dinazarda, provoca-lhe lágrimas. Ela quer sumir no horizonte montada no tapete voador de Aladim. Mas se recompõe graças ao enredo que, já aos primeiros minutos, apresenta tal encanto que é impossível abdicar das sequências seguintes. Instintivamente cerra os olhos, indo ao encalço dos personagens. Sob a pertinácia do verbo fraterno, Dinazarda é introduzida a Harum Al-Rachid, disfarçado de mercador que, tendo em mira atraí-la, cola-se ao seu corpo.

Enquanto Scherezade prossegue, Dinazarda suspeita das intenções de Harum, que, além dela, ambiciona o amor do seu povo. Em geral, ele não admite que o defraudem. Mas, por motivos que ela não atina, ao caminharem os dois pela medina, sente pelo califa apátrida um desejo maldito e obscuro. Resiste, contudo, ao fantasma que porta a auréola do pecado e a faz estremecer. E quando Scherezade interrompe a história ao clarear o dia, Dinazarda repousa pensando no abássida. Nas horas subsequentes, luta por conjurar sua silhueta, mas, partícipe deste jogo, lamenta a desdita de não ter, entre os vivos, sua carne túrgida e os olhos escuros. Só que a silhueta de Harum, em vez de agasalhá-la, cobre, em uma esquina do mercado, o corpo de uma estranha. No escuro, os ais da mulher, penetrada por Harum Al-Rachid, ressoam no descampado, vão além das muralhas, confundem-se com os suspiros que Dinazarda emite na calada da noite.

Scherezade insiste em golpear os ouvintes com as peripécias de sua brava gente. Adivinha o frêmito que acode à irmã enquanto descreve Harum como senhor do coração popular. E que, a despeito de ter morrido, apropria-se ainda da vulva e a faz latejar. Responsável, porém, pelo atual estado de espírito de Dinazarda, Scherezade estica-lhe as cordas dos nervos para que vibrem. Assim, obedecendo à lei da história, Harum parte ao encalço de Dinazarda. Ocupa-se dela e de outras ao mesmo tempo. Com a simples mirada, ele quer também incluir Scherezade no rol das conquistas, envolvê-la em seu círculo de fogo, ainda que a jovem, sob o despotismo de sua imaginação, concentre-se apenas em acumular recursos com que prosseguir em sua empreitada narrativa.

44

Sentado no chão, com as pernas cruzadas em posição de lótus, prescrita para a leitura do Corão, o ancião profere palavras aos passantes, atraindo-os para a sua sorte. Quase à beira da morte, ele é rijo, chama a atenção de Jasmine.

Ela não sabe o que dizer para atraí-lo. Teme que sua pele trigueira, os cabelos encaracolados ofendam o homem com lembranças amargas. Seguindo as pautas do coração, ajoelha-se no chão, ao seu lado. Em rigoroso silêncio, dispõe de tempo para ouvi-lo.

O derviche finge ignorar sua presença, mas, seguindo seu instinto apurado, demonstra conhecer a razão de sua visita. Não faz falta que o menino a seu serviço advirta-o sobre a jovem, para quem suas palavras iriam salgar e dar sabor à sua comida. O que poderia querer dele uma mulher sem liteira ou escravos, a caminhar sozinha pelo bazar?

Com gesto incisivo, insiste que ela lhe fale. Não lhe inflija um silêncio que é prerrogativa sua. Jasmine reconhece que vale capitular mediante a confissão de estar ali com o intuito de cobrar-lhe uma tarefa. Alterna mentiras e verdades até admitir, ao final, ter vindo à cata de peripécias. Carecia de ouvir aventuras que transportar para casa dentro do alforje, como pão fresco. Viera com a ilusão de escutar o que ele diria ao próprio Harum al-Rachid, caso este abássida ainda vivesse.

Jasmine elegera-o entre tantos pobres pela sua cegueira. Nota, de perto, a expressão de cupidez que invade o rosto do velho frente às suas promessas. Aquele homem ama o ouro que as histórias lhe podem trazer. A perda da inocência acrescentara-lhe certa perversão e realismo aos dotes de contador. Para aliciar-lhe, pois, o desejo, a escrava deixa tombar alguns dinares no vasilhame de latão.

O derviche sobressalta-se ao ruído das moedas tilintando, ainda que não tivesse apurado os ouvidos a tempo de saber o valor da contribuição, quantos pratos de comida aquelas moedas lhe cobririam. Ele recolhe uma moeda e a acaricia com um gozo talvez devido à sua condição de cego. Uma cegueira que lhe viera como castigo. Há muito anos, no deserto, a caminho de Samarra, apostara que poderia afastar-se da caravana sem perigo de perder-se, retornando a ela graças ao talento de farejar o caminho de volta. Sem medir as consequências do ato imprevidente, afastou-se dando risadas. Em pouco tempo, perambulando pelas areias exposto longamente ao sol, gritava pedindo socorro. Sem rumo, com crescente dificuldade de enxergar em torno, não atinava como regressar à caravana. Ao ser recuperado muito depois por uma tribo nômade, tinha perdido a visão. Os olhos, queimados, pareciam uma cratera vazia. Quando o deixaram em Bagdá, onde nunca estivera antes, imergiu na mais profunda miséria.

Interrompeu a sequência dos fatos para confessar a Jasmine que, ao descobrir-se cego, chorara, lamuriando-se. Além de ser um homem afundado na absoluta escuridão, era pobre, inculto, despojado do saber existente nos centros de estudos das urbes islâmicas.

No início, confrontado com aquela situação, pensara em matar-se. Imprecara, furioso, contra os homens, não poupando Maomé. Em total desespero, suplicou que o santo homem o dotasse de algum talento capaz de atá-lo de novo à vida. Pois, abandonado à própria sorte, um mendicante a mais entre tantos em Bagdá, custava-lhe entender o que havia por trás do castigo.

Aguardou a primeira semana para o Profeta responder-lhe. Certa manhã, ao despertar, faminto e sujo, aflorou-lhe um ânimo inusitado. De repente, surgiu de dentro dele um homem a quem Maomé, perdoando-lhe as ofensas, oferecia inesperados recursos. Como a capacidade de recuperar detalhes preciosos da realidade circundante, de traduzir enigmas antes insolúveis, de desvendar a natureza secreta dos homens e dos objetos, mesmo não os podendo enxergar, de contar histórias afastando da boca resumos tristes que, apenas iniciados, prontamente se esgotam. Enquanto uma voz dizia-lhe que escutasse sobretudo os uivos imperativos da imaginação. Daí lhe resultando a faculdade de falar por horas sem dar prova de cansaço.

Mas com que história agora cativar uma mulher que lhe pagara antes mesmo de estipular o valor do seu trabalho? Embora seu repertório se tivesse ampliado nos últimos anos, conhecia suas limitações. Frequentemente, devido à sua escassa familiaridade com a medina, evitava situar seus personagens no califado, não se atrevia a descrever a configuração urbana de Bagdá, que só conhecia por meio de descrições. Em suas histórias, os personagens percorriam apenas as quatro vias básicas, que davam acesso à urbe, a parte leste conhecida como Rusafah, navegando, ainda, até o estuário do rio Tigre.

Ao pagar-lhe bom preço, Jasmine aguardava recompensa. Premido, portanto, por uma curiosidade feminina que lhe cobrava, além de uma história, detalhes anteriores à sua cegueira, o ancião declinou-lhe sua outrora condição de oleiro. Um artesão a reclamar das privações e da argila grudada à pele, custando a sair. Desde a adolescência havendo nele uma amargura que se refletia na qualidade de seu trabalho. O que o fazia produzir potes, pratos, travessas quebrando-se a qualquer toque, a ponto de já nem conseguir vendê--los. A despeito, no entanto, de talento tão escasso, ele tinha a veleidade de riscar na superfície do barro, à guisa de expressão artística, traços da arte caligráfica, sempre com resultados finais nada tendo a ver com a arte islâmica da escritura.

Não lhe mencionara, porém, que, igual ao oleiro, seu ofício atual, de contador de histórias, obrigava-o a combinar palavras, a incrustá-las no barro da fantasia e levá-las ao forno. Em busca de figuras que, variando de peixe, cavalo, pedras preciosas a silhuetas femininas, ensejassem a criação de símbolos que, sem função aparente, representavam metáforas ou o aprimoramento de experiências místicas, como era o caso dos sufis.

A miséria do derviche leva-o a deplorar em público o seu destino. Como se, esquecido das graças recebidas, houvesse perdido a fé no Profeta que operara em seu favor. Enquanto falava, quase não se mexia. Com movimentos limitados, no afã de explorar a emoção de Jasmine, passa seguidas vezes o dorso da mão nos olhos queimados pelo sol, atraindo atenção ao centro da sua dor. Reminiscências, porém, que pareciam molestá-lo.

Atenta às comiserações do derviche, Jasmine controla a sede. Acompanha como cria um cotidiano ao qual ela deve associar-se se quer, de verdade, ouvir suas histórias. Aguarda, pois, que comece o relato. Mas logo diz-lhe que tem pressa, o marido a aguarda em casa. Homem desconfiado, que lhe cobra seguidas provas de fidelidade.

O derviche, em cujos ouvidos ainda ecoa o ruído das peças de ouro caindo no vasilhame de latão, respira fundo, na expectativa de outras moedas lhe fartarem o estômago. Começa a contar, a voz soa-lhe aguda, não é o timbre desejado. Abranda o tom, o momento requer sussurro. Seu escopo é chegar ao fim e corresponder ao pagamento que Jasmine lhe efetuara.

45

Scherezade sente-se adolescente de novo ao recordar como percorria Bagdá com as mãos manchadas de carvão, apoiada em um cajado. Simples artifício com que Fátima, esmerando-se na arte do disfarce, escondia as feições delicadas de Scherezade, as veias azuis destacadas na pele alva. Não podiam as duas correr qualquer risco.

Ao lado de Dinazarda, nos aposentos reais, ela relembra as diversas idas ao mercado, a ama arrastando-a pelas ruelas como cega, quando esbarrava contra estranhos, fingindo não saber para onde seguir. Enquanto conduzida, Scherezade ia aspirando às pressas o almíscar que avivava a glândula da gazela macho. Aqueles perfumes, oriundos da Índia, da China, de todas as partes, cujo aroma emanava das pequenas lojas que supriam Bagdá.

Ao retornar destas fugas, cada qual ensejando-lhe um tipo de disfarce, Scherezade escondia-se nos aposentos para que não lhe vissem a mirada em fogo, o rosto abrasado. Jamais confessando ao pai que estivera no centro da vida e nada tinha de que se queixar. Ele não entenderia as vantagens advindas de aventurar-se por terras impregnadas de miséria e de ilusões. Cioso de sua posição na corte, não suportaria que a filha se conspurcasse com a turba, com a qual pessoalmente não se imiscuía. Em casa, com exceção de Fátima, tratava todos com distância, esquivando-se de trocar olhar com os escravos, temeroso, talvez, de lhe inspirarem piedade.

À beira da fonte, cujo jorro de água ia-lhe salpicando o rosto, Scherezade, ao lado de Fátima, revivia o mercado de Bagdá, cenário real das histórias que fabulava. Naquele agrupamento humano, entrecruzado de línguas, dialetos, imprecações, expressões privadas, havia uma algaravia infernal e um cheiro perturbador. Uma turbulência, graças à qual ia tocando o coração da arte de inventar, enquanto renunciava à própria alma em troca das demais.

Ainda no berço, Fátima tocava-lhe a pele convertendo o mero gesto em suave carícia. Ansiosa por conceder-lhe no futuro porções de vida tão estimulantes que a própria mãe, embora zelosa da filha, cedia a Fátima pedaços de Scherezade, como prevendo a morte prematura, anunciada pela brisa a desmanchar-lhe o penteado e o sorriso ao mesmo tempo.

Fátima herdara Scherezade em seguida à morte da mãe. A partir desta orfandade, a ama ajudara-a a sonhar mediante a oferta de uma terra povoada de seres que, através da intriga, expressavam a sordidez do cotidiano. Ora falando-lhe de opulento príncipe que se tornara frio assassino, ora de um maltratado vendedor de lamparina que, a despeito da pobreza, fornecia à amante delícias provindas do amor.

Nas idas à medina, internando-se pelas vielas, Scherezade temia que, a qualquer lapso, as mercadorias das barracas se evaporassem e, como castigo, fosse ela conduzida a um palácio arejado pela brisa do mal, onde lhe diriam que não passava a realidade do bazar de mera ilusão.

Fátima não a perdia de vista. Trazia-a a si evitando cedê-la totalmente à força centrífuga da fantasia, que se tornara sua via de acesso ao real. Ligada a Scherezade como se a houvesse parido, Fátima praticamente atava-a a uma corda presa à cintura, municiando-a com ingredientes que lhe alargassem o território das suas histórias.

Pulsava na menina uma avidez invejável. Cada visita sua ao bazar correspondia a cruzar o deserto montada na corcova de um camelo com o qual ela ia conhecendo grutas em que o cristal reverberava, como parte de uma gloriosa mentira. Solidária com as carências de Scherezade, Fátima traduzia-lhe o que até então estivera distante da sua compreensão.

Sozinhas as duas, ela sussurrava palavras revestidas de significado desconhecido, que constituíam verdadeira carta de alforria. Pois o que de fato tinha peso para as duas pertencia ao âmbito da emoção e da lágrima.

Destemida, Fátima enfrentava os tentáculos do Vizir que se estendiam por Bagdá, bem podendo alcançá-las a qualquer descuido. Sua vida, no entanto, só ganhava sentido a serviço de Scherezade. Nunca vira antes uma criatura lançar chamas pelo olhar e pela boca, e que, mediante este dom, confirmasse existir alhures um universo ao alcance da fabulação. Sob o impulso de tal fervor, morreria por ela. Valia seguir para o cadafalso, se fosse este o preço a pagar pela sua felicidade. Era natural, pois, que na trajetória de semelhante talento houvesse um lastro de sangue, alguém imolado, para Scherezade poder empinar a vela do barco da imaginação com que cruzar o oceano.

A partir desta sucessão de visitas ao mercado, Scherezade descobria que, a despeito de sua nobreza, ela emergira do povo agrupado nos labirintos de Bagdá. Tinha em mente tal genealogia a fim de não perder de vista as histórias que começava a agrupar. Não registrava, definitivamente, distância entre a sua grei e a gente andarilha e anônima que lhe ia povoando o espírito. Todos a compraziam, exibindo em sua carnalidade igual dose de delírio.

46

Scherezade aspira a vencer o Califa, quebrar-lhe a vontade e retornar a salvo à casa do pai. Contemplar as flores dos jardins que resistiram à mudança de estação, aguardando a sua volta.

Os azulejos em torno das janelas refrescam o ambiente e lhe servem de espelho. Olhando-se através das manchas foscas da superfície esmaltada, como que se vê na liteira conduzida pelos escravos, cruzando os portais da propriedade real, indo ao encontro do pai. No devaneio, Dinazarda senta-se ao seu lado, ambas aflitas para chegarem à fonte do pátio de casa. Em seus sonhos, Dinazarda rege os detalhes práticos, ordena que a liteira, sob a vigilância da guarda do Califa, siga até o mercado, onde tudo arfa sem cuidados, antes de prosseguirem. Compensa os sofrimentos recentes de Scherezade fazendo-a visitar o território dos artesãos, escribas, juízes, inspetores de polícia, adivinhadores, barbeiros, mendigos, vendedores de essência, charlatães, onde viviam todos em pé de igualdade.

Também Jasmine, incluída em seu projeto onírico, ampara Scherezade, retém-lhe a mão esquerda. A liteira move-se devagar, dando tempo à jovem de engendrar aventuras. Na neblina do devaneio, a figura da escrava avulta-se. Para onde for, Scherezade pensa levá-la consigo. Jamais a deixaria no palácio, entregue à voracidade do Califa como um pertence de que ele se desincumbe desatento. Em prol de sua alforria se empenharia em argumentar pessoalmente com o Califa, implorando-lhe, se preciso, que lhe cedesse a escrava como forma de pagamento pelas histórias com as quais o entretivera. Paga, aliás, merecida, pelo seu prolongado exílio no palácio a servi-lo. E não é certo que seus racontos valiam dinares, ouro, esmeraldas? Em caso de o soberano duvidar, indagasse a um potentado estrangeiro o quanto estaria disposto a pagar por ela. Era natural que cobrasse por um ser mortal, como Jasmine, após regalá-lo com seus personagens imortais. Não aceitaria que Jasmine sofresse de novo a dor da separação, a perda dos seres que amava. Como esquivar-se do olhar da escrava que, como ninguém, dominava a arte da súplica?

Na sua imaginação a liteira pousa na praça. Scherezade afasta ligeiramente a cortina, acompanhar pela fresta o desfile da paisagem humana na praça sangra-lhe o coração. O torvelinho ecoa dentro da liteira, devolve-lhe os sentidos, apura-os. Junto aos mercadores, suplicantes, vagabundos, de volta ao lar da alma que é Bagdá, ela preenche os vazios interiores com os recursos ao seu alcance.

Nos aposentos do Califa, Dinazarda desvia a mirada da irmã, respeita-lhe a ausência. A imaginação de Scherezade dá-lhe seguidos pretextos para evaporar-se dali, deixando o corpo atrás. Mesmo sonhando, absorve os latidos imperceptíveis de certo peito vizinho que passa rente à liteira, e indaga-se se tem contorno de fêmea ou macho? Aspira à produção das suas genitálias que emitem surdos sinais.

Confinada ao palácio, Scherezade recebe no rosto a brisa, que se converte logo em chuva. As manifestações da natureza eriçam-lhe a condição humana, ensejam-lhe a criação de outras realidades contraditórias. Sobram-lhe horas ainda para sonhar. Assim, outros devaneios a levam a abandonar a liteira a pretexto de rever o tumultuado horizonte urbano. Ao pisar o chão de Bagdá, que escalda, tudo lhe parece fugaz. O excesso da sua fantasia, que é quase um vício, despoja-a dos trajes de princesa e lhe dá em troca a luxúria dos passantes. Mas já não quer que olhares anônimos, em meio aos sonhos, perturbem sua feminilidade, penetrem em seu sexo sem medir as consequências deste abraço mortal.

Nos aposentos de novo, constata que cada falso regresso ao palácio do pai, ou à medina, serve-lhe para experimentar formas de existência que a extenuam. Sucumbida a tanta carga, exige a alma de volta. Ao mesmo tempo, a despeito das desilusões provenientes destes exercícios, opera-se nela o milagre de estar em tantos lugares sem afastar-se do palácio do Califa. Valia, pois, prosseguir com estas fabulações ocasionais, das quais saía com o coração lanhado. E viajar outra vez, agora com Fátima, se aceitasse deixar seu refúgio secreto. Neste caso, ambas escolheriam o mesmo desfiladeiro em que o gênio da garrafa cedera ao seu libertador o poder de lhe fazer três pedidos. Após esta e outras incumbências, Fátima e ela repousariam em uma tenda com a propriedade específica de fazê-las felizes, segundo lhes fora anunciado.

Mas seria razoável que, apesar de viver sob o domínio do Califa, discorresse sobre a história humana sem ao menos deslocar-se até os lugares onde o tapete mágico a fosse levando? Afinal, onde mais lhe faltava ir sem a sensação de já haver ali estado anteriormente?

47

Scherezade aprende a sobreviver. As regras da vida não estão escritas. Cabe-lhe inventá-las a cada aurora.

Tem-lhe sido útil conviver com o Califa, que fizera da política de dissimulação um alforje, uma espada, uma adaga. Absorve o seu silêncio, as irradiações da mirada cruel, raramente alterada pela ternura, a fazer um juízo do mundo. Para abrandar o soberano, removê-lo do centro do seu império interior, serão necessários anos de empenho, de uma batalha quase inútil.

Enquanto o Califa visita-lhe o corpo com enfado crescente, Scherezade abstrai-se. Nada interrompe os ditames do seu relato. Confia em sua arte, que se tem mostrado superior aos folguedos da carne. No caso deles, a pugna entre relato e luxúria perde sentido.

Sempre contara histórias de forma ininterrupta. Sua índole obsessiva, que não arrefecia, roubava o sono de Fátima a pretexto de acrescentar o que ficara faltando na véspera. Uma inclinação que não lhe dá trégua, mas sustenta-lhe a coragem. Pois obriga-a a inventar um palco sobre o qual seus personagens, nascidos da ilusão, pisam firmes. Quase criaturas reais, eles levam nomes indicando quem são e como se comportam. Assim, não se surpreende que a criada de Ali Babá, recém-introduzida ao soberano, atue com firmeza em defesa do ingênuo patrão. E que se mova com desenvoltura, frequente os corredores do palácio, comporte-se como estando a serviço do Califa. E isto pela maneira como a criada sorve o chá diretamente do copo de Dinazarda e disputa com Jasmine o naco do carneiro assado na brasa.

Scherezade não desconfia que, por conta de suas histórias, inspire seguidores, sendo Jasmine a discípula mais ferrenha. Diante do cristal lapidado, copia-lhe certas características e as reproduz diretamente na própria alma. E, na espera de um resultado feliz, a escrava inclina a cabeça, confiante de haver herdado o temperamento narrativo de Scherezade. Tendo, então, o espelho como figurante, Jasmine promete acompanhar Ali Babá em sua fuga pelo deserto. Quem melhor que ela conhece as desesperadas mazelas daquela região, com a vantagem de estar disposta a sacrificar-se por ele?

Scherezade pressente a irmã golpeada por um infortúnio cuja origem desconhece. Acaso sentia-se preterida por Jasmine, que a estava cortejando naqueles dias? Conquanto ignore seus motivos, Scherezade entende os rebuliços de um peito ferido, tentado a vociferar e ser cruel ao mesmo tempo. Os efeitos de uma dor que, reportando-se a um lamento antigo, precisa ser extirpada. Registra na irmã igualmente antagonismos afetivos sob a forma de inveja, afeto, remorso, solidariedade. Em vez, porém, de as aflições fraternas a afetarem, compreende a ambiguidade que incute insegurança à ação da história e igual tormento aos personagens.

Condoída, Scherezade busca reconciliar Dinazarda com as forças do imprevisto, que trazem alegrias, o riso franco. Seu olhar pede que a irmã lhe fale, o que pode fazer por ela? Dinazarda nota-lhe o empenho em fazê-la esquecer as vezes em que Scherezade, a pretexto de ferrar o indômito peito do Califa com a brasa das palavras amontoadas a esmo, involuntariamente ferira a ela e à própria Jasmine. Decide, então, disfarçar as mágoas, e distraí-la. É mister que Scherezade prossiga em seu ofício e ganhe a corrida contra a morte.

Aliviada pelo riso de Dinazarda, Scherezade sente--se de novo imune às pequenas tragédias. Preocupa-a agora conceder prazer aos ouvintes, adotar ritmo compatível com o volume das emoções concentradas em cada episódio. Acautela-se na escolha da frase que a impeça de precipitar o desfecho da história antes do amanhecer. Ameaçada por tal deslize, intensifica o calor das palavras, salga e adoça as circunstâncias que rendem peripécias. Com o apoio de Dinazarda, obriga os personagens, eventualmente perseguidos pela adaga assassina, a se refugiarem no interior dos barcos à beira do Tigre, embora sob o risco de serem arrastados pela corrente do rio, e tudo a pretexto de prorrogar suas histórias.

Jasmine adivinha-lhe as funções vitais em atraso. Só poderia a princesa salvar-se se o soberano considerasse imprescindíveis os seus enredos. Se a memória, despertada pela princesa, lhe rendesse contínuos benefícios. Jasmine comove-se, imagina-lhe a angústia diante da matéria ingrata e esparsa da vida, que se furta a se encapsular em modesto relato. Tem vontade de socorrê-la com água e pão, de adentrar-se por uma alma com tal adesão ao sonho.

As filhas do Vizir têm sido pródigas em fazê-la feliz. A escrava retribui provendo-as da beleza ao seu alcance. Traz da cozinha as pastilhas entremeadas de mel e que, de fina massa, empilhadas umas sobre as outras, assemelham-se às camadas narrativas de Scherezade. E tudo para merecer os elogios de que estivera carente toda a vida. Sem pensar que Dinazarda, por conta destas iniciativas, sentindo-se alijada da cena, expulsa-a com gesto autoritário, de que logo se arrepende.

Os sentimentos, contudo, que grassam oscilantes pelos aposentos, unem as jovens. Submersa nos conflitos, Dinazarda não se aventura a ajudar Scherezade com alguma história. O ato de improvisar, naquelas circunstâncias, além de penoso e solitário, tem o agravante de ser altamente dramático. A pobre irmã, à beira da morte, não sabe, de antemão, de quantas horas dispõe ainda para fortalecer sua vocação, para organizar o assunto ora em sua mente, para imprimir pausas respiratórias ao que conta ao soberano. Para prever, enfim, com engenho e folga, o desfecho de um enredo.

Instada a entender o próprio drama, Scherezade afasta-se, furta-se a admitir a Dinazarda a natureza real dos seus recursos. Sonega-lhe informações pertencentes ao mistério da sua arte. Só lhe importa agora apostar na solitária arte de narrar. Graças à qual, ao contrário da maliciosa insinuação dos cortesãos de dever ela a vida às hábeis contrações no leito, vinha fugindo do cadafalso. Longe de todos, no entanto, não registra a flor recentemente desabrochada que Jasmine fincara no vaso de opalina.

48

Scherezade sorve o chá de menta e mal toca nos biscoitos. Inquieta com as pequenas volutas da história, não desfruta os delicados caprichos que Jasmine lhe oferece.

A matéria da imaginação, que horas antes lhe parecera atraente, vista à nova luz é capenga. Esgrima, pois, de novo contra os personagens arredios que pretendem dar rumo autônomo às suas vidas, sem considerarem os interesses de Scherezade.

Generosa, ela ouve suas vozes. As batidas daqueles corações injustiçados a acusam de haver montado um panorama impreciso, destituído de encanto. Como se ela devesse responder pelas fraquezas que bordejam as almas de Simbad, Zoneida, Ali Babá, à beira da desesperança.

O duelo travado entre ela e as criaturas exacerba-se. A rebelião ocorre bem no meio da trama, quando lhe é mais penoso reparar os danos causados, ou provê-los do sentido da honra. Deflagrada esta guerra particular, Scherezade quer lhes trazer o juízo. Aumenta a voz, impõe-lhes obediência. Onde já se viu um desencontro que os apartasse para sempre? E não haviam eles nascido juntos, como siameses?

Dinazarda acompanha as desafinações daqueles insurgentes cobrando emancipação. Os problemas da irmã são-lhe visíveis, embora os ruídos provenientes de suas histórias sejam de captação difícil. Chama assim a atenção da irmã para o perigo reinante, que interrompa, por favor, o falso diálogo com os personagens. Sente-se, no entanto, confusa, pois Scherezade demonstra ser tão insubordinada quanto aquelas criaturas, em cujas mãos padece como se sentisse prazer. Como se, de tal protesto, dependesse sua capacidade de improvisar.

Dinazarda perturba-se naturalmente. Pergunta-se de que forma engendrar soluções com as sobras de um peito rebelde como o da irmã, que acata o bem e o mal como entidades conjuntas e inseparáveis? Embora as falhas de Scherezade passem despercebidas ao Califa, a ela não escapam. Afinal, é exímia em catar a poeira esquecida em um recanto do palácio. Ao prever, pois, o fracasso iminente de Scherezade, o ar lhe falta, sente-se no deserto, sofrendo do frio das noites de dezembro. Cerra os olhos, as pestanas tremulam nervosas, dificultam-lhe a visão das coisas.

Scherezade, porém, ao contrário do temor de Dinazarda, sorri. Não teme afogar-se ou pescar escombros no fundo do mar. Quantas vezes, em meio ao perigo, regressa à superfície com borbulhas na boca, mas com o vocabulário renovado. Exposta à morte, como na noite anterior, soubera, e muito bem, usar da artimanha poética para ganhar um dia a mais. Aprendera a sobreviver com os miseráveis da terra, aquele rebotalho humano de Bagdá. Com esta gente ela justifica suas decisões e abstém-se de ceder ao egoísmo do Califa, ferrenho oponente dos seus sonhos.

Dinazarda está pendente do colapso verbal de Scherezade. Receia que a irmã, apesar do fluxo contínuo de sua matriz reprodutora, renda-se, afinal, à miséria do cotidiano e esgote-se. Já não se abasteça do mistério que sorve a cada refeição, junto com o alimento. Condoída da solidão de Scherezade, Dinazarda a conduz ao leito após o banho de imersão, e que repouse, agora que o Califa lhe concedeu mais um dia.

É tal o seu esgotamento que Scherezade desfalece na cama. Sem lhe importar, naquele instante, despertar na prisão, se assim for sua punição. Horas depois, ao abrir os olhos, surpreende Dinazarda debruçada sobre ela, examinando-lhe as feições. Seu conjunto é triste e ensimesmado, arfa discreta mesmo durante o sono. Acaso Scherezade sonhou, e, neste caso, em que paragem esteve? Terá, de verdade, regressado aos aposentos reais? Ou serão tais sonhos a epopeia que cada indivíduo forja com o intuito de ganhar estatuto de herói e ser feliz?

49

Não faz falta pedir licença para ingressar no reino imprevisível de Scherezade. Na sua aprazível enseada, ela anseia por ser amada. Em meio às águas, boiam histórias inconclusas na expectativa de sua aguerrida invenção dar-lhes acabamento.

Enquanto Scherezade fala, Dinazarda receia que sua memória falhe, a língua titubeie. E que sua mirada, atraída por falsa linha do horizonte, pouse em um oásis longe de Bagdá. Os detalhes de tal viagem induzindo-a à ilusão de já não querer, como antes, prolongar seus enredos. Naquele califado, nada merecia seu esforço por prestigiar as peripécias de um passado petrificado.

A hipótese irrita Dinazarda. Com timbre rascante exige que a irmã prossiga em defesa da vida. E que, ao perseguir tal objetivo, traga à tona a singularidade que emerge de todas as coisas. Aflita com a sorte de Scherezade, abranda o tom da voz, infunde-lhe ânimo. Promete livrá-la um dia daquela prisão. Confia que sua força narrativa assombre o Califa, suscite nele encanto, dobre-lhe o espírito.

Certos dias são especialmente cruéis. Na expectativa do fatídico pronunciamento do Califa ao amanhecer, Dinazarda, às vezes, não quer mais viver. Atenta ao eco das preces que lhe chegam dos minaretes de Bagdá, dói-lhe enfrentar o veredicto. O rosto imutável do Califa, no entanto, antes de pronunciar-se aceita as abluções, o chá fervendo. É cedo ainda para cuidar do reino ou burlar das jovens. De volta aos aposentos, de que se afastara no meio da noite, ele não demonstra apreço pelos sentimentos alheios. E quando, afinal, poupa Scherezade com um piscar de olho, o Califa cede ao curso da agonia que igualmente o aprisiona.

Scherezade não se descontrola ou reage. O ato despótico do Califa nascera da compreensão universal que julga ter do reino e do direito de defesa da honra ofendida. Ela, no entanto, reage a tal vilania, recusando-se a celebrar uma vitória lograda à custa do seu pavor. Dorme com o inimigo, mas não lhe apoia os desígnios. Em revide, abrira-se para ela a temporada de caça contra o soberano. Vai em busca dos personagens arfantes, dos gênios da garrafa, que envenenem este adversário.

O esforço de Scherezade por sobreviver é comovente. Merece que a tratem como rainha, joguem-lhe pétalas por onde caminhe. Mas Dinazarda, sujeita à precariedade dos próprios sentimentos, ora lhe quer muito, ora pensa em abandoná-la à própria sina, salvar-se enquanto pode. Não vê razão de atrelar sua vida à dela. Uma falsa justiceira que, em nome da glória pessoal, lançara pai, irmã e Jasmine à fogueira da sua ambição.

Desgarra-se violentamente da irmã, não a quer olhar. Refugia-se no jardim, mas logo retorna aos aposentos, com medo de que levem Scherezade para o cadafalso e nunca mais a veja de novo. A dor pela sua eventual morte agrava-se a cada dia. Pressente que, se a memória simula esquecer os mortos, o amor, albergado no coração e sempre à espreita, a qualquer sinal açoita quem sobrevive às lembranças. Ativada por estas considerações, Dinazarda vai à janela, tem os olhos marejados. A irmã vive à borda do abismo. Percorre uma trajetória intangível, fora do seu alcance. Pergunta-se se vale a pena tentar salvá-la. Se é legítimo, de sua parte, seguir enviando Jasmine a colher relatos no mercado, onde possam eles estar. Lançar mão de recursos que a própria Scherezade repudiaria, cristalizada ela no seu conceito de vitória. Talvez devesse confessar à irmã o que vem fazendo com a ajuda de Jasmine, a supri-la com modestos racontos fornecidos pelo derviche cego.

Jasmine detecta a tensão reinante, que a inspira a aconchegar as irmãs no leito, mesmo à luz do sol, onde, à noite anterior, o desejo do Califa desabrochara. Elas cedem. Horas mais tarde, esquecidas do drama, despertam animadas. Scherezade, entre cochichos, frutos secos e sorvos do licoroso vinho de Madagascar, desenterra a trama a ser apresentada ao Califa. Sob o comando de algum personagem recém-inventado, busca soluções para as diferentes etapas do relato. Súbito confessa às jovens encontrar-se em uma encruzilhada que a obriga a definir a nova história quando mal sabe que rumo tomar, em face de tantas opções.

O medo de perder a irmã torna-se um tema vital para Dinazarda. Investida de inesperada autoridade, ela insta Scherezade a subir ao púlpito do imaginário árabe, tão fulgurante quanto as estrelas no firmamento. Esta tribuna, de conteúdo simbólico, tem metros de altura. Elaborada em madeira com belas ranhuras, ricos entalhes, de sua altitude, comparada aos minaretes, enxerga-se o universo. Onde melhor se instalar para falar aos árabes comprometidos com relatos intermináveis? E descrever à multidão o fausto das histórias povoadas de mercadores intrigantes, aventureiros oportunistas, miseráveis?

Entusiasmada com o próprio discurso, Dinazarda prossegue. Não era verdade que as criaturas desgarradas eram as preferidas de Scherezade? E que no afã de modelar-lhes os rostos tocados pela paixão, de retocar suas emoções, de evidenciar a luxúria, Scherezade ondula os braços no ar, como se a cada gesto, sucedido por outros, erigisse tendas, palácios, acelerasse a imaginação, tensa e arguta, quase desesperada?

Jasmine é diligente. Serve chá às irmãs enquanto elas debatem. Julga estar salvando a contadora de histórias. Em atitude impensada, a escrava atrai a mão da jovem à própria fronte e transmite-lhe sua febre. Consagra uma tradição tribal, assentada no deserto, vinda da mãe, da avó, de acalentar crianças, anciãos, o focinho das ovelhas, com a ternura da sua pele.

Ocupada em observar Scherezade, Dinazarda não censura o gesto da escrava. Chama a atenção, isto sim, da irmã que, açodada em compor o esboço da história, age como se fora fácil inventar, não havendo que cuidar dos acabamentos. Acaso descuida-se ela de sua arte, já não lhe importa aproveitar os detalhes que afloram do calabouço da memória? Logo Dinazarda se arrepende das críticas. Admite que, por fraqueza moral, muitas vezes avultaram nela sentimentos mesquinhos. Invejara a irmã até mesmo enquanto a admirava. Era este o conflito básico entre elas?

Jasmine afasta-se respeitosamente. Tem as pernas rijas de tanto haver vencido as dunas douradas do deserto. De volta à cozinha, cuida do repasto das irmãs com a naturalidade provinda dos bens escassos, em seguida espalha sobre as almofadas os trajes que Dinazarda selecionou para Scherezade usar à noite. Atos que, singelos, ajudam Scherezade a estabelecer correspondência entre o cotidiano da escrava e o seu, que sempre foi o de multiplicar o percurso das metáforas, única forma de exprimir realidades exóticas. Ambas as mulheres iam, assim, ao encalço da mesma perturbadora poesia, a despeito da prisão em que viviam. Servindo-lhes a aproximação do banal para formar um único bloco de carne que contivesse as amostras de suas intensas humanidades.

O relato que Scherezade ia preparando naquela tarde fugia ao molde das histórias anteriores. Por isso encontra dificuldade em prever sua duração. Embora saiba que o sucesso de qualquer um deles repousa no Califa. Quando ele, provando seu interesse, entretém-se com os fios da barba embranquecida que tece como um tapete, pressiona os lábios com o dorso da mão, enquanto devagar vai sorvendo o vinho de olhos entreabertos, como um poeta sonhador.

Nenhum conto, com duração que não excede, às vezes, uma balada executada no alaúde, pode fenecer antes do clarear. Em favor de suas pretensões, Scherezade vê-se obrigada a criar, no vazio dos enredos, truques e artimanhas. Aliás, à medida que escurece, com o Califa por chegar, ela preenche os minutos que lhe sobram com pistas falsas. E isto para não permitir que Dinazarda e Jasmine pensem ser fácil ocupar um buraco de porte desmedido, que é o tamanho de uma história, com palavras capengas e nem sempre associadas à ofuscante beleza do deserto.

Naquela noite, pronta para receber o Califa, Scherezade apresenta-se com traje de fina tessitura. Entre todas as mulheres presentes nos aposentos perdura o pacto de mútua ajuda. Aliança idêntica à que persiste entre Scherezade e a própria história, que, ao buscar a equação humana dos personagens, transporta em seu bojo o fermento da multiplicação. A ponto de qualquer enredo, tímido no início, ganhar alento a partir do acúmulo de tramas às quais Scherezade adiciona quimeras, ainda que banhadas em sangue.

Semelhante dom, flagrante em Scherezade, viera-lhe da linhagem da mãe, morta tão jovem. Da grei materna falavam-se maravilhas. Vozes familiares vindas do deserto que já pelas manhãs, após beberem o leite de cabra, soltavam a língua à força de mentiras e sonhos. Não tendo estas imprecações espontâneas, de riqueza vocabular, alvo certo. Em compensação, as preces deles, encaminhadas a Meca, enalteciam o Profeta, a natureza, de onde a carne, o trigo e o levedo procediam. Aprendera este povo a fabular o mundo. O que bem podia explicar o fato de Scherezade ir introduzindo nos relatos aquelas motivações típicas da raça nômade da qual originara-se pelo lado materno.

50

A travessia que Scherezade encetara a partir da primeira noite no palácio não lhe permite repouso. No mapa do corpo da princesa Jasmine pressente os perigos. Esfrega os músculos enrijecidos pela ação do medo, mas eles resistem aos afagos. As veias pulsam como resultado dos prodígios que saltam da boca de Scherezade sob forma de palavras e saliva.

Após forçar em vão a jovem a sentir prazer, Jasmine dirige-se à medina naquela sexta-feira, dia festivo, entremeado de orações. Da mesquita, por onde passa, chega-lhe o eco das predicações semanais, após o muezim haver convocado os crentes, do alto do minarete, a reverenciarem Alah. Como mulher e escrava, não lhe é permitido galgar as escadas da torre até a claraboia e observar a luz filtrada projetar-se nas paredes decoradas com desenhos geométricos e signos caligráficos. Ou ter acesso aos segredos de uma caligrafia que contém os versículos do Corão, as palavras reveladas por Alah ao

Profeta ao longo de duas décadas. O cenário epigráfico, base da arte árabe, fugindo da representação da figura humana, que estava proibida, traduzia desta forma os enigmas pertencentes à esfera religiosa.

Antes mesmo de chegar a Bagdá, Jasmine aspirara a copiar a escrita que utilizava caracteres angulosos para dar expressão ao pensamento. Algumas dessas caligrafias, presentes no palácio do Califa, realçavam a beleza dos salões, preservando na integridade versos de origem religiosa.

Ao atravessar o bazar, a sensação de fracasso persegue-a de repente. Teme outra vez mais, já de volta da visita ao derviche, apresentar a Dinazarda uma mensagem imprestável que, conquanto esforçara-se por memorizar, de nada servia, pois em nenhum momento ouvira saindo da boca de Scherezade qualquer referência da lavra do derviche cego. O que lhe reforça a suspeita de talvez serem inúteis, aos olhos de Dinazarda, estes relatos trazidos do mercado.

Como consequência de tal frustração, Jasmine claudica no cumprimento de sua missão. Já não recorda com precisão o que lhe tem a contar, mesmo correndo o risco de Dinazarda repreendê-la aos borbotões. Nestas horas usando ela como poucos a arte de feri-la, de apontar-lhe as falhas. Algumas vezes acusando-a de pôr a vida da irmã em perigo, sobretudo quando as porções do derviche não se encaixavam de todo nas invenções de Scherezade.

Alheia à súbita animosidade de Dinazarda a ralhar com Jasmine, Scherezade, circunscrita aos aposentos, testa os limites da sua natureza, curiosa por saber onde estará sua juventude no futuro. O que será dela então, sem rumo e sem histórias, caso o soberano lhe poupe a vida? Acaso a imagem de uma mulher convertida em cisne, tartaruga, anêmona? Bem sabe que não há piedade naquele coração. A mirada do tirano, metálica e loquaz, não lhe transfere instruções alentadoras. Adverte simplesmente a jovem da necessidade de combater sua antiga melancolia e de transformá-lo, para regozijo seu, em gênio da garrafa.

O Califa não lhe pedia senão uma existência a alcançar apenas com a sua ajuda. Uma iniciativa que, ao torná-lo audaz, suscitasse nele o desejo de incorporar-se de novo, como quando quis ser Harum Al-Rachid, à galeria dos seres integrados à mitologia popular. Desde a infância, sob o impulso do ambicioso pai, sonhara cavalgar pelo deserto, dar furioso combate aos infiéis, e, ainda, observar de perto algum piedoso homem que, em irrestrita obediência ao Corão, purgava os pecados mediante penosos sacrifícios.

Unicamente Scherezade prodigalizava-lhe palavras suntuosas, fazendo-o conhecer outras culturas, outros seres, como Salomão, construtor de magnífico templo, ou Ulisses, de sabida astúcia. Um conhecimento que ela lhe trouxera sem fazê-lo, no entanto, sucumbir às doutrinas heréticas, como os fatímidas, por exemplo.

Desprendido da cena, o Califa ordena que lhe tragam a vida na taça de vinho. Saboreia cada gota aveludada como se fora a última. Atenta ao seu comando, Scherezade não percebera que Jasmine, após o coito, envolvera-a com manta de nó rústico, vinda da Palestina. Liberada pelo soberano para iniciar seu relato, ela avança sem estar certa da salvação. Tudo no universo do Califa conspira contra o espírito de aventura que ela vem propagando. Evitando, porém, tropeçar nas pedras das palavras ao longo desta travessia, urge inventar heróis com estofo de guerreiro.

Scherezade necessita saber aonde chegar. É mister conceder às suas criaturas um estatuto que agrade ao soberano. Podem eles ser heróis e vilões ao mesmo tempo, conviver com as noções precárias do bem e do mal que dilaceram Bagdá? Seguindo com suas frases, ela defronta-se com um obstáculo. Por descuido, introduzira a heroína num conflito previsto para deflagrar mais tarde. Um erro que só repararia mediante a promessa de levá-la a salvo à planície, onde os parentes apascentavam ovelhas até o crepúsculo.

Após corrigir este equívoco, Scherezade introduz aos ouvintes as combinações que regem o real e o mítico dos personagens. Submete-se ao apático e sonolento Califa que cerra os olhos. Sobre as almofadas coloridas ele quase não se mexe. Sorve o chá de hortelã com que Jasmine lhe renova o copo. A aparente indiferença do soberano assusta Dinazarda, que nota o imperceptível embaraço da irmã, sem saber como atuar para agradar ao insaciável soberano. A perguntar-se, talvez, que outra penalidade carece Scherezade de sofrer.

A sorte de Scherezade consiste em prosseguir a história, a que preço seja. Em arejar o enredo enquanto a brisa que vence as janelas em arco refresca os aposentos. Os ensinamentos de Fátima sempre previram que não havia salvação possível para as heroínas que levavam o luto à vista de todos, vítimas elas dos grilhões do afeto. Revigorada pela lembrança da ama, Scherezade enfrenta de novo o Califa que, desperto agora, fita-a atravessando-lhe as paredes da alma.

Em permanente viagem imaginária, que a transporta para longe de todos, Scherezade robustece seus personagens em perigo. Leva o Califa a acompanhá-la onde ele jamais estivera anteriormente. Assim seus ouvintes passam por Petra, reino dos cameleiros, que no passado incomodara a imaginação de certo romano amante dos mapas, de nome Plínio, o Velho. Scherezade filia os moradores dos aposentos às caravanas que, deixando Damasco, chegam ora ao sudoeste da Ásia, ora à planície da Mesopotâmia, às margens do rio Tigre, que no golfo confluía com o Eufrates, do qual distava, na área de Bagdá, uns trinta e cinco quilômetros. Até retornarem à cidade que o valente abássida Abu Jafar, conhecido também por Al-Mansur, fundara na margem ocidental do Tigre. De forma redonda, Bagdá, que ela amava tanto, era guardada por três muros concêntricos, cada qual oferecendo a quem saía e entrava as quatro portas que Al-Mansur previra indispensáveis para a comunicação com o mundo. De todas, a porta nordeste sendo a favorita, da qual partia a estrada que levava a Khurasan, após cruzar a ponte de madeira que vencia o rio. Um caminho servindo para ir ao palácio que seu herdeiro, Al- Mahdi, terminaria de construir.

Aninhados em Bagdá, à escuta, seus personagens condoíam-se da miséria reinante. Exaustos, porém, de tantas viagens que Scherezade lhes impunha, tardavam às vezes algumas horas em retornar à cena, em colaborar com o embelezamento do relato. Uma rebeldia frente à qual há que tomar providência enérgica. Magoada com semelhante ingratidão, ela pega do tapete mágico, que estende diante do soberano, e convida os ouvintes a sobrevoar Bagdá em busca dos fugitivos, até encontrar estes personagens rebeldes agachados no chão, à sua espera, lambuzados de melancia.

Seu contínuo esforço obriga-a a questionar-se quantas vidas mais ela terá para arrastar esta sua grei até o Califa? E garantir ao soberano, com eles a tiracolo, a carnalidade, o espírito jocoso, a maledicência, a intriga de seu povo? Provar-lhe como é possível misturá-los aos príncipes que, em uníssono, suspiram pelas peripécias dos miseráveis.

O Califa certifica-se de que, apesar dos transtornos promovidos pela situação amorosa em que ambos viviam, Scherezade permanece ao seu lado. A seiva da jovem circula pelas suas veias. Graças à sua voz macia, alimentara-se de seus duendes, princesas e pedintes. Embora agora distraída, como que distante dos aposentos, ele se pergunta para onde exatamente Scherezade fora, para ir ao seu encalço. Mas, por mais que se esforce, não enxerga o interior daquele coração. Vê apenas a filha do Vizir enfrentando o cutelo do poder, confiante que a lâmina a pender impiedosa sobre ela ofereça-lhe a última misericórdia.

Começa a clarear. Também Scherezade, como outros muçulmanos, vive a sua ascese. Por alguns minutos ainda distrai a morte que lhe pode vir do Califa sem aviso, a despeito de suas aventuras portentosas.

51

Cada noite é uma imolação. Como Proserpina de visita ao Hades, a prestar vassalagem a Plutão, Scherezade igualmente, serva dos deveres conjugais, viaja ao mundo subterrâneo, do qual emerge na expectativa de o Califa conceder-lhe vida aos primeiros raios do sol.

Após sorver o último gole do chá de menta que Jasmine lhe oferece, a morte iminente pousa em seu rosto com grave suavidade. As contrações na face surgem e dissolvem-se, são parte do drama em curso.

Jasmine não se aparta dela. Tem olfato apurado. Aspira o voluptuoso veneno das genitálias que há pouco copularam no leito real. Esparge essências, incenso e mirra sobre os lençóis amarfanhados. Mais tarde, escondida atrás do biombo, com a imaginação em fogo, esfrega os mamilos intumescidos. Aproveitando-se da ausência de Dinazarda, desafoga a crescente aflição lambendo as falanges como se a língua não fosse a sua.

Logo desliza a mão ao sexo, agarra os pelos negros da tarântula vizinha à vulva, da qual goteja uma gosma que a leva para dentro de si e não a expulsa, torneando suas paredes como se as estivesse escavando. Sob o impacto de ondas contínuas e de ritmo convulso, sem saber onde chegar, a escrava ganha a sensação de haver perdido o mundo onde outrora nascera, anterior ao cativeiro. Estremece, o corpo finalmente abre-se em súbita explosão.

O Califa, por sua vez, preparando-se para proferir a sentença ao amanhecer, é prisioneiro do estado narrativo. Embora rejeite a dependência que tem da jovem, é tão intensa sua ânsia de ouvi-la que não se afasta do palácio mesmo quando forçado a inspecionar o reino, que lhe cobra presença. Prova do seu apego às palavras da contadora é haver-lhe surgido em torno dos olhos pigmentações escuras, indícios de prolongada fadiga. As sobrancelhas em desordem e a barba embranquecida, refletidas no cristal, chamam-lhe a atenção. Invade-o a difusa noção de que, a partir da primeira conjunção carnal com Scherezade, e das suas intermináveis mentiras, descuidara-se da aparência, vinha sacrificando seguidas noites de sono.

Scherezade desfila diante do Califa um amontoado de misérias, associando-o à desdita dos personagens. Não registra em seu rosto qualquer reação. A postura moral de tal soberano recrudesce seu repúdio por ele. Não pode entender como, a despeito da sua crueldade, ele se lance sobre o tapete em direção a Meca para suas orações diárias, na esperança de agradar a Alah.

O Califa guarda silêncio. Resguarda-se de expor diante da jovem a novidade dos seus sentimentos. Nas últimas semanas, em perigoso precedente, deixara-se fascinar pela possibilidade de perscrutar o mistério de Scherezade, de ouvir-lhe os vagidos, de descobrir a fresta do seu espírito por onde cruzar um dia e derrotá-la para sempre.

A simples ideia de combater Scherezade mediante certos recursos alvoroça o Califa. Já não quer submeter-se ao que brota da jovem sem reagir. Por todos os motivos deve impedir que esta espécie de enamoramento por ela o desobrigue de cumprir os votos feitos após a traição da Sultana. Surpreende-se, no entanto, com a natureza de suas emoções. Herdeiro do trono por vontade de Maomé, custa-lhe livrar-se de quem se prova agora indispensável.

Sua voz ganha inflexão irritada. O feitiço de Scherezade lhe tolhe a liberdade de ir ao harém e trazer uma favorita ao leito, ora ocupado por ela. Sem perceber, havia abdicado de suas prerrogativas ao reproduzir a prática feminina de comportar-se segundo as interdições impostas pelo amo. Sua existência convertera-se em uma singularidade incômoda. Passara a integrar a ordem dos fatos inerentes a um cotidiano que, embora lhe tivesse dado o sentido da aventura, privara-o da vida de outrora. Como consequência, o ato de singrar pelo mundo verbal de Scherezade indispusera-o para ocupar-se de suas funções reais, de aceitar a vida sem desdobramentos imaginários.

Scherezade acompanha-lhe os tremores secretos. Embora mestra em uma arte cheia de meandros e subterfúgios, extenua-se em arrecadar ouro, prata, estanho e sal para ofertar-lhe. De prodigalizar-lhe uma vida que ele aparenta não ter. Ela aninha os bens do mundo na imaginação, mas já não suporta que seus haveres sejam extorquidos pelo soberano.

Acima do juízo que o Califa forme a seu respeito, não se sente tentada a repartir suas crenças e ideais íntimos com o Califa. E ultrapassar os limites impostos pela corte, por conta do poder encantatório que difunde, e com o qual se aproxima da linhagem das heroínas propensas ao sacrifício. Ao mesmo tempo, sabe que não é a única a imolar-se pelos demais. Algumas mulheres a antecederam, outras lhe seguem o exemplo. Chegara-lhe a notícia de que Polixena, dos arcaicos tempos gregos, oferecera o peito a Neoptólemo, filho do impaciente Aquiles, para o sacrifício final. Premida pelo sofrimento, a filha do rei Príamo aceitou pagar com a vida pela derrota de Troia. E embora diante do algoz tivesse designado a parte do corpo que mereceria ter a adaga como instrumento de sua execução, não lhe permitiram contrariar a tradição. E isto porque os gregos, em oposição a outros povos, vedavam que se apunhalasse a mulher no peito, na crença, talvez, de a morte não dever advir do seio, em cujas tetas a humanidade abastecera-se de leite e de afeto.

Fiel à visão helênica, que consagrara o costume de enterrar a adaga na garganta, Neoptólemo mergulhou o instrumento afiado na mulher. Havendo no gesto, de dimensão simbólica, o reconhecimento implícito de consagrar a afasia feminina. De extinguir, para sempre, aquelas palavras que deixam o lastro da sua insídia enquanto narram a história do assassino.

Como de comum acordo, Scherezade e o Califa cumprem juntos os rituais que precedem a morte. Ambos indiferentes a que o grego Homero e o latino Virgílio, por meio de respectivas visões poéticas, se colocassem em campos opostos no que dizia respeito às mulheres. Mas o que teria motivado Virgílio, em patente respeito à renúncia de Polixena e oposição ao vate Homero, a privilegiar o peito da mulher para sucumbir à fúria de Neoptólemo?

Mas enquanto Scherezade ia narrando os infortúnios dos personagens, as palavras da verdade ficcional a fortaleciam. Igual a Polixena, brotava-lhe do peito um grito que, diante da adaga na garganta, ameaçava jamais se extinguir.

52

O Califa não sabe o que sente. Mas nada receia, nutre a desesperança sem remorsos. Sob a proteção do tédio, resiste a que lhe roubem o corpo. Não considera Scherezade uma ameaça. Suspira aliviado, tendo a seu favor o recurso de enviá-la à morte. Um desígnio que vem tardando em cumprir, pois em vez de entregá-la ao verdugo e interromper a longa agonia, invariavelmente vai ao encontro da jovem.

Scherezade guarda igual cautela. Tem no rosto o sorriso turvo com que o viu partir pela manhã dos aposentos, após sua vida ser poupada. O esgar, atarraxado à face, idêntico ao do dia anterior, resguarda as emoções da jovem, que proíbe intimidades.

O Califa acomoda-se no trono, que é para ele uma cadeira comum, onde recebe os mandatários estrangeiros com as pompas devidas. Sabe-se perseguido pela maldição que recai sobre os abássidas deste califado de ser a coroa disputada por algum rancoroso herdeiro à espreita, disposto à traição. Parece-lhe natural, no entanto, que, para conquistar Bagdá, derrame-se mesmo o sangue paterno. Em meio ao turbilhão dos interesses de Estado em jogo, trazidos à sua presença pelo Vizir, o soberano pensa insistentemente nas filhas do chanceler ao seu lado. O Vizir não suspeita que o soberano, ao passar em revista a lista dos seus haveres, não conte com uma família que intitule sua, a despeito dos filhos havidos de tantas mulheres. Por isso, talvez, em momento de fraqueza, designando Scherezade e Dinazarda como espécie de família, com elas cria um vínculo que se traduz como lar.

Perturba-o, porém, a lembrança de um laço afetivo que desconsidera a dor de suas vítimas, e de que está pronto a desfazer-se sem piedade. Por outro lado, que família é aquela que não o amava por conta de sua crueldade? Com rápido discurso, o soberano transfere os afazeres administrativos para o Vizir e, sem pedir licença, abandona o salão, onde os objetos reluzem, polidos pelo sol entrante. Seguido da guarda, acelera os passos, adotando um percurso contrário ao habitual. Faz crer aos acompanhantes que pretende seguir naquela mesma tarde a um oásis próximo de Bagdá, que deixara de visitar em favor das histórias de Scherezade.

Suas pantufas douradas, obra do artesão que vivia nas dependências do palácio a seu exclusivo serviço, cintilam de longe, anunciando sua aproximação. No mármore polido, por onde escorrega, ele vê o semblante difusamente refletido. São vários homens em um só. Avança levado pela ilusão de um dia partir e esquecer o caminho de volta. Um pensamento decerto inspirado no que Scherezade lhe vinha narrando. A ele jamais ocorreria experimentar este tipo de vida ambulante. Aproxima-se da curva vizinha ao harém, uma ala de circulação proibida e que constituía, por suas formas arquitetônicas, um ardil para os desavisados.

À entrada do serralho o Califa se detém, indiferente ao alvoroço que o anúncio de sua chegada provoca entre as mulheres encerradas naquelas dependências. As favoritas que, privadas de sua companhia, temiam o futuro, o dia em que lhes fosse comunicada a morte do soberano. Na sucessão de gestos que desenvolve à porta do harém, ninguém ousa advertir o Califa da obrigação contraída com aquelas criaturas. Devia ao menos perguntar-lhes como se encontravam, saber do estado de ânimo das mulheres após penoso abandono, e prometer-lhes que em breve viria visitá-las.

A porta do harém permanecia lacrada como sinal de que, a despeito de sua ausência, elas ainda lhe pertenciam. Aquela parte do palácio, sob severa vigilância, só podia ser visitada pelo soberano, o único autorizado a locupletar-se das carnes de rara textura das mulheres que ele fora pessoalmente selecionando ao longo dos anos. Este território da fantasia masculina, herdado já na adolescência, dispensara-o da batalha da sedução, uma vez que lhe bastava indicar com o dedo que mulher o acompanharia ao leito.

Ao desviar-se do serralho, optando pelos aposentos onde Scherezade vivia, além de cometer grave delito, ferindo tradição sedimentada pelos seus pares, demonstrara descortesia com as concubinas que, muito tensas, ignoravam que destino lhes estava sendo reservado. Naqueles meses de abstinência, ele sequer enviara às favoritas obséquios ou palavras de conforto. Um recado que as fizesse ver sua intenção de experimentar nos próximos dias as delícias daqueles corpos de que há muito se privara por razões de Estado.

Não lhe teria sido difícil desculpar-se com elas, ou mencionar-lhes os afazeres. Mas, alheio ao entendimento feminino, talvez pensasse no que saberiam estas mulheres de um reino em expansão, sob frequente ameaça inimiga, e cujas fronteiras acolhiam caravanas que lhes traziam, de regiões inóspitas, as sementes do mal e da discórdia. Ideias daninhas que tinham o propósito de mortificar Bagdá, de frear a índole religiosa do povo islâmico.

Embora sendo o único homem com licença de entrar no harém, fora os castrados, não pretendia transferir ao Vizir a tarefa de transmitir às mulheres que, em certas noites solitárias, repetia os nomes de algumas delas imaginando-se tragado por suas coxas ávidas por concederem-lhe amor cego e incondicional. Não era o Vizir o homem adequado para prometer-lhes que o Califa voltaria brevemente a frequentar-lhes o leito. Uma retórica de verdade sem efeito, pois não somente privara-as de sua mensagem, como nada fizera para impedir que a comunidade palaciana divulgasse a informação de sua assiduidade junto a Scherezade. Ou falasse da diligência com que Dinazarda, por iniciativa própria, introduzira significativas mudanças na rotina da corte. Algumas das melhoras visando a beneficiar os escravos. E não se furtara a jovem ainda a reclamar aos cozinheiros reais do sabor insosso de suas comidas, criticando-lhes o descaso demonstrado pelas especiarias. Acaso não sabiam que simples pitada de qualquer erva convertia um prato insípido em iguaria inesquecível?

Inconformada com o papel que desempenhava ao lado de Scherezade, Dinazarda estabelecera para si mesma escalas progressivas, com o intuito de realçar sua vocação de comando. Tanto que ao esbarrar à entrada dos jardins reais com algum cortesão, fazia aflorar na conversa questões delicadas, só para luzir o seu conhecimento. Com habilidade deixando pendentes no ar observações a serem completadas mais tarde, logo que consultasse a irmã. Certos temas ousava desenvolver mediante consulta a Scherezade que lhe cobria eventuais lacunas. À parte certa empáfia, vinda do pai, Dinazarda discorria para o Califa sobre a perícia com que os povos do Extremo Oriente lidavam com o fogo e as panelas. Tal assunto ganhando a imediata aprovação do soberano, a ponto de ocorrer às vezes que, de tanto desfrutar das descrições culinárias, facilmente abstinha-se ele de comer nas horas seguintes, alimentado pela fantasia das receitas de Dinazarda.

O apreço do Califa pela irmã não ameaçava Scherezade. Frequentemente pensava em como retribuir o amor de Dinazarda, visível mesmo quando ambas divergiam. Reconhecia seu débito com a irmã, graças a quem lutara pela vida. Com o intuito de espairecer qualquer sentimento amargo relativo a ela, aplaudiu seu talento. Aliás, pela primeira vez notava com que sutileza Dinazarda discutia os efeitos dos aromas e a dosagem volúvel do sal e do açúcar na comida. Iniciativas, sem dúvida, que abarcavam a idiossincrasia dos outros povos.

Também Dinazarda, desde a chegada ao palácio, esforçara-se por aceitar a rebelião de Scherezade relativa a certos assuntos. Não suportava que a irmã decidisse sobre o que fosse sem consultá-la. Como se fora dona de seus atos e de seus relatos. Sempre pronta a invadir o miolo das histórias de Scherezade, o cerne dos personagens, e tudo sem lhe pedir licença.

Os desentendimentos entre as irmãs, havendo chegado ao ouvido do Califa, revelavam o grau de intriga que as jovens suscitavam entre cortesãos e escravos, devotados a semear mentiras. Uma ocorrência que levara o soberano a assombrar-se com as pequenas infâmias e entender o quanto estas maledicências serviam para desafogar mágoas e acirrar os ressentimentos familiares.

Sem dúvida, as filhas do Vizir apresentavam a mesma dose de ambiguidade dos personagens. Desvios de comportamento que, conquanto concentrados em espaço exíguo como os aposentos, exerciam sobre ele uma atração sem a qual já não saberia viver.

53

Distante das janelas em arco, o leito onde os amantes fornicam ocupa um espaço desmedido. As escravas, em fugaz intimidade, gravitam em torno. Também as filhas do Vizir, igualando-se às servidoras, participam das artimanhas que envolvem a todos com malha fina.

Ainda que repartam a mesma cama, entretidos com ligeiros jogos eróticos, o Califa e Scherezade tratam-se com deferência, jamais se descuidando do tratamento reverencial. Durante a cópula, despojam-se parcialmente dos trajes. E, a despeito da troca de mucosas dos corpos, esquivam-se de observar os pruridos que o sexo deixa no lençol de seda, como pegada amorosa. Não intercambiam miradas, o olhar de cada qual não precisa falar. Só as palavras de Scherezade sugerem os limites estabelecidos entre eles. Neste caso tocando ao soberano atuar segundo o ditame do seu falo, tido nos mercados de Bagdá como impaciente.

Até tornar-se mulher do Califa, Scherezade fora inexperiente em matéria de sexo. Ao longo de sua formação não dominara a arte do amor. E nas vezes em que incursionara pelo próprio corpo, havia gozado sem exaltação. Agora, porém, que o ventre se tornara receptáculo do esperma principesco, nem assim dava vazão ao seu instinto. Tudo nela amortecia e apagava o desejo do Califa. Seguindo, no entanto, as instruções de Dinazarda, ela abria e cerrava as pernas em torno do corpanzil do soberano, a fim de o membro real alcançar-lhe o útero. Sem tal exercício impulsionar o falo a ir ao fundo das entranhas. Mas, ao mesmo tempo que acatava a irmã, Scherezade temia que tal conduta desgostasse o soberano, ferisse o pudor circunspecto que ambos mantinham.

Dinazarda já não sabia como convencê-la da necessidade de agradar o soberano, cada vez mais reticente. Mas Scherezade, fingindo obediência ao esposo, tinha ciência de não ser a cupidez, naquela circunstância, a melhor arma para vencê-lo. Sua fabulação verbal, plena de erotismo, consagrada à libido dos seus personagens, parecia ser o suficiente para revitalizar o corpo gasto do Califa.

Ele cumpria o dever conjugal com fastio. Após haver experimentado todas as formas perversas do sexo, a paisagem do corpo feminino o vinha esgotando. Os anos abrandaram qualquer fúria interior e contentava-se simplesmente com um orgasmo rápido, sem empenho. Pouco o preocupando, naquela altura da vida, defender sua reputação de fornicador. Isto ocorrendo justo quando Scherezade, sempre esquiva, impedia-o de arrancar de sua vulva prova de deleite, ainda que ele a sentisse umedecida.

Diferente de outras mulheres que tivera no leito, ela abstinha-se do festim amoroso, demasiadamente concentrada nos seus périplos narrativos. O Califa, contudo, despreocupava-se que os quadris da jovem não se movessem ou que seu corpo custasse a sincronizar-se com o ritmo do seu falo golpeando a vulva. Atento ao prazer advindo dos relatos de Scherezade, redimiam-no aqueles personagens que o extraíam de sua obscura vida interior para modelarem nele praticamente um outro ser. De tal regozijo emergindo uma fruição que o resgatava do inferno do trono, onde não havia lugar para os devaneios, enquanto lhe ia afinando a percepção, os sentidos. Um estado de excitação como que antecipando a revelação vinda ao final de cada história, quando ele, enredando os fios da barba entre os dedos, dá mostra de gozo.

Aceita pacificamente que as irmãs permutem segredos entre elas, abusem de sua aparente tolerância. Conspirem até contra ele, querendo lançá-lo ao território movediço da luxúria, cercá-lo de neblina e miasma, das quais não se esquivasse. E acaso não deveria ser assim? Não eram sua boca e sexo tema essencial de Bagdá?

As suspeitas impressas no rosto do soberano retiram Scherezade da falsa vigília do amor, com a qual se distraíra, simulando que o orgasmo do Califa a afetara. Atenta aos perigos, Dinazarda reage, expulsa aquela farsa que pode custar a vida da irmã. Com impulso forte, introduz Scherezade ao reino das palavras, onde deve operar. Só ganhará um novo dia de presente se os seus ouvintes, afeitos aos contos, sorverem-lhe o talento, ganharem um outro sentido da vida.

54

O sol desponta nas janelas. O brilho do amanhecer projeta-se primeiro no rosto do Califa. A luz matutina encerra as aventuras narrativas de Scherezade um pouco antes de dar ênfase às partes convulsas e emocionantes de Simbad.

Sobre os coxins, resignada com a própria sorte, Scherezade aguarda o veredicto do soberano. Sonha retornar à casa do pai, borrar as lembranças das noites intermináveis, um jugo que já não suporta. O drama que se avizinha a emudece, mas logo o Califa, com simples gesto, libera-a para mais um dia.

Ereta agora, move-se pelos aposentos, contorna repetidas vezes o leito já livre dos indícios da cópula vivida sobre os lençóis. Esboça o gesto de acercar-se das janelas, de onde lançar-se e nunca mais retornar ao palácio do Califa.

Encostada no parapeito, admira a luminosidade do jardim que ostenta cores cambiantes, indiferente a que o Califa, eventualmente de volta, lhe registre a rebelião que desabrocha junto às flores. Reconhece que sua empreitada narrativa tem custo crescente, sacrifica os afazeres da cama, cenário do seu cativeiro, a serviço das palavras, tão do agrado do soberano. Mas por que haveria ele de criticar sua mestra na arte das peripécias? Com quem, senão com ela, vinha ele aprendendo o sentido da aventura, a vertigem de estar no descampado à mercê dos imprevistos?

Devia o soberano compreender a razão de falar-lhe às vezes apressada quando, a pretexto de teatralizar os relatos, agita-se, indica a longínqua linha do horizonte, tão distante deles. Gestos com função de arrancar do baú do corpo situações que convocam fantasmas, duendes, mágicos, em geral presentes entre os habitantes de Bagdá. E tudo para dar a ele e a estas criaturas vida permanente.

Ao caminhar pelos aposentos como infatigável andarilha, Scherezade atravessa cidades, desertos, mares, o Tigre eterno. Vigia feudos inimigos, edificados no passado com o propósito de atacar o povo do Islã. No papel de narradora, não lhe é alheio o destino dos que empunham armas e matam. Também eles são dotados de espinhos cravados no peito e derramam lágrimas.

De repente, apreensiva com o rumo de uma cena que tem Simbad empunhando uma arma antes do tempo previsto, Scherezade dá as costas ao Califa, ferindo o cerimonial. Um protocolo que a dinastia abássida consolidara tendo em mira a nitidez hierárquica. Ela inclina-se pedindo desculpas. Seu olhar, velado mas insistente, assegura que tal delito não é de sua lavra. Mas cometido por algum personagem educado longe da corte, a quem faltara a ocasião de ver o Califa de perto, ou mesmo frequentar as escolas de alto saber, em Bagdá, reservadas à elite. Pouco conheceria das normas que regem os súditos do califado. Mas, por favor, recordasse que este mesmo personagem, recalcitrante, de trajes modestos, tinha virtudes notáveis, sua desenvoltura sobrevivia graças à imaginação.

Com os olhos fixos nos jardins, Scherezade imagina à sua frente um tapete mágico, de cores exuberantes, cujos nós, certeiros, impediam o vento de vazá-lo. Um artefato graças ao qual ela sobrevoa as barracas dos mercadores, rouba de uma delas uma penca de uvas, para deixá-la tombar no regaço de um mendigo. Da altura em que se encontra, as minúcias da cidade agigantam-se, tudo se origina comovidamente das ações de seus habitantes.

Neste voo, surpreende, pela janela da casa de Aladim, sua mãe cozendo o pão e assando um pedaço de gordura de carneiro que empestava o ambiente. Acompanha, mais adiante, a criada de Ali a esquentar no tonel instalado no pátio o azeite com o qual pensa matar os quarenta ladrões. Apesar de convencida da justeza do seu ato, o medo perpassa-lhe o coração. Caso o projeto falhe, a criada será imediatamente sacrificada pela lâmina dos bandidos impiedosos.

Após ganhar outro dia de vida, Scherezade imagina-se em Tikrit, havendo ali chegado a tempo de acompanhar o príncipe Zaruz na iminência de abandonar sua tribo, sem ter agora para onde ir, após o pai expulsá-lo dos seus domínios. E tudo por haver contrariado o genitor que, querendo esposá-lo com uma princesa amiga, descobre, para seu desgosto, que o filho se unira a uma escrava etíope. O príncipe, confrontado com a ira do pai e a nova realidade punitiva, desespera-se. E, sem saber que paradeiro tomar, erra pelo deserto, a comer escorpiões, gafanhotos, uma tenra gazela. Uma situação de difícil acerto mesmo para Scherezade, tão ardilosa nas conclusões de suas histórias, tendo em vista a felicidade de todos.

Assim ia ela multiplicando seus devaneios, quando Dinazarda, temendo que tal imaginação de matriz insubordinada terminasse por antecipar sua sentença de morte, moderou-lhe a vertigem verbal. Insistiu que Scherezade repousasse no mesmo leito ao qual o Califa comparecia todas as noites com a intenção de matá-la, ainda que terminasse por conceder-lhe a provisória liberdade a cada alvorada.

55

O Califa não lhe facilita a vida. É parco em oferecer-lhe dádivas, fora as joias e os trajes que se acumulam pelos aposentos, mal cabendo no espaço reservado para este fim.

Jamais propõe a Scherezade, em noite em que a lua banha o palácio e incendeia os corações dos ocupantes, um passeio pelo jardim, quando, de mãos dadas, descobririam os brotos das flores atrás dos arbustos, nascidos graças aos regos por onde a água passava sem fazer ruído. Ou leva-a a conhecer, como parte do processo de enamoramento, a fonte situada no centro da vegetação. Para sua construção, o avô abássida fizera vir de longe especialistas na arte de redistribuir a água em movimento contínuo, sob a forma de esguichos vigorosos, fazendo o líquido espumante alçar alturas impensadas e tombar no chão, para erguer-se de novo e projetar-se para o alto em uma coreografia de rara beleza.

Não leva Scherezade a conhecer os tesouros reais, constituídos de peças acumuladas pelos ancestrais, zelosos em ostentar poder e fortuna. O Califa é insensível à sua reclusão, ao semblante triste, vivendo a instantaneidade das palavras que ela derrama e ele recolhe como um bem a mais da sua incomensurável fortuna. O enfado do soberano parecendo assegurar à jovem que de nada lhe serviria conhecer aquelas obras artísticas se lhe iria faltar tempo de vida para apreciá-las. Já diante do cadafalso ela lastimaria deixar para trás as noções de que o ser humano, a despeito da crueldade enraizada no coração, era também quem respondia pelo rastro da arte que o talento ia derramando.

Era bem conhecida a cautela do Califa relativa ao tesouro abássida. Temia que a cupidez de algum vizinho o motivasse a roubar as maravilhas artísticas, guardadas a sete chaves. Gostava, porém, de descrever certas peças como se estivesse na iminência de regalá-la a algum dignitário ora visitando Bagdá. Embora tais palavras, não surtindo efeito, caíssem no vácuo.

Em vez de propiciar às irmãs algum prazer ao seu alcance, o soberano mantinha Scherezade sob regime de contenção, nunca a fez rir. Ela aceitava a voz de prisão expedida diariamente como parte do sistema que lhe cabia demolir, se o quisesse vencer um dia. Uma vitória que significaria para ela abandonar o palácio, despedir-se da medina, atravessar os portões das muralhas redondas, colher um bote à beira do Tigre, sussurrar ao barqueiro o nome do local a ser levada, que não seria precisamente o seu destino final, e do qual nunca mais regressaria.

A ideia de fugir ia-se tornando uma obsessão. O próprio tema, sem razão aparente, surgia nos relatos e nas conversas tidas com Dinazarda e Jasmine. Nem uma vez, porém, manifestou disposição de deixar o palácio, ainda que sob a promessa de regressar. Como se, ao reconhecer os limites da prisão, Scherezade se conformasse, sabendo haver dentro de si um bem que Bagdá não lhe podia oferecer. Ciente ainda de o Califa não lhe poder acrescentar o que ela repudiava em seu interior, crescia nela o desejo de não voltar a vê-lo, de deixar os aposentos às escondidas, sem lhe comunicar por escrito que fora forçada a partir em busca dos sonhos há muito em atraso. De nada servindo que o Califa, em gesto impensado, se ajoelhasse em sua frente na desesperada tentativa de cancelar-lhe o projeto pessoal.

Ela aceita que o soberano possua seu corpo como se fosse o de outra mulher. Após a cópula, porém, todos os músculos se contraem, expulsam-no. Age, evitando que o Califa multiplique gestos capazes, de repente, de estimular o falo a invadir-lhe de novo a vulva. Para um gozo que a ambos desgostaria.

O soberano compraz-se igualmente em distanciar--se daquela carne. De Scherezade só lhe interessam os relatos por meio dos quais se abrasa com os miseráveis de Bagdá, estes andarilhos a quem a jovem concedera foro de verdade, acrescentado-lhes o que lhes fazia falta, de forma a cumprirem seus destinos. E enquanto ele medita sobre a intensidade deste espasmo que supera o coito, Scherezade jura jamais magoar seus personagens. Recusa-se a atribuir-lhes falsidades ideológicas, a contrariar sua maneira de ser. Simplesmente criaturas fiéis a uma natureza aventureira e complexa, e que, embora nascidas dela, não eram gente do seu sangue, cópias suas. Não podem proclamar-se filhos de Scherezade ou refletir suas ansiedades. Tanto que, se o Califa lhe perguntasse sobre seu talhe de artista na expectativa de resposta destituída de assombro, ela lhe diria ser um enigma para si mesma. Com isto significando que as atuações dos seus personagens dependem de circunstâncias nem sempre oriundas de suas próprias vísceras. Na qualidade de singela contadora de histórias, estava, isto sim, a serviço da adversidade e do inusitado que espelham a sua obscuridade e a alheia.

E enquanto lhe vai falando, confessa seu inútil esforço por imprimir ternura em Simbad, em Zoneida. Por integrá-los a um repertório que corresponda a todas as carências humanas. Mas, embora raramente cumpra estes propósitos, ali estavam Ali Babá, Aladim, sempre às ordens dela. Não para serem réplicas da filha do Vizir, mas para torná-los cintilantes aos olhos do soberano.

Seguindo a mesma linha de ponderação ora desenvolvida por Scherezade, Dinazarda espera que lhe confesse qual é o personagem favorito, o mais parecido com ela. Ao fazer-lhe tal pergunta, exprime malícia, mostra-lhe os dentes, assegura-lhe que não vale mentir. Tem certeza de que um, ao menos, repousava no pântano do seu coração negro, espesso e sem cordura, como o dos demais mortais.

Scherezade abstém-se de desvendar um mistério que, afinal, aloja-se tanto nela quanto em quem lhe pergunta. Não é cada qual responsável pelo enigma individual, lacrado para a eternidade? Dinazarda irrita-se que a irmã, após sacrificar-se por ela, furte-se a tal confissão. Porque a quer enganar, e vague agora pelos aposentos, fixando-se ora em Jasmine, ora na nesga do firmamento visto da janela.

A cor bronze de Jasmine, que ofusca os metais pousados sobre a mesa, empalidece ao anoitecer. Involuntariamente objeto de disputa entre as irmãs, ela observa, contristada, a contadora em frangalhos, a pique de quebrar os grilhões que a atam aos membros daquela estranha família encabeçada pelo Califa. Mas será tão acentuado o desgaste de Scherezade que pense em abandoná-los um dia, em fugir montada em um dos seus tapetes voadores, indiferente às consequências de um ato precipitado?

Tem desejo de opor-se a esta casta que a privara da liberdade. Sua condição de escrava credencia-a a denunciá-los. Até por sua extração miserável, e pelo saber oriundo das vozes do deserto, Jasmine sente-se revestida de mandato popular. Havendo, pois, assumido esta forma explícita de representação, apresenta-se a Scherezade como alguém apreciável nos instantes de crise.

Camuflando suas inquietações, Scherezade pede trégua aos circundantes. Emociona-se olhando Jasmine, cuja ingênua malícia procedera da mesma matriz de Ali Babá, de Zoneida, de sua grei. Identifica traços amorosos na escrava, que a segue pelos aposentos. Não quer, porém, apiedar-se de quem seja à véspera de morrer. Não tem como responder pela escrava, arrancá-la do estado servil, devolvê-la à sua tribo, hoje dispersa e amaldiçoada. Compensa-lhe o sofrimento ofertando-lhe trajes de cores transbordantes, que sirvam à sua beleza. Força-a a auscultar o próprio mistério no olho denso do espelho que se enamora de seus traços harmônicos. Ajuda-a a imprimir marcas e fendas aos sentimentos, a observar o universo sem ser vista. Para que, no futuro, tudo nela, quem sabe, ganhe uma perspectiva revolucionária.

O Califa, por sua vez, perseguido pela sombra de Scherezade, que lhe provoca o desejo de evadir-se de si mesmo, não encontra pouso no trono. Abandona de repente o salão e caminha pelas dependências do palácio, evitando os jardins. Não quer defrontar-se com o cadafalso que domina a paisagem. Ao chegar ele aos aposentos, Scherezade assusta-se, não com seu aspecto melancólico, mas com a sucessão das próprias ideias que a presença do soberano suscita. Ela indaga-se, seguidamente, como se submetera a um homem que, a despeito de nobre estirpe, assemelhava-se a um reles sicário? Afogada com o fluxo das palavras, quer saber que direito ela própria tem de orientar Jasmine, se aceitara sem reagir que o soberano lhe arrancasse pedaços da alma?

Sabe-se precária. Seu corpo corre riscos ao enfrentar o poder do Califa. Fortalece-a pensar que, a despeito de alguns dos enredos lhe serem emprestados por anônimos de Bagdá, a maioria origina-se de seus rasgos pessoais, guardam em seu bojo traços da família da mãe, de dinastia mais fecunda que a do pai. Quantas vezes, sem saber para onde ir no futuro caso sobreviva, ela simula montar um brioso cavalo árabe de trote lento. Sua estratégia é ganhar tempo e enternecer o empedernido Califa, fazê-lo suspender a maldição lançada sobre as jovens do reino, e só então fugir.

Os caprichos do soberano a sufocam. É-lhe cada vez mais penoso pautar a duração da história sob a ameaça de a alvorada surgir sem aviso. Não é livre para marcar os minutos, uma vez que o tempo é fugaz e tenso. De nada vale arbitrar sobre o rumo da história se o Califa não apreender o que lhe narra. Uma autoria que ele lhe outorga sem qualquer senso de cortesia, e sempre na expectativa de condená-la ao martírio. Atenta, no entanto, ao inimigo, encarnado no Califa, pulsa nela de novo a paixão que a verga, mas lhe concede medo e esplendor simultâneos.

56

O Califa convive com Dinazarda, guardiã de sua intimidade conjugal, sem considerá-la adversária. Não a acusa de formar com a irmã uma aliança tendo em mira dominá-lo. Em nenhum momento ameaçou-a de torná-la sua mulher em seguida à morte de Scherezade. Não obstante, mesmo sem haver considerado esta hipótese, aprendera com a contadora de histórias que a realidade era imprevisível.

Preocupado, porém, em evitar conflitos nos aposentos, que podiam, de repente, estender-se a outras áreas do palácio, o Califa não lhe expressava contrariedades ou fazia-lhe confidências. Seus desencantos, conquanto guardados para si, apareciam no rosto.

Reconhecia que, dentro das circunstâncias, Dinazarda era-lhe útil. Seu zelo, por exemplo, em cuidar daquela ala reservada para as jovens, como movia-se fingindo que ele não entregara aquele recanto do palácio a seus cuidados. Parecia ela tão à vontade com o universo em torno que o Califa já cogitava de aproveitá-la junto ao pai, um auxiliar a mais entre tantos, no meio dos quais ele ia infiltrando discórdia, em obediência à antiga tradição abássida. Há muito, aliás, vinha detectando no Vizir acentuada fadiga. Devida, talvez, ao excesso de trabalho, a uma rotina administrativa sem maiores compensações. O Vizir envelhecera, sem dúvida, nos últimos meses, devido certamente à filha caçula, ora sua esposa provisória. A ponto de o Califa contabilizar que rugas no Vizir se deviam ao drama da filha.

Em Dinazarda admirava, além de outras virtudes, sua discrição. Ao seu primeiro gesto em direção ao leito, a primogênita do Vizir refugia-se por trás do biombo. Um procedimento que não lhe fora imposto, pois a ele pouco importava que os escravos, ou as favoritas, o vissem fornicando. Apreciava simplesmente quem fosse capaz de sacrificar a curiosidade pela moderação.

Nos poucos minutos que o soberano lhe concede para falar, Dinazarda realça aspectos do relato de Scherezade que ele talvez não tivesse notado na noite anterior. Minúcias que escapam em meio à abundância. Quando se surpreendia ele que uma trama de aparência assim singela pudesse encerrar alusões só desvendadas a partir de tais considerações.

Entre sustos e apreensões, aprendia que estes relatos, embora de origem popular, no que dizia respeito a Scherezade, só tinham razão de ser se ele os aprovasse.

Se a jovem, de fato, o introduzisse a mistérios que julgara, até aquela data, rigorosamente inexistentes.

Tal percepção de mundo, que recém lhe aflorara, traduzia-lhe com impensada virulência a natureza dual existente nele e em cada história. Via existir em certos elementos narrativos uma feroz oposição entre si, correspondendo, na prática dos homens de Bagdá e do deserto, à batalha do bem e do mal que nenhum muçulmano se isentava de travar em seu interior.

Andava pelas dependências do palácio misturando os problemas do califado com aqueles suscitados pelos relatos de Scherezade. E parecia-lhe haver, em uns e outros, uma falsa dissidência, e isto porque, ao falar necessariamente da administração do Estado, terminava mencionando os homens que se incluem dentro de qualquer história.

O Califa suspeita existir no subsolo daqueles contos um patamar secreto, só atingível por meio de sua rendição incondicional. Isto é, à medida que abdicasse de sua incredulidade, ganharia condições de atacar Scherezade na raiz mesma de sua invenção. Afinal, tudo que a persistente voz feminina lhe exigia, em troca do tanto que lhe era regalado, era aderir aos famintos de Bagdá, sem lhe formular perguntas ingratas. Sobretudo que se deixasse levar pelo magnetismo do arrieiro que cruzava as ruelas de Bagdá comprando lamparinas velhas.

Sob forma de estribilho, as palavras de Scherezade, ouvidas à noite, o perseguem até o trono. Junto com o que lhe diz o Vizir em defesa do reino, elas formam um aluvião ao qual ele se associa com a ilusão de desembaraçar-se prontamente daquela perseguição. De livrar-se de uma certa grandeza incômoda, a competir com a sua, uma vez que ele nutria a expectativa de um dia narrar também.

Tal projeto, no entanto, parecia-lhe longínquo, dado lhe faltar com os súditos uma integração capaz de garantir ao ato mesmo de criar o êxtase equivalente à cópula. Uma emoção sem a qual nenhuma verdade narrativa subsistia. Aliás, até conhecer Scherezade, jamais formulara estas ideias. Desconhecera que para admitir a veracidade de um personagem tornava-se mister aceitar a vida do mais modesto dos seus vassalos. Havia que trafegar, entre seguidos tropeços, pelo sigiloso labirinto do pensamento do seu povo. Como reinar se não lhes notara a cor dos olhos?

O Califa pressente o perigo. À medida que se questiona, suas respostas contradizem o que defende como governante. A excursão pela arte, da parte de Scherezade, ao mesmo tempo que fazia emergir maravilhas de cada sentença, tornava-o vulnerável, fragilizava seu reino. Como que o expunha a revelar, ainda que sob forma de relato, a alma que carregava às escondidas.

Os indícios da velhice se acentuavam. Não bastando o corpo negligenciar as ofertas que a riqueza proporciona, a exuberante inventiva de Scherezade realçava as carências existentes em sua formação. Desde que ela viera viver ao seu lado, passara a desconfiar de seu projeto humano. De não haver exercido, em todos aqueles anos à frente do reino, uma certa bondade ditada pelo coração, que surpreendia no olhar da jovem, na sua maneira de expor as histórias. Jamais ele agradecera a quem fosse os regalos depositados à beira do trono. Como se a consciência que guardava de sua alta estirpe, tão forte nele, o dispensasse de atenções com o outro. Ou de cumprir mínimas formalidades que cimentam as relações entre as criaturas. E tudo por considerar que seus súditos lhe deviam suas pobres vidas. E não era certo que podia exigi-las de volta através de simples decreto?

O pai abássida fora implacável no trato pessoal. Para ele, a lógica de um soberano pautava-se segundo os interesses do trono. A norma do poder, pois, impedia-os de se sujeitarem aos estatutos que regem o amor e a gratidão. Os sentimentos caseiros, nutridos na cozinha e na cama, pertenciam ao povo, capaz de odiar, roubar, matar, e ainda de abraçar-se efusivo, arrependido, em meio às lágrimas.

De certa feita, aproveitando-se da ausência do Vizir, alguns conselheiros emitiram juízos desfavoráveis a Dinazarda. Velada censura devida à influência que ela exercia sobre a esposa do soberano, sem falar na sua ingerência em áreas longe da sua competência.

Comentários que surpreenderam o Califa. O que podia haver de grave em melhorar as condições da vida palaciana, negligenciada pelos áulicos indolentes? Aliás, observara ultimamente a benfazeja influência de mão amiga nos detalhes do cotidiano. Só agora vindo a saber que tais benefícios se deviam a Dinazarda, que jamais lhe mencionara o assunto. Uma modéstia falando, sem dúvida, a seu favor.

Ainda na casa do pai, Dinazarda manifestara gosto em comandar. O olhar de lince percorria a esmo os recantos da casa com o intuito de diagnosticar os males. No início o Vizir tentara podar-lhe a vocação, até finalmente aceitar que praticasse na propriedade paterna o que aspirava a fazer no futuro em um palácio real.

O Califa reagiu à insídia. Acometido pelo súbito desejo de fazer justiça, determinou que Dinazarda, a partir daquela audiência, se encarregasse de certas tarefas administrativas. Como consequência desta cilada armada contra ela, Dinazarda, investida agora de poder, ia acumulando, por onde seguia, provas de descaso, de desvios de verbas, de atos que depauperavam o erário público, provocando o aumento dos impostos. Mas, conquanto defendesse o tesouro real, acautelava-se nas investigações, temendo ação que comprometesse o próprio pai.

Envolvida com tantas tarefas, Dinazarda esquecera-se nos últimos dias de dar atenção ao soberano, enquanto ele escutava Scherezade. Dando motivos, assim, que o temperamento sombrio do soberano, sensível a qualquer variação, viesse à tona. Daí acometendo-o a sensação de haver se equivocado em ceder tanto poder às duas irmãs. Parecendo-lhe que o encanto lúdico, antes presente nas filhas do Vizir, estivesse a ponto de esvanecer. O fato coincidindo com a descoberta de haver se descuidado, em todos aqueles anos, de observar e interpretar o universo feminino.

Desde a infância, o Califa deixara sem registro as marcas de um cotidiano que as mulheres foram forjando em sua vida e que lhe surgia agora, subitamente, revestido de um caráter sagrado, merecedor de celebração. Graças às filhas do Vizir e à escrava Jasmine, ia ele decifrando devagar os risos destituídos de sentido que surpreendia a qualquer hora do dia nas mulheres. Uma espécie de alegria que lhes permitia colocar à margem uma realidade cujos fundamentos dramáticos feriam seu corpo e sua dignidade.

Contrário a seus hábitos, o Califa aproxima-se da janela. Os jardins traziam-lhe à memória o avô que transmitira intransigência ao filho, que, por sua vez, não poupara o seu herdeiro. Uma cadeia de poder que afugentara traços da ternura encontrada nas favoritas e nas filhas do Vizir. Pela primeira vez o Califa admitia para si mesmo já não prescindir da fortaleza moral advinda daquelas mulheres. Ou da arguta montagem tão natural naquela espécie.

Naqueles dias calorentos, que lhe devolviam suor e incertezas, o soberano parecia resignar-se a que simples fêmeas, presas aos aposentos, lhe guiassem os passos, ditassem regras. E que Scherezade, a pretexto de suas histórias, lhe drenasse a energia, o submetesse a um custo facilmente evitado se tivesse ele, desde o princípio, ido à medina, travestido de Harum Al-Rachid.

O Califa vinha nos últimos tempos, estranhamente, confundindo o timbre de Dinazarda com o de Scherezade. Mal distinguia, senão até a quarta ou quinta frase, quem lhe estava contando a história. O que dava margem a Scherezade, enredada com a trama urdida pela imaginação, de surpreender-se com o desprendimento de Dinazarda, que, talentosa em tudo, jamais lhe cobrara em público a parceria de seus relatos. Afinal, desde a chegada ao palácio, aquela outra filha do Vizir, ao seu lado, galgara diariamente os degraus da escada que a levava ao ara do sacrifício sem reclamar ou apunhalá-la pelas costas. Só por esta razão Scherezade tinha ganas de chorar e fugir do palácio.

57

Scherezade assume alternadamente papéis femininos e masculinos. Sente-se à vontade em descrever o falo e a vulva. As genitálias dos seres não a incomodam. Seu corpo absorve em igual intensidade as proporções de cada qual. Lateja, pulsa, incha, cresce, endurece, segundo a anatomia que representa nos seus relatos. Quando se cansa de ser homem, esquecida do que é ser mulher na corte de Bagdá, sente desprezo por uma humanidade imersa na sujeira e nas falsas ilusões.

Tem fôlego resistente. Descreve as peripécias de Simbad sem a voz manifestar cansaço. Tudo faz para compatibilizar o corpo de Zoneida às aventuras que lhe atribui. E como iria extrair as asas destas criaturas tão carentes de voar? Mas para conviver com estas diversas formas de existência, aprendera a acentuar as modulações vocais, a poupar as cordas esplendidamente nacaradas, situando-as no lugar adequado, de forma que o som, emitido pelo diafragma, lhe chegue ao cérebro frações antes de ouvir o próprio timbre.

Ao longo do convívio palaciano, acentuara certos caprichos. Espremida entre o Califa, a irmã e Jasmine, cada qual lhe chupando o sangue, sua sensibilidade se depauperara, sofrera mudanças. À vista de um horizonte conflituoso, pressagia um futuro aziago. Já não suporta o confinamento em que vive. Quer incorporar-se um dia a uma caravana e distanciar-se do soberano, ir para muito longe. Antes, porém, de desaparecer por trás das dunas, irá ao bazar, na despedida recolhendo na concha das mãos os ruídos provindos dos corações pulsantes dos personagens que, não tendo outro lugar para crescer além de Bagdá, vivem igualmente em sua imaginação.

Habituara-se tanto a inventar que às vezes, para distrair-se, como se estivesse de visita a algum outro século que não o seu, adota no leito a postura que corresponde à de célebre cortesã que, em adiantado estado de tuberculose, passa a vida em revista, enquanto enfatiza haver vivido e amado muito em seus anos de vida. Uma cortesã, que Scherezade representa, cujo canto é persuasivo, embora, súbito, falte-lhe a respiração, de tanto que tosse. Mas para favorecer seu desempenho respiratório, ela senta-se na cama. Assim consegue prosseguir com suas lamúrias até que lhe faltam forças de novo, e obriga-se a terminar seu canto deitada, dando provas aos circunstantes da gravidade do seu estado.

Nesta encenação, Scherezade imagina-a nascida em Babilônia, ou mesmo Samarcanda. E não estando certa do lugar onde a mulher vira a luz pela primeira vez, recorda-se, naquela cama de tantos pecados, do muito que a cortesã fora feliz na companhia do amante em aldeia não longe dali. De onde, por sinal, o pai do noivo praticamente a expulsara a pretexto de zelar pelo patrimônio e pela honra familiares, afinal convencendo-a a renunciar ao filho. Mas enquanto ela jaz ali, moribunda, desesperada, o pai arrepende-se do sacrifício feito. Quando, para sua surpresa, sem esperar, surge o amante pressuroso em debruçar-se sobre ela aos prantos, logo seguido pela figura do pai. Ambos, porém, chegando a tempo para as derradeiras despedidas.

A história, que fora forjando diante de Dinazarda, à guisa de satisfazê-la com a intricada desgraça do outro, parece-se com a sua, ainda que não visse agora claramente os pontos convergentes. No entanto, comparando a sua sorte com a da cortesã, não saberia apontar qual seria a mais dramática.

Nem sempre a mulher, ora inventada, lhe é útil quando precisa ter a medida do tempo, que às vezes lhe falha. Ao seu lado, a ampulheta no escuro escoa a areia sem precisão. Olha, porém, as estrelas na expectativa de que lhe digam a verdade. Como querendo confiar na noção dos dias que os personagens lhe passam enquanto perambulam com desembaraço pelo céu e a terra. Também Dinazarda ausculta a noite à procura de um sinal que lhe indique a passagem das horas.

Jasmine acompanha as irmãs. Tem o relógio do sol no corpo que irradia o frio e o calor do deserto. Sua gente, vinda destas dunas, sabe como ninguém com que estrelas contar no firmamento antes de anunciar, orgulhosa, os segundos que faltam para o pôr do sol. Ou que brisa verga a chama da lamparina antecipando o alvorecer.

Scherezade inquieta-se com o andamento do relato. É mister saber com quantos minutos conta ainda para avançar com a peripécia em que ora está metida, e que, embora lhe queime as mãos, não pode deixar esfriar, sob pena de comprometer a cena seguinte. Consulta a irmã. O código entre elas, imperceptível aos demais, consiste em piscar os olhos, arranhar a superfície da testa com a unha do dedo indicador. O estranho diálogo surtindo efeito imediato, pois logo Scherezade, acelerando o que diz, força o jovem personagem, junto à amada, a apressar-se em consumar a junção carnal, uma vez que as botas dos inimigos, já próximas, rangem ameaçadoras do lado de fora do quarto. Mal dando-lhe tempo de beijar a amante antes de lançar-se da janela ao pátio, sob o risco de quebrar-se, e encetar a travessia pelo desfiladeiro, a partir da qual estaria à mercê das armadilhas do destino.

Enquanto o pesaroso amante escapa dos esbirros do sultão, Scherezade, sob a pressão do Califa, aperfeiçoa práticas de sobrevivência. A qualquer manifestação de perigo, acende-se uma fogueira em seu peito e as labaredas iluminam que trilhas seguir para não perecer. É assim que, intermediando sonho e realidade, ela vê a primeira luz do sol atingir o rosto do Califa, na expectativa de o homem, temporariamente cego pelo brilho matinal, avançar em direção ao algoz, postado atrás da porta, e decretar a sentença de vida ou de morte.

58

Na penumbra da noite, Scherezade reveste-se com o manto da incerteza. Confiaram-lhe segredos ungidos pelas mãos de um deus que perambulou pelo deserto, pelas margens estreitas do Tigre, e sente-se perdida. A visão longínqua e cinza de Bagdá não a pode salvar da escuridão.

Apesar das lamparinas acesas, a memória às vezes confunde-se, dissolve feitos, refaz personagens, abranda a ação das peripécias, substitui cenários. Cansada, cede ao sono vigiada por Dinazarda e Jasmine, que se revezam. O Califa, que adormecera ao seu lado, desperta, exigindo o prosseguimento da história. Apesar de sonolenta, ela é intrépida, refaz de imediato a teia de intrigas do relato, rompida pelo cansaço e o medo.

A noite é longa e ameaçadora. A vigília intimida seres e bestas. No seu afã de justiça, Scherezade libera Ali Babá, Zoneida, para que se pronunciem. Despovoa-os das certezas implacáveis, do temporário heroísmo. Como ser herói do próprio terror?

Nesta noite, como em todas, Scherezade deve superar-se, sondar os densos significados de Ali Babá e Zoneida, para mencionar algumas de suas criaturas, e ceder-lhes, à guisa de proteção, aquelas entidades que cada qual venera às escondidas. Enquanto Jasmine, escrava do Califa, engendrara deuses ajustados à inclemência do deserto, reverenciados por homens, camelos e lagartos, Dinazarda herdara curvaturas religiosas e o sentido do drama. O próprio Califa, simulacro do divino, recorreria, às escondidas, aos favores de um deus que o socorresse das intempéries. Quem senão o deus de cada qual se antepõe ao caos?

Na medina ou no salão do trono, cortesãos e povo se igualavam na expectativa da vinda do sol. Juntos comemoravam quimeras e a claridade do outro dia. Em algum lugar distante, talvez em Samarra, Tikrit, Mosul, ao largo do Tigre e do Eufrates, os crentes, em ardorosas rezas, lançavam-se ao chão na direção de Meca.

Ela mesma, ao invocar o Profeta, lembra-se de Fátima. O que haveria ela de dizer sabendo de sua amada Scherezade à mercê do Califa? Cala-se, contudo. Dói--lhe a ausência de Fátima, que a fizera provar do leite de uma cabra alba trazida do deserto especialmente para a recém-nascida. Não a quer presente nos aposentos nem em pensamento, apreciando uma cópula que humilha e cancela o futuro da sua pupila. Afinal, Scherezade cedera aos reclamos do Califa em prol de uma causa justa e nada tinha a reclamar. Pouco lhe importando que ele jamais alterasse a rígida sequência com que pautava o encontro fugaz de suas genitálias, ou que ambos bocejassem confiantes que a chama da lamparina não iria delatar o mútuo enfado.

Ela festeja tal desinteresse. O declínio do soberano a favorece. Enquanto ele já não é o mesmo no leito, o escoar das horas noturnas desperta-lhe o desejo de vencê-lo, de entoar loas à lua, de enaltecer a pugna empreendida pelo seu ego vilipendiado. Fortalecida com a energia que se desprende da primeira claridade, Scherezade, devagar, trama contra o Califa. Vai tecendo um estratagema que ofenda o Califa e conduza-a à liberdade.

Com quem contaria na batalha derradeira? Pensa seriamente em Jasmine, carne estuante e escrava. Acaso, estimulada pela glória, aceitaria substituí-la no leito do Califa, sem ele perceber que carne humana tem nos braços? Na penumbra, afinal, todos arfavam agônicos e famintos, igualados sob o tormento do sexo, querendo à força despojar-se das secreções da paixão.

Havia que convencer a escrava. Prometer-lhe, além da consagração terrena, as regalias do paraíso. Cobrar dela o conceito de lealdade herdado da inclemência do deserto, do convívio diário com a miséria. Queria persuadi-la, no entanto, sem imposições assassinas, e que fosse livre para rechaçar sua proposta. Mas que pesasse a conveniência de ser a favorita do Califa, caso ele aprovasse as delícias de um corpo trigueiro que roçara a areia escaldante e queimara-se. Enfeitiçado, então, por uma vulva procedente de uma região onde o sexo do soberano jamais estivera.

Naturalmente havia riscos implícitos naquele ato. Mas não quisera sempre imitar Scherezade? Tanto que, pelas manhãs, extraía-lhe o cheiro e o talento ao mesmo tempo, sem perder de vista a distração estampada no rosto da contadora. Uma expressão que semeava em todos a suspeita de há muito haver partido dos aposentos, não contassem nas próximas horas com as artimanhas do seu ofício.

Aliás, não fazia Jasmine o mesmo? Não estaria, desde agora, urdindo seu próprio relato? Para isto surpreendendo Scherezade a pisar o chão marmóreo com o andar da gazela que guarda no peito a recôndita ferocidade de certo tigre enjaulado, observado no mercado de Bagdá, enquanto Jasmine a via distanciando-se para sempre do palácio do Califa?

59

Scherezade já não suporta o grilhão que a une ao Califa sob a forma do coito. Após desistir de convocar uma das escravas para substituí-la no leito, cogita a possibilidade de trazer do harém uma favorita experiente no mister erótico para ficar no seu lugar, à revelia do soberano.

Pensa na reação de Dinazarda, sua cúmplice desde a chegada ao palácio. Não a pode manter distante da trama que nela cresce vigorosa, ocupando-lhe todos os minutos. Depois das abluções conduzidas por Jasmine, ela expõe à irmã o grau da sua angústia. A dimensão do seu drama pessoal. Aguarda que Dinazarda exija pormenores associados a esta armadilha preparada contra o Califa.

Dinazarda assusta-se sobretudo com o possível término de uma aventura que as enlaçara tão estreitamente naquele período palaciano, e que parecia imitar a felicidade. Olhando o rosto de Scherezade para não perdê-la de vista, de imediato reprova um projeto destinado a fracassar. Não confia na benevolência do Califa, caso descubra o embuste, e muito menos em sua desatenção. Fora ele educado para desconfiar dos atos humanos e reprová-los sem qualquer justificativa. Quem fosse o outro, era basicamente seu desafeto. Como, então, fazê-lo esquecer o gosto da carne da irmã, o sal que há muito vinha provando, ludibriar o paladar habituado a distinguir iguarias e fazê-lo aceitar um corpo estranho no leito apresentado a ele como sendo de Scherezade?

Apesar da irritação de Scherezade, Dinazarda censurava uma empreitada que breve se traduziria em morte. Por que, então, assumir um risco como este? Mas enquanto ia falando, a própria Dinazarda sentia fraquejarem seus argumentos, como se a proposta de Scherezade não lhe parecesse totalmente destituída de nexo, mas, ao contrário, bem podendo representar uma virada histórica em suas vidas.

Para Scherezade, as débeis ponderações da irmã ferem seus interesses. A voz, ligeiramente alteada, sobrepõe-se aos ruídos da música vinda do salão de banquete, onde o Califa entretém convidados estrangeiros. Afirma, em tom incisivo, que o soberano carece de mudança. Recentemente ele confidenciara a um nobre já não suportar a monotonia de um cotidiano cujo andamento previa sem falhar.

Egoísta, pois, como o Califa era, pouco lhe importaria quem estivesse no leito. De Scherezade só queria o pedaço específico do coração que lhe contava histórias intermináveis. Não havia nele outro interesse senão o advindo das peripécias e dos absurdos humanos, um gosto cultivado a partir de Scherezade. Além do mais, quem haveria de apostar no amor de um homem sabido por todos incapaz de amar? Em seu longo reinado não se registrava um único amor pelo qual rasgara roupas, manuscritos, jogara cinzas na cabeça como manifestação de luto.

No afã de convencer Dinazarda, sugeria que a troca das jovens no leito, antes da chegada do Califa aos aposentos, se fizesse ao cair da noite. A escuridão, desdobrando-se em sombras e falsas projeções, ao facilitar equívocos dava as boas-vindas a monstros e a fantasias, servia aos interesses de amantes e assassinos.

Scherezade amava, em particular, a epifania daquelas horas, quando, à luz de vela, os homens do califado associavam a astúcia noturna à natureza da mulher, de quem se devia esperar toda sorte de engodo, de mentiras e ilusões. O próprio Califa acreditando na demoníaca habilidade da fêmea de suscitar-lhe a perdição da carne, de dobrar-lhe a virilidade de varão, de devorar-lhe o falo. Talvez por isso ser comum, no mundo islâmico, dar à mulher o nome de Laila, equivalente a noite em árabe.

Não era Scherezade a única a acatar os perigos da noite em suas histórias. Há muito, califas e miseráveis coincidiam no temor à escuridão e à vulva feminina, ambas associadas. Os próprios poetas da corte não se livravam da maldição. Intérpretes dos sentimentos amorosos, próximos ao caos, suas odes tinham a fêmea e o crepúsculo como fonte primacial. Tal iniciativa poética atribuindo ao ideal feminino a mesma aura de mistério que Scherezade, em seus relatos, reconhecia naquela natureza lunar, cuja vulva os homens caçavam no desassossego da noite.

Menina ainda, Scherezade estudara a mística sufi. Seus mestres, sob o beneplácito das metáforas que, em igual diapasão, envolviam peixe, água, cavalo e mulher, defendiam a necessidade de reunir dois ou mais elementos antagônicos entre si em busca da transcendência. E isto porque estes místicos acreditavam que, sendo a experiência religiosa uma vivência simbólica, dedicada a explicar os enigmas do universo, era natural que a noite, Laila, e a própria mulher se confundissem com uma realidade oculta, a que nem caprichosas exegeses tinham acesso. Indissoluvelmente fundidas, ambas evocassem, na aparência, um útero cósmico, do qual haviam todos nascido. Ensejando assim a criação de um local esponjoso, de largueza insondável, fecundado pela luz e voltado a produzir incessantes réplicas.

Cercada pela pequena tribo de mulheres, Scherezade repassa na memória a simbologia da noite, amedrontadora e poética. Lembra-se de como, ao lado de Fátima, bradara contra as áreas escuras do palácio, reclamando da existência de segredos por todas as partes, agindo em aberta defesa do sol. Até entender que as religiões, arbitrárias e tementes, e os homens em geral incorporam-se, sem desdouro, à penumbra, natural zona de pecado e redenção.

Conquanto proibida de frequentar a universidade de Bagdá, nem por isso Scherezade fora privada do ensino. Assim, seu mestre Abissena, que se vangloriava de haver caminhado durante anos pela terra com a esperança de entender os homens, transmitia-lhe em detalhes tudo que dizia respeito aos debates incandescentes em torno de questões filosóficas e históricas. O eco de tais palavras seguindo-a até hoje, onde ela estivesse. Corcunda como um camelo, vergado ao peso dos anos, ela oferecia-lhe iguarias de que ele se via frequentemente privado. Enquanto mastigava com gula, cuspindo a comida sobre a mesa atapetada de manuscritos e rolos, Abissena ia-lhe esclarecendo que o mito explicava metaforicamente o que existia em torno dos homens. Tornando-se uma forma a expressar outras, mesmo as inclusas, dependendo ainda de definições.

Falava-lhe em voz quase inaudível, forçando uma confidência cativante. Aquele sábio, que tinha a consciência afetada pelo medo do escuro, incapaz, então, de prever que iria morrer em sua mansarda sem uma presença amiga, atribuía à noite lendas e enigmas, que não exauriam explicações. Um legado originário de ancestrais amedrontados ao primeiro sinal do crepúsculo, para quem o alvorecer era benfazejo.

A noite sempre dera início aos tormentos de Scherezade. O embate travado entre a noite e o dia, ambos com exaltada carga de contradições, imolava os seres. Sobretudo aqueles que, ousando eleger o homem como figura central do universo, dispensavam a noção do bem e a existência de um deus.

Entregue à penumbra, que ampliava o espectro da crueldade do Califa, Scherezade não duvidava que aquele homem encarnava o mal. Em nome da honra ofendida, ele esquecera-se da doutrina do Islã, celebrada especialmente no Ramadã, data em que o Arcanjo Gabriel revelara ao Profeta Maomé os mandamentos hoje contidos no Corão.

À cercania da noite, ela irmana-se com o séquito de mulheres que sofrem os efeitos da hora do lobo a abater-se sobre os humanos. Nesta difícil hora, sua memória arcaica, enraizada, por sinal, em cada indivíduo, recorda um passado quando todos, aninhados na caverna, acreditavam impossível voltarem a ver a luz do dia uma outra vez. No seu caso, a noite é mais dramática, pois graças à maldição lançada pelo Califa sobre todas as jovens, Scherezade prepara-se para morrer. Pelas paredes dos aposentos, onde se projeta a balança da justiça, alastram-se dizeres advertindo-a do perigo que corre. Mas antes mesmo que o anjo da morte a leve, Scherezade começa uma nova história.

60

Para sua surpresa, Dinazarda abraça-a, pergunta-lhe que silhueta conhecida se confundiria com a sua, de forma que o Califa, ao empinar o membro em direção à vulva, jamais suspeitasse da troca efetuada.

O veredicto de Dinazarda despertou-lhe suspeitas. O que fizera a irmã capitular a um empreendimento tão perigoso quanto aquele outro que, tempos atrás, trouxera as duas jovens ao palácio do Califa, onde se encontravam até então? Diante de uma Dinazarda alvoroçada, empunhando espadas em sua defesa, Schehezade arrependeu-se por alimentar em relação a ela pensamentos injustos. Afinal, a irmã merecia sua consideração, nada vindo dela lhe faria dano. Redimiu-se da desconfiança incumbindo-a de escolher a jovem que a substituiria no leito do Califa. Ela própria não saberia escolher um rosto semelhante ao seu, ou um corpo cujos volumes fossem praticamente sua réplica. Não sabia ver-se na superfície de cristal e guardar na memória feições cambiantes, que ora se alegravam com o novo dia ganho, ora sucumbiam frente a um futuro duvidoso.

Dinazarda, por sua vez, cobrara de Jasmine a seleção da mulher a desempenhar tal papel. Após entrevistar a jovem de nome Djauara, que tremia de medo diante de um destino cruel, aprovou-a mediante recapitulações contínuas do que deveria ela fazer na presença do Califa. Só então Dinazarda consultou os astros na expectativa de escolher uma noite densa e sem lua, com reduzidos riscos para a irmã. Escolhido o dia, Djauara foi introduzida nos aposentos reais, que pisava pela primeira vez. Mostrou-lhe o leito em que iria copular com o Califa, repassando com ela rapidamente os detalhes finais. Não devendo sobretudo esquecer que estava proibida de emitir uma só palavra, mesmo que o Califa insistisse em ouvi-la. E encerrou o rol de conselhos enfatizando como agir agora que se tornara a princesa Scherezade.

Dinazarda apagou as lamparinas, deixando à mostra a tênue chama de uma vela a pequena distância do leito, com o propósito de realçar sombras, de projetar as silhuetas dos amantes contra a parede. Scherezade observa a irmã sem opinar. Esconde-se atrás de um dos biombos, perto do leito, como lhe comanda Dinazarda. E ao examinar Djauara, cujo nome significava pedra preciosa, reconhece que efetivamente guarda semelhança consigo, tem a mesma altura.

Recostada nas almofadas do leito, posição cobrada por Jasmine, Djauara preocupa-se em apagar o seu corpo para fazer surgir nela a figura de Scherezade, que confiara, desde o início, na eficácia daquele plano. Fora ela quem defendera com veemência que aquela trama, conquanto arriscada, confundia-se com o caráter secreto da própria existência que, por norma, escondia dos demais as questões essenciais da humanidade. Desde a infância aprendera que qualquer realidade tinha feição essencialmente ficcional. Para onde olhasse, abrangendo na visão tanto o Vizir, seu pai, quanto o eunuco do Califa, a vida de cada um se constituía de um tecido falsamente harmonioso, debaixo do qual se moviam ações e perdas de difícil avaliação.

Precavendo-se contra qualquer imprevisto, Dinazarda tecia argumentos que se contrapusessem às acusações do soberano, em caso de descobrir ele a fraude. Ela mesma movia-se em torno do leito a simular uma coragem que, de fato, lhe faltava, amedrontada com as consequências de um ato considerado de alta traição. A cada passo, ensaiava que palavras usar para assegurar ao soberano as suas boas intenções. A iniciativa imprudente havendo nascido do excesso de zelo por ele, após perceber a que sacrifício o Califa se submetia no afã de guardar fidelidade à esposa. Pois desde a chegada de Scherezade ao palácio, talvez por excesso de escrúpulos e gentileza, ele passara a dispensar as favoritas, privando-se de experimentar outras carnes com igual direito ao seu falo. A ela, portanto, não parecendo justa uma situação que causava dano ao senhor do califado, ainda que, como consequência de sua iniciativa atual, Scherezade se visse privada da exclusividade da sua ereção.

Djauara parecia dócil. Comportava-se como se nada fosse acontecer. Ainda que ostentasse experiência sexual, havendo cedo aprendido a dar prazer ao homem, fora-lhe proibido demonstrar ao Califa sua sagacidade, em vivo contraste com Scherezade, inexperiente no assunto. Por tal razão, Jasmine recordara-lhe que, ao final do coito, não prolongasse sua estada ali, convinha abandonar os aposentos de imediato.

Ao ver-se no leito com o Califa, tão silencioso quanto ela, Djauara tinha em mente as prescrições de Dinazarda, que não admitia falhas. A cópula foi rápida, o Califa nada fazendo por prolongá-la. Durante o intercurso, a jovem comportou-se como Scherezade, para isto refreando o ímpeto sexual de deleitar o soberano que, acomodado sobre as almofadas, aguardava as bacias com água temperada para suas abluções, logo após a jovem sair às pressas do leito, dando lugar à Scherezade, escondida atrás do biombo.

Agachada perto do leito durante o coito, Dinazarda aliviava-se, ainda que tivesse reparo a fazer a Djauara. Após o Califa gozar, ao contrário do sóbrio comportamento de Scherezade na cama, a jovem, retendo a respiração por tempo superior ao previsto, pôs-se a arfar célere.

A presença de Djauara trouxera a Scherezade alívio provisório. Sem confessar a Dinazarda, esta iniciativa representava o primeiro passo no caminho da liberdade, no projeto de um dia desaparecer e deixar alguém em seu lugar. Só lhe faltando escolher quem a substituísse na arte de contar histórias.

Abusando da sorte, as irmãs convocaram Djauara de novo, com a condição de a jovem abolir os suspiros finais que ameaçavam a tudo perder. Djauara, sabedora do seu descontrole sexual, jurou obedecer. Tanto que naquela noite, ao final do orgasmo, primou em sufocar qualquer manifestação. E tão logo o Califa tombou exausto ao seu lado, cerrando os olhos como de hábito, a jovem abandonou o quarto sem fazer ruído.

Graças a este expediente, Scherezade abreviara sua frequência junto ao soberano. Liberta praticamente do dever conjugal, ao qual só não renunciara de todo por insistência de Dinazarda, evocou de repente a falecida Sultana. Pouco conhecia daquela mulher, responsável, afinal, pela sequência das mortes decretadas pelo Califa. Dela diziam ser de beleza quase angelical, embora atrás de seus traços suaves se escondesse uma luxúria insaciável. Ao mesmo tempo em que os feitos da Sultana puseram a própria vida em risco, graças a ela Scherezade experimentava, à margem de outras infelicidades, o gosto de contar histórias sem as quais o Califa, e ela mesma, já não sabiam viver.

61

Enquanto Scherezade apazigua o espírito pensando na Sultana, a quem conhece através do ódio que o soberano lhe devota, o Califa descobre que a fraude de que vem sendo vítima causa-lhe estranho prazer. O fato de as filhas do Vizir o enganarem com o seu tácito consentimento auspicia-lhe o advento de uma emoção inusitada. Um sentimento que, embora o deixe exposto a si mesmo, enseja-lhe a rara oportunidade de revisar algumas das suas decisões aplicadas às mulheres.

Ao sondar a repercussão daquela fraude em seu coração, não detecta sobras que devam ser extirpadas com a ponta do punhal. Súbito passara a considerar certas traições irrelevantes. Atos julgados outrora ameaçadores não lhe afetam agora o equilíbrio. Como se havendo saciado a sede de vingança, o castigo impingido às mulheres já não lhe traz o júbilo de antes. Assim, o fantasma da Sultana, que tanto o perseguira, dissolvia-se na retina, quase sentindo falta da dor que ela lhe provocara no passado.

Há muito o soberano registra em Scherezade um enfado pelo coito que coincide com o seu. Um repúdio que lhe facilita entender o comportamento da filha do Vizir e solidarizar-se com ela. Também ele, forçado pela imaginação de Scherezade, aprendera que as fronteiras do mundo se alargariam à medida que fosse rasgando os véus do visível. Naqueles dias aspira simplesmente por mudanças que, entre outras, o desvinculem do fatigante dever conjugal. Sem o risco, no entanto, de vir a perder a fonte de entretenimento que consiste nas histórias ouvidas a cada noite. A fatia de um saber que se acrescera ao seu entendimento do mundo.

Mesmo no escuro fora-lhe fácil perceber que a estranha em seu leito, semidesnuda, travestida de Scherezade, não era a sua esposa. À luz da única vela disponível, que lhe confundia a visão, o Califa constatara o equívoco. Chamara-lhe a atenção, em especial, que, enquanto a penetrava, ambos próximos do orgasmo, a respiração da jovem acelerara-se, revelando, por conseguinte, um grau de emoção inexistente no caráter hirsuto e austero de Scherezade.

Frente àquela descoberta, ele acatou o engodo sem perder controle. Em nenhum momento esbravejou, enfureceu-se ou fez ver às irmãs que, ao desvendar um fato em si humilhante, causador de sofrimento, cabia-lhe impingir a elas um castigo, de acordo com a culpa. Sorriu, porém, comprazido. O que diante da lei do califado se caracterizava como crime pareceu-lhe um fato repleto de atenuantes, impondo-lhe a revisão de aspectos morais relativos ao caso. Além do mais, graças àquela mistificação, surgia-lhe a oportunidade de interromper a cansativa sequência de fornicações. Sobretudo de desvencilhá-lo da ingente tarefa de visitar a vulva alheia a cada noite, com a vantagem agora de tal dispensa ocorrer justo quando as articulações dos joelhos, que lhe infligiam dores e embaraços, se tornaram ruidosas, provavelmente por falta de graxa. A este dissabor se acrescentara a circunstância de que o seu membro, à hora do coito, já próximo da vulva, dera por retrair-se, custando a recuperar a virilidade desfeita. Um fato que não o fazia sofrer, pois há muito vinha pedindo a Alah que o desvencilhasse da obrigação, contraída desde a adolescência, de visitar diariamente o sexo feminino.

Àquela noite em que a escrava introduzira-se em seu leito, Alah, como ouvindo-lhe as preces, dera-lhe a rara oportunidade de revidar à provocação das filhas do Vizir e abster-se do sexo ao mesmo tempo, sem o risco de perder no futuro as histórias de Scherezade. Tanto que a partir desta primeira visita, sucedida por outras, o soberano exibia os dentes miúdos, imprimindo ao sorriso sorrateiro a marca de uma maldade jamais vista antes em seu rosto. Uma expressão que correspondia, decerto, à sua mais recente convicção. No entanto, no passado, quando defrontado com a insubordinação ou a insídia dos cortesãos, teria reagido furioso, logo encaminhando o culpado à masmorra ou ao cadafalso. À mercê, no momento, do arcanjo Gabriel, defendia-se, sem cogitar na morte das jovens.

Frente à fraude sofrida, deu-se tempo, convinha meditar. Assim, ao ter Djauara no leito de novo, substituindo Scherezade, aflorou-lhe ao rosto o sorriso matreiro que o rejuvenescia. Sem titubear lançou-se sobre a jovem. Em contato, porém, com aquela carnalidade intumescida, seu membro, em flagrante desobediência ao projeto que tinha em mira, endureceu-se. Desconcertado com o imprevisto de ter o instrumento assentado em direção ao sexo de Djauara, ele cobriu-lhe o corpo e, imóvel sobre ela, sofreu seu desejo.

Djauara abriu as pernas atraindo o Califa. O membro real, porém, ativo até então, em vez de enveredar pela fundura do útero, não dava sinal de vida. Apenas seu volumoso corpo, ao comprimir-lhe a superfície, gerava tal desconforto que Djauara, em movimentos contínuos, friccionava o corpo contra ele, a fim de ressuscitar a vara do Califa, e ficar livre.

Montado sobre ela, o Califa tudo fazia para não enrijecer o sexo. Disposto a afastar a possibilidade de o membro traí-lo involuntariamente, ele se pôs a afagar o rosto da jovem, como se ela fora seu cavalo originário da Tartária. A desembaraçar-lhe os cabelos com as pontas dos dedos, à guisa de pente, a despeito da posição incômoda. Um gesto que, destituído de luxúria, mantendo inerte o falo encostado em Djauara, afastava qualquer conjunção carnal.

Djauara mal respira. O ar lhe faltando, faz um ruído abafado. As irmãs, atrás do biombo, se inquietam, não a podem socorrer. Entregue à sorte, a escrava hesita em fazer crer aos presentes, incluindo o próprio Califa, que o membro real, ainda em estado de ereção, abriga-se na vulva, daí emitir lamentos e suspiros falsos, como prova do gozo que o soberano lhe proporciona.

Como decorrência destes fatos, o Califa diverte-se nos dias entrantes, compraz-se em semear pequenos desastres em torno. Tal represália, conquanto surtindo o efeito inicial de deixar as irmãs sem ação, leva-o a meditar sobre o malogro de que se sente vítima. Nas visitas subsequentes, ainda revidando a afronta recebida, amplia o tempo de permanência sobre Djauara. À medida que pratica este exercício maligno, o sentimento de vingança parece-lhe azedar o paladar, perde o gosto de desfrutar um triunfo que não faz jus à sua estirpe. Talvez por isso, empurra Djauara para um canto do leito e, em voz audível às filhas do Vizir, declara-lhe que nunca mais retorne aos aposentos.

Dinazarda empalidece, sente-se perdida. Com gesto impensado, coloca-se à frente da irmã. Deve o castigo atingi-la primeiro. Mas, para sua surpresa, Scherezade lança-se sobre o coxim antes ocupado por Djauara, assumindo o delito. Em meio ao cetim amarfanhado, aspira o olor deixado pela jovem e que lhe evoca o deserto de Jasmine.

Alivia-se à lembrança desta paragem ilusória. O castigo prestes a desabar sobre elas, como resultante daquela troca de papéis, transformara-se em um fato a mais na cadeia das ocorrências que a afligem desde que enfrentava o Califa. Já não lhe fazendo diferença a iminência de um fracasso que há muito vem ameaçando a sua percepção da realidade. Afinal, havendo aprendido a conviver com a sentença fatal proferida diariamente pelo Califa, não vê razão de temer as consequências de um outro ato que a leve ao cadafalso. Está pronta a entregar a cabeça ao verdugo.

Em meio ao tumulto que se seguira à expulsão de Djauara, Scherezade, além de desafiar o soberano com a decisão de morrer, aparenta orgulho de cumprir uma trajetória que representaria a derrota daquele homem. Tanto que o Califa, alquebrado por este jogo maligno, afasta-se em direção à saída sem se despedir, deixando atrás uma trilha de mágoa e desconforto. Já próximo ao trono, consola-o pensar que as irmãs, pendentes da punição, a ser-lhes infligida, sofrerão a expectativa do seu retorno aos aposentos, acompanhado do carrasco.

Cientes do perigo, as filhas do Vizir abraçam-se ao ouvirem o arauto, cuja voz, soando de longe, prenuncia a condenação. Elas não sabem que boas-vindas lhe dar para driblar o perigo.

Cercadas pelo lamento de Jasmine, despedem-se da vida. Mas no esforço final de comovê-lo, exibem, deitadas no chão, a humildade de uma serva.

O Califa desponta nos aposentos triunfal. Passa pelas jovens sem registrar aquele sacrifício. Acomoda-se no coxim como se nada tivesse passado. Indica a Scherezade que se deite e, sem se despir ou retirar o falo escondido nas vestimentas, cobre-a com o corpo. Seus gestos, simulando uma cópula ativa, provam estar ele disposto a viver em regime de farsa em troca das compensações habituais, constituídas dos relatos de Scherezade.

62

Scherezade amanhece com febre. Sente-se exangue. Esforça-se, mas o corpo lhe falta, não consegue levantar-se do leito. O Califa, com gesto distraído, tomando por prazer suas faces coradas, concede-lhe um dia mais de vida. Uma decisão tomada a meio caminho de deixar os aposentos. E que nada lhe custou, uma vez que superara a agonia de punir as mulheres. Mas antes de sair ele olha para trás. Comove-se com a jovem empenhada em apreender o mundo com suas palavras. E pergunta-se quem depois dela, caso faleça ou parta do palácio de volta à casa do pai, lhe contaria histórias. Pela primeira vez formula a possibilidade de perdê-la, sem por isso sentir dor ou tentar impedir sua partida.

Deixadas a sós, e ignorando as transformações que afetavam o Califa, as mulheres entregam-se ao desespero. Cada qual, em torno do leito onde estende-se a febril Scherezade, busca um meio de salvá-la, sob forma de um óleo purificador, de ervas oriundas do deserto, de tudo, enfim, capaz de deter uma doença ameaçando alastrar-se pelo corpo, impedindo a jovem de defender-se da virulência do Califa, sempre implacável.

A sugestão de apelar ao médico da corte é refutada. Dinazarda receia que os cortesãos, partícipes de uma conspiração em andamento, adicionem à menta um veneno que precipite o desenlace da irmã. No palácio era fácil assassinar e apagar os vestígios da ação criminosa. Além do mais, crescera o número de acólitos e serviçais que invejavam a influência de Scherezade sobre o Califa, um poder agora acrescido das atribuições conferidas a Dinazarda, encarregada de fiscalizar amplas áreas do palácio.

Alheia ao drama em torno, Scherezade abre os olhos com dificuldade, vê o mundo opaco, a raiz do mal a golpeara fundo. O estado febril deixa-a, porém, excitada, das coxas lhe vem uma quentura que abrasa e a ata à vida. Faz manuseios discretos, como se arrancasse do baú do corpo fantasmas, duendes, mágicos, enigmas que lhe rondam o espírito. Só conta com Dinazarda e Jasmine para aliviá-la da doença, que parecia incurável. Um fardo, sem dúvida, para a irmã, que hesita sobre o que fazer antes de o Califa retornar aos aposentos, na expectativa de ouvir o final da outra história. A reação do soberano, vendo-a ainda prostrada no leito, sem condições de lhe alegrar a noite, podia agravar a irritação que o acompanha, em geral, após as audiências, e ordenar-lhe a morte em súbito rompante.

Dinazarda pensa em Fátima, que nem sabe onde vive, longe de Bagdá, o que faria se ainda estivesse entre elas. Sua astúcia, tão proverbial, facilmente convertia uma cobra em rã, com a aquiescência final de quem pretendia enganar. Mas a que ardil recorreria Fátima para iludir o soberano, a fim de proteger Scherezade? Ou conseguir do homem a liberação da irmã, a cessão de sua custódia?

Sempre suspeitara que a figura da criada com quem Ali Babá vem a casar-se fora inspirada em Fátima, tão vivaz e esperta quanto aquela personagem. Só não lhe havendo Scherezade dado o nome de Fátima para proteger a ama e mantê-la distante do circuito em que se decide facilmente vida e morte.

Disposta a lançar mão de algum providencial recurso, Dinazarda fixa-se em Jasmine, bela e de carnes rijas. E que, na voragem da emoção, proclama com frequência amar Scherezade acima da própria vida. Um amor jamais exclusivo, pois estende-se à outra filha do Vizir. Manifestando-se pronta a sacrificar-se por elas, se lhe for exigida tal prova. Sua medida amorosa fora sempre intensa, exagerada.

A febre não se debelava com os recursos ao alcance. Havia que afugentar com presteza o perigo que o Califa sempre representa. Ao ouvir os lamentos da escrava, ajoelhada ao lado do leito de Scherezade, declarando-se disposta a morrer em seu lugar, Dinazarda não titubeia, acena com a cabeça, diz-lhe que aceita sua imolação. Chegara a hora de testá-la.

Jasmine inclina a cabeça, aguarda que lhe esclareça o que espera dela. Dinazarda toma das suas mãos e submete-a, sem tergiversações. Exige que, a partir daquele dia, converta-se em heroína das histórias que se difundem por Bagdá. Deve ombrear-se na vida real, que tem cheiro e fezes, a Scherezade. Esta sua irmã que, nas histórias, salva marinheiros, poupa os náufragos, vence a procelosa tempestade. E se de fato havia aprendido a admirar Simbad, disputasse com ele agora o cetro da coragem. Aliás, o que de mais nobre lhe podia a existência oferecer do que se deixar abater pelo fio da adaga, tendo em vista a preservação da vida de Scherezade?

As sentenças, que lhe vai ditando, não exigem lágrimas para serem convincentes. Seus olhos, fixos em Jasmine, têm expressão implacável, expulsam traços de ternura ou de consideração. Demanda, simplesmente, que a escrava, a partir da promessa selada entre elas, adote atitude de guerreira destemida, ambas alterem o curso dos acontecimentos vividos naqueles aposentos.

Jasmine acena com a cabeça. Não faz falta que Dinazarda insista ou prove-lhe que não há outra escolha. Só que Dinazarda, agoniada com a irmã, não lhe registra o gesto. Pois, como se houvesse perdido a crença na solidariedade da escrava, cobra-lhe o cumprimento da palavra empenhada. Ante a possibilidade de perder Scherezade, esquece as virtudes da escrava que a irmã tanto pregava.

Jasmine lança-se ao chão, treme de indignação. Sob pena de morrer por sua audácia, enfrenta sobranceira a mirada da ama. Quem era esta filha do Vizir que lhe roubava as virtudes inatas das vozes do deserto? Membro ela de uma tribo que se conduzia segundo preceitos sagrados, em prática entre eles antes mesmo da leitura do Corão?

Dinazarda sente-se confusa. Não sabe como reagir. Pela primeira vez observa nela aspectos surpreendentes, tem em sua frente um ser que desconhecia. Acaso subestimara as forças daquela escrava, terminando por humilhar uma amiga, e tudo em nome de Scherezade, que certamente teria reprovado sua conduta caso testemunhasse a cena?

Não sabe estancar o pranto de Jasmine. Quer desculpar-se, mas os lábios se cerram. Inclina a cabeça em sua direção, com a respiração praticamente colada à sua, aguardando que a escrava entenda a linguagem de um coração aflito. Não sabe reparar os males de um drama que talvez mereça compreensão. Seu embaraço avoluma-se, assim como o sentimento do luto antecipado. Dando tempo, porém, a Jasmine, de índole generosa, de recompor-se. Ela não quer a filha do Vizir sofrendo por sua causa. Ambas, afinal, estão à mercê de um mal que termina por uni-las. Com voz suave, Jasmine pergunta-lhe o que espera dela. Não lhes sobra muito tempo.

Dinazarda tarda em tomar providências. Jasmine, porém, sob o mesmo impacto, demonstrando estar pronta para agir, dirige-se às pressas ao mercado, a buscar ervas que salvem Scherezade. Tem em mente uma mistura obtida por outras tribos, tão nômades quanto a sua. Neste afã, agarra folhas, experimenta pomadas, bebe xaropes asquerosos. De volta aos aposentos, ao aplicar unguentos no peito da jovem, fazendo-a igualmente beber um líquido escuro, gosmento, tem certeza de que a recupera para a vida.

Dinazarda enxuga a testa da irmã, recolhe a urina e as fezes, exibe o material contra o sol, para descobrir danos que escapam aos seus olhos. Tem a esperança de que até a noite preserve-se a vida da irmã. Mas como substituí-la na farsa prestes a ocorrer à chegada do Califa, sem que ele repudie publicamente a mentira que vem sendo urdida nas últimas semanas?

Não havia que aguardar a hora da verdade, que não existia. O que sumira da cena fora a voz da narradora, ora febril. E não poderia surgir então uma outra eloquência para substituir a de Scherezade, desta forma evitando o desfalecimento da história?

Dinazarda apalpa a testa da irmã. A febre reduzira-se. Scherezade sorri, apesar da fraqueza. Tem o corpo banhado de suor. Jasmine a vai secando com bálsamos e panos. Acaricia-a com exaltação. Parece-lhe haver salvado a vida. E tem gosto que Scherezade lhe deva tal tesouro, como o Califa há de lhe dever um dia as histórias que lhe irá contar. Mas será assim mesmo? Aceitará Dinazarda repartir com ela um cotidiano que ambas ambicionam viver com aplausos e intensidade?

Scherezade expulsa o pano da cabeça e o véu do rosto, como lhes garantindo que chegara o momento de eleger suas sucessoras e desaparecer do palácio do Califa.

63

Jasmine traz-lhe as tâmaras selecionadas com apuro. Distraído, o Califa saliva a fruta, chupa a fibra, devagar desfaz seus fios. Só após secar o caroço expulsa-o da boca.

Ajoelhada aos seus pés, Jasmine tributa-lhe cuidados apenas reservados a Scherezade. Ele examina a escrava como se fora um bicho acorrentado. Bela e fina, inclina-se em sua direção igual a uma palmeira do oásis. Mas de quem se trata, de onde procedera? Não se lembrava de haver-lhe ouvido a voz. Cogitou se seria muda, a língua fora-lhe roubada antes de a comprarem para servir no palácio. O seu silêncio podia-se dever também a ter ouvido no cativeiro a beleza do árabe falado na corte e ressentir-se da língua tribal da família, pejada de expressões grosseiras, embora traduzisse à perfeição carências do deserto, enquanto tangiam os animais. Bom motivo para esconder o timbre metálico com que emitiria notas dissonantes. Sua quietude, contudo, despejava em torno inquietações e um espírito indômito. Detectou-lhe igualmente, por baixo da epiderme acetinada, uma sensualidade contida, irracional.

Tem ganas de afastá-la, de exigir que Scherezade, recuperada milagrosamente da febre, se ajoelhe, substituindo a escrava. Não ousa ofender a filha do Vizir. Volta a dar atenção a Jasmine. O que ela lhe diria, caso demonstrasse interesse por seu passado turbulento? Seria a escrava capaz de contar-lhe uma história comparável, em alguma medida, às que ouvira de Scherezade? Ou o dom de Scherezade, exclusivo, negava-se a repartir-se entre os demais humanos, cabendo à escrava apenas porções mínimas do encanto da filha do Vizir?

Ultimamente o Califa vinha se perguntando se não chegara o momento de tentar viver sem Scherezade, após substituí-la por alguém de talento similar ao seu que, não sendo cópia sua, demonstrasse habilidade para iniciar e terminar uma história com resultados aprazíveis. E que soubesse preservar, ao longo do esforço narrativo, dúvidas providenciais para a emoção do relato e para o próprio contador.

Ao aceitar esta eventual mudança, o Califa tinha em conta afugentar a solidão, que adviria da perda de Scherezade, e seguir contando, ao mesmo tempo, com a companhia dos miseráveis de Bagdá, vindos à sua presença, sem sair do palácio. A repousar sobre as almofadas, servido por belas escravas, não lhe fazendo falta perambular a esmo pelas vielas da cidade para obter a dose diária de história que Scherezade lhe trazia.

De tanto deter-se no rosto de Jasmine, fartou-se das feições humanas facilmente confundidas com os traços de uma cabra ou de um camelo. Ao levantar-se, o soberano flexionou as pernas, levando as mãos ao chão sem o resultado esperado. Com o gesto pretendera abanar certas memórias incômodas. Desolado, afundou o corpo de novo nas almofadas.

Ouviu a história de Scherezade com a curiosidade de sempre. Um prazer que lhe vinha de tal modo abrandando o coração que se viu tentado a confessar-lhe, pouco antes do amanhecer, enquanto ela ainda lhe falava, que, a partir daquela noite, estaria dispensada do seu veredicto. Isto é, não haveria castigo para ela. Estava livre para deixá-lo, seguir para onde quisesse, levando consigo a garantia de nunca mais punir uma jovem de Bagdá. Pela primeira vez ele sentia-se quite com as mulheres e com a vida. Além do mais, como resultado da operação recente, apinhada de equívocos e que desembocara na escrava Djauara, decidira reduzir as funções sexuais, sem fazer alarde do fato. Até suspender de vez o coito noturno, quando se certificasse na prática de que tal interrupção não lhe causaria dano. Livrando assim as juntas da obrigação de fornicar, para desfrutar, em troca, os devaneios criativos de alguma jovem a ser logo recrutada.

Nada lhe disse. Como que falando sozinho, o soberano reconheceu-se culpado pelos excessos cometidos. Negligente com as irmãs, sobretudo com Scherezade, fizera-a sofrer sem lhe haver ensinado ao menos a arte da vaidade, que previa impor-se aos demais de forma abusiva.

Estava, pois, disposto a esquecer a conduta enganosa promovida pelas irmãs. Afinal, fora ele que as levara à saturação, inspirando-lhes uma farsa benfazeja. A partir da qual, simulando a cópula, ambos os amantes podiam dispensar sua mútua presença no leito. A ele cabendo seguir deleitando-se com aquelas histórias que, apesar de inverossímeis, ganhavam foro de verdade graças à sua irrestrita comunhão com as palavras que saltavam da boca de Scherezade como de um sapo verde-musgo, habitante de um hipotético pântano.

Dinazarda ressente-se com o Califa, que lhes dá combate com estratagemas inesperados. O que pensar do soberano que monta a irmã, agita-se sobre suas carnes frágeis o tempo apenas de convencer a todos que seu falo, ora retraído, penetrara a jovem e ejaculara só para fazer crer aos demais que cumprira a tarefa de visitar a vulva, quando faltava-lhe apetite para fornicar.

Usando Jasmine como interlocutora, Dinazarda desabafou, expressando mágoas e receios. Sentia o perigo iminente. Precisava que Jasmine, à sua maneira, descrevesse se o soberano, após a falsa cópula com Scherezade, guardava no rosto expressão aflita ou discreto traço de concupiscência. Como reagia ele ao esforço de Scherezade em abrir-lhe as pernas, a fim de chegar ao fundo do útero. Acaso comportava-se como se o corpo da filha do Vizir não passasse de receptáculo para seu esperma que jamais deitara raízes nela?

Jasmine seguia seu raciocínio buscando propósito no que Dinazarda lhe diz. Talvez esta princesa julgasse ter chegado a hora de Scherezade romper os liames com o soberano e retornar à casa do pai. De uma vez por todas decretar-se derrotada, ensejando que o Califa recomeçasse a derrama de sangue jovem. A menos que Dinazarda tivesse intenção de testá-lo, de saber se estaria ele, de fato, preparado para perdoar as mulheres por um crime que não cometeram, e renunciar a qualquer vingança contra Scherezade, devolvendo-lhe o direito à vida.

Falando praticamente sozinha, Dinazarda insiste em averiguar as intenções do Califa enquanto ele sorve seguidos copos de chá de menta. O Califa mal olhara Scherezade, ao menos para certificar-se se ainda permanecia ao seu lado. Tanto lhe dando que, em vez da irmã, uma estranha ocupasse o seu lugar, com a tarefa específica de não o privar do vinho injetado em suas veias sob forma de palavras.

Dinazarda agita-se pelos aposentos, vai aos jardins colher flores, até avançar por uma conclusão surpreendente. O Califa dava indícios seguros de estar disposto a liberar Scherezade, a conceder-lhe um salvo-conduto com o qual visitar seu reino e escolher o lugar ideal onde povoá-lo com suas mentiras. Podendo, se quisesse, levar consigo alguma escrava, alguém trigueiro como Jasmine.

Chegara, pois, o momento de Scherezade partir. De seguir viagem, obedecendo às instruções de seu recalcado desejo. Um traslado que coincidisse com seus sonhos. De forma que, nas semanas entrantes, já não estando mais entre elas no palácio, prosseguisse pelo deserto até deter-se diante da pequena casa de Fátima. Um verdadeiro oásis em meio às outras casas da aldeia. Um local cuja descrição, feita antes de Fátima despedir-se do palácio do Vizir, permitiria a Scherezade chegar ali sem margem de erro. Pois ambas as mulheres, a ama e a princesa, sempre souberam que, após a longa e dolorida separação, se abraçariam comovidas, atadas por tentáculos impossíveis de se romperem. Um reencontro que prometia mantê-las unidas até a morte apartá-las.

Ao imaginar a emoção daquele encontro, Dinazarda escondeu a cabeça entre os braços, não permitindo que Jasmine visse o que lhe ia no coração.

64

Dinazarda e Jasmine estavam prontas a admitir ao Califa que Scherezade fugira ao amanhecer, após ele despedir-se das jovens, já de volta à sala do trono. Mas talvez ele nada indagasse ao não encontrá-la à noite em seus aposentos. Indiferente a que Scherezade, cansada do ofício de contar histórias, tivesse se despedido do palácio, embarcando numa aventura desconhecida.

Há muito, afinal, a filha do Vizir aspirava a um cotidiano sem lógica e coerência, mesmo sob o risco de estreitar os caminhos da salvação. Não suportava mais ser mulher daquele homem, proibida, portanto, de viver a instantaneidade de uma paixão com algum estranho. Refletindo ela, assim, um enfado prestes a redundar em desastre, se Dinazarda não tomasse imediatas providências. Há dias Dinazarda vinha prevendo seu declínio com consequências fatais, ainda que Scherezade continuasse a lhes contar histórias atraentes.

Seus últimos inventos, no entanto, de marcado tom pessimista, manchavam a frescura de um enredo que prometera, às primeiras frases, ser feliz. Tanto que dificilmente fazia-os sorrir como antes. Mais parecendo ter gosto em impor aos ouvintes uma melancolia pegajosa, como se o cotidiano, em suas expressões marcantes, requeresse um aluvião de lágrimas.

Havia que abolir a volúpia do desespero antes de Scherezade pedir ao Califa, como um favor pessoal, que ele lhe decretasse a morte, querendo desta maneira livrar-se de uma vida destituída de esplendor. Afetada, pois, pelo perigo iminente, Dinazarda expede mensagem ao pai, que naquela longa temporada agira como covarde, para tomar enérgicas providências. Distante até então do sacrifício da filha, a quem talvez julga ser merecedora de punição por lhe ter contrariado as ordens, devia ele agora redimir-se de semelhante omissão e tornar-se herói de uma família constituída de tão poucos membros. Demonstrar aos demais cortesãos o grau do seu afeto pela filha.

Desde sua vinda para o palácio do Califa, Scherezade recusara-se a envolver o pai em seu drama. Poupava-o do constrangimento de solicitar-lhe ajuda e ver negado o seu pedido. Não queria ver no rosto do Vizir qualquer censura por ela haver escolhido a turbulência em vez da felicidade duradoura. Uma filha que fora incapaz de prever a dor advinda do desafio ao Califa.

Por trás do caramanchão, às escondidas, Dinazarda exigiu do pai que tirasse Scherezade do palácio, levando-a para longe de Bagdá. E expondo-lhe a firmeza dos seus propósitos, garantiu-lhe ficar no lugar da irmã. A mesma declaração Dinazarda fez a Scherezade após a aquiescência do pai. Para sua surpresa, Scherezade reage interrogante, como ficar em seu lugar se, a partir do momento em que decidira salvar as jovens do reino, a sorte pertencia-lhe, ninguém lhe podia roubar o destino. A menos que Dinazarda confessasse há muito pleitear o seu lugar, sempre aspirara a ser rainha, surpreender o envelhecido Califa com um herdeiro do trono.

Scherezade insistiu com a irmã: se admitir que sempre quis estar onde estou, deixo-a em paz, aceito o socorro do pai. Dinazarda nada lhe disse, não fazia falta. O silêncio confirmava a suspeita de Scherezade. O conluio entre Dinazarda e Jasmine avançara a ponto de haverem as duas repartido as respectivas funções. Dinazarda serviria ao Califa na cama, enquanto Jasmine, recém-descobrindo a tardia vocação de contadora, iria entreter o soberano com histórias que há muito tinha no caldeirão da bruxa, como considerava sua memória. Quando misturaria as ervas das suas lembranças com o material do derviche, todo ele inaproveitado, contando ainda com o universo ilimitado que Scherezade desbravara à sua frente em generosa oferenda.

Sob a promessa de o pai encaminhar Scherezade para onde ela quisesse ir, à guarda de qualquer perigo, Dinazarda fez seus planos. Soubera naqueles dias que várias caravanas deixavam Bagdá, bastando que Scherezade apontasse no mapa a direção da sua escolha. Transportando mercadorias, não haveria para estas caravanas qualquer inconveniente em levarem a princesa e seus preciosos bens, que o Vizir pretendia adiantar-lhe como parte de sua herança. Acomodada em confortável liteira, Scherezade cruzaria o deserto distraindo-se com os animais, em especial os camelos, a quem sempre encaminhara odes à beleza e à utilidade.

Scherezade recusou-se a definir seu itinerário. Ao afastar-se de Bagdá, não deixaria rastros. Dinazarda obstinou-se em saber de seu paradeiro. Se fico em seu lugar, arriscando a que o Califa me corte a cabeça, ajudo-a a definir seu destino.

Scherezade soubera sempre que, ao abandonar o palácio com vida, sem os demais saberem, tomaria a caravana rumo norte. Conhecia bem em que ponto da viagem largaria o cortejo, prosseguindo em outra direção e, com mais alguns dias de trajeto, batendo à porta de Fátima. Estava convencida de acertar. A casa, segundo relato de Fátima, não era grande, mas a avistaria de longe. Com muita vegetação em torno, até olivais esplêndidos, havia nela um quarto reservado para a jovem. E tudo mais no seu interior, que se organizara tendo Scherezade em vista. Onde mais a imaginação da jovem floresceria, para compensar a carência vivida nestes tempos difíceis? E não devia, esta mesma imaginação, provê-las com a abundância capaz de inventar que enredo fosse? Tal como engendrar um príncipe que, de verdade, não passava de um professor egresso da escola de Bagdá, e cuja vocação herética, ao contrariar os princípios religiosos então vigentes, fizera-o recém-instalar-se na aldeia vizinha à casa de Fátima. Bem podendo ocorrer no futuro que ambos os jovens, enfastiados dos recursos urbanos, da ilusão perigosa brotando de cada coisa, viessem a se conhecer. Quando os dois saberiam, sem pressa, que um se destinava ao outro. Mais que para viverem um grande amor, em geral amortecido pelo hábito, um faria o outro divertir-se, rir-se.

Fátima aprovaria a união. Para isto estava disposta a renunciar aos espaços da casa em favor de uma família a crescer, ao chegar a hora. Scherezade e ela estavam de acordo quanto à modéstia de uma vida que as deixava livres para a fantasia de que careciam.

Seria isto, então, o que ocorreria após Scherezade ser retirada do palácio em uma sexta-feira sagrada e entregue pelo emissário do Vizir a uma caravana orientada no sentido de obedecer às suas ordens? Sem o pai vir jamais saber que direção a filha iria tomar, limitando-se ele a fornecer-lhe joias, ouro, moedas, tudo que lhe fizesse falta? Não se esquecendo de ceder-lhe seu servo devoto, Abu Hassam, há muito a seu serviço, e que lhe chegara sem língua, cortada por berberes temerosos de um dia ele falar, pondo em risco a segurança da tribo?

Para efetivar a fuga de Scherezade, faltava o pai fixar a data. Dinazarda surpreendia no olhar de Scherezade a prelibação do momento em que cruzasse os umbrais dos aposentos, sem girar a cabeça para trás para ver quem deixara na retaguarda. Arrastada tão somente pelo desejo irradiador de ser insensata, de assumir riscos relativamente menores dos que contraíra no passado, quando, na companhia de Dinazarda, instalara-se nos aposentos do Califa, usando como pretexto a salvação das jovens do reino.

Não decidisse o pai, em aliança com Dinazarda, tirá-la dali, Scherezade se lançaria da janela levada pelo desespero. Já não suportava mais a mirada do Califa a extrair-lhe desfechos felizes, sem em troca lhe prometer a liberdade. Em nenhum momento confessando-lhe que, em paga por tantos favores prestados, estava disposto a deixá-la partir. Pois graças às suas suntuosas descrições recuperara o ânimo de viver. O califado já não lhe parecendo tão enfadonho quanto antes. Sem mencionar que aprendera a perdoar às mulheres, graças às histórias de Scherezade considerar homens e mulheres parceiros narrativos.

Com o poder que o Califa lhe outorgara, Dinazarda movia-se pelo palácio dando ordens, sempre acatadas.

No último encontro com o pai, por conta ainda de Scherezade, ele pareceu magoado com a crescente influência da filha em setores sob seu comando. Mas ao sentir o perfume floral que exalava de sua pele, fazendo-o recordar a esposa morta, ele abraçou-a, sentindo o amor pela filha germinar em todo o seu ser. Também ela beijou a mão do pai, não lhe queria extorquir o poder. Mas exigia que levasse Scherezade a salvo para onde ela quisesse ir.

À véspera da fuga, multiplicando-se em funções, Jasmine incorporara a imagem de Scherezade ao seu corpo. Estava certa de que o Califa brevemente se esqueceria da contadora de histórias. Também Dinazarda, sobra viva de um trio às vésperas de dissolver-se, cumpriria o que Scherezade lhes ensinara. Uma e outra confiantes que o Califa, na companhia delas, se sentiria livre para viajar de novo pelo califado, frequentar suas favoritas, esquecer que por longo tempo fora prisioneiro da filha caçula do Vizir.

Os detalhes da fuga, planejados pelo Vizir, foram de fácil execução. Quem a vira de relance não acreditou que Scherezade, vestida de escrava em meio a outras, saísse pelos portões traseiros do palácio, ao encontro do servo mudo do pai, designado para servi-la. Logo os dois sendo acolhidos pela caravana, na iminência de partir. E tão rápido deu-se tudo que já no início da tarde haviam se distanciado de Bagdá, sem Scherezade olhar para trás uma única vez a pretexto de guardar na retina as muralhas da cidade. Mal despedira-se de Dinazarda e Jasmine, apressadas as duas em tomar seu lugar, receosas de a fuga ser descoberta antes do tempo previsto.

Scherezade não vira o pai. Não sentia sua falta, como se o tivesse abolido de sua vida. Parecia-lhe que, havendo-o convertido em personagem de uma história na qual se encaixara à perfeição, seguia tendo-o ao seu lado. Ainda que não voltasse a ver a família, ela os teria próximos, repartindo-os com Fátima. E que eles não a considerassem infiel por reservar-lhes, no futuro, um papel discreto no relato que já tinha em mente.

As dunas, à sua frente, davam-lhe as boas-vindas. Finalmente conhecia de perto o deserto. Ouvia suas vozes secretas misturadas ao fino grão de areia que lhe fustigava a pele. Enquanto a caravana prosseguia, Scherezade ia deixando para trás o universo integrado pela irmã e por Jasmine. Cada vez que chorasse nos anos por virem, se consolaria com a memória guardada delas. Elas jamais se perderiam. Acaso não era verdade que o vivido, ainda que se dissolva em meio às lembranças, é um ponto de resistência no futuro?

O Califa não viria ao seu encalço. Detectara nele sinais de esgotamento. A suplicar-lhe quase que desaparecesse da vista, pois não a queria entregar ao verdugo. Afinal, reconciliado com as mulheres, e pouco lhe importando suas traições, ele compreendera a necessidade de preservar a própria biografia, que não se comparava em repercussão à do aventureiro Harum Al-Rachid. Em compensação, não lhe poderiam negar que fora ele quem obrigara Scherezade a contar as melhores histórias do reino, a fim de salvar-se. Graças à sua tirania, responsável por um fato inicialmente desonroso, a história do seu povo se consagraria para sempre. Uma edificação verbal mais poderosa que qualquer mesquita ou palácio erigidos com pedra, cal e suor. O que Scherezade semeara nos aposentos, através dele, nunca se apagaria. Para isto, Jasmine e Dinazarda, discípulas suas, repetiriam cada relato à exaustão. Nem elas, e nem seus sucessores, deixariam morrer a substância da alma árabe. Ainda que ele e as jovens nunca mais ouvissem dos lábios de Scherezade as novas histórias que ela estaria agora contando a Fátima, que a recebera de braços abertos tão logo chegou à casa, poeirenta, faminta, mas feliz.

Este livro foi composto na tipografia Bembo Std,
em corpo 12/16, e impresso em
papel off-white no Sistema Cameron da
Divisão Gráfica da Distribuidora Record.